ちくま新書

ものがたり戦後史

富田 武
Tomita Takeshi

1636

ものがたり戦後史――「歴史総合」入門講義【目次】

はじめに 016

第1講 第二次大戦と日本の敗戦 019

1 第二次世界大戦 021

総力戦と総動員体制／ファシズムの敗退／民族解放運動の進展／講和と戦後秩序

2 アジア・太平洋戦争 029

戦争の呼称と認識／日本の敗因

3 日本の敗戦過程 032

国際的孤立のなかでの継戦／米ソ日三国の暗闘と終戦／ソ連侵攻と降伏文書調印

コラム1 各国の終戦記念日 042

第2講 占領下改革と新憲法 043

1 日本占領の体制 045

2 占領下の諸改革 047

非軍事化・軍国主義排除／政治・社会の民主化／経済改革の実施
3 新憲法の制定 053
日本側官・民草案とマ元帥ノート／GHQ案と諸修正／極東委員会と国内世論
コラム2 戦争の傷跡と米軍の印象 065
第3講 戦後復興と朝鮮戦争 067
1 政党政治と経済復興 069
政党政治の復活／経済の改革・復興／米国の経済介入
2 冷戦と占領政策転換 074
トルーマン・ドクトリン／日本占領政策の転換
3 中国革命と朝鮮戦争 079
中国内戦と共産党勝利／朝鮮戦争勃発とその惨状／朝鮮戦争と日本の関与
コラム3 サラリーマンの家 087
第4講 日本の独立と五五年体制成立 089
1 サンフランシスコ講和会議 091

講和への道／講和会議の議論と結果
2　日米安保条約と周辺諸国　096
安保条約の対米従属性／周辺諸国との関係
3　五五年体制成立と日ソ国交　099
社会党統一と保守合同／日ソ国交回復
コラム4　学校給食と映画『原爆の子』　108
第5講　安保闘争から高度成長へ　109
1　冷戦の推移　111
冷戦から雪解けへ／二極から多極へ／対立と協調の繰り返し
2　六〇年安保改定と安保闘争　115
安保条約の改定／国会での論争点と世論
3　高度経済成長期へ　120
成長ぶりと要因／社会の変容
コラム5　安保闘争とキューバ危機　127

第6講　ベトナム戦争と世界　129
1　ベトナム戦争の経過　131
抗仏戦争から抗米戦争へ／アメリカ本国の反戦運動
2　中国文化大革命と中ソ対立　134
中ソ蜜月から対立へ／文化大革命／米中・日中関係
3　日韓条約から沖縄返還へ　140
日韓条約の締結／革新政党の動向／沖縄返還の実現
コラム6　報道とジャーナリスト志望　150
第7講　高度成長の矛盾と石油危機　151
1　公害問題と革新自治体　153
公害問題／革新自治体
2　若者文化と社会運動　157
若者文化の変容／新しい社会運動
3　石油危機と危機対応　162

石油危機／先進国低成長時代へ
コラム7 新左翼とは何だったのか 166

第8講 七〇年代のヨーロッパ 167
1 ドル・石油危機とデタント 169
経済危機と欧州安全保障／デタントと両独接近
2 社会民主主義と福祉国家 173
社民政権の七〇年代／南欧の遅れた民主化
3 西欧統合と民族・移民問題 178
ECの統合進展／西欧の民族・移民問題
コラム8 ドイツの「過去の克服」 183

第9講 七〇年代のアジアと日本 185
1 米中和解と中国・朝鮮 187
和解の両国への影響／鄧小平の復権と改革・開放
2 田中の外交と内政 191

訪中・訪ソの意義／内政の成功と失敗／ロッキード汚職と田中院政
3　中ソの対外戦争と権威失墜　196
中越戦争とインドシナ難民／ソ連のアフリカ進出とアフガン侵攻
コラム9　田中角栄という政治家　202
第10講　イスラム勢力の台頭　203
1　イラン・イスラム革命　205
イスラム国家の成立／白色革命への反動
2　イスラム復興運動　208
イスラム教とは／ムスリム同胞団
3　イスラム世界の広がり　211
中東戦争とアラブ結束／イスラム勢力の拡大
コラム10　イスラムの宗教と風習　218
第11講　新自由主義と日本の大国化　219
1　英米の新自由主義　221

新自由主義とは／英サッチャー政権／米レーガン政権
2　日米経済摩擦とナショナリズム　226
日米経済戦争／バブル経済へ
3　中曽根の外交と内政　230
日米同盟とアジア／行政改革と民営化
コラム11　円高で海外訪問　236

第12講　ペレストロイカと冷戦終結　237
1　ペレストロイカの背景　239
ポーランドとハンガリーの改革／ソ連の経済停滞と老人支配
2　改革から体制崩壊・連邦解体へ　242
情報公開から民主化・分権化へ／外交革命と対欧米・アジア政策／民族紛争拡大と経済改革挫折
3　東欧革命とドイツ統一　251
東欧革命の進展／「壁」崩壊とドイツ統一
コラム12　ペレストロイカとアウシュヴィッツ　254

第13講 中国の改革・開放と東アジア 255
1 中国の「社会主義市場経済」 257
市場経済化の実態／追いつき的近代化
2 開発独裁から民主化へ 261
アジア諸国の開発独裁／台湾と韓国の民主化
3 北朝鮮の孤立と国際社会 266
経済破綻と難民流出／対日・対韓関係／北朝鮮は社会主義か
コラム13 天安門事件と拉致問題 271
第14講 ポスト冷戦の日本 273
1 経済グローバル化と日本 275
長期的・構造的不況／グローバル化圧力／格差社会化
2 五五年体制崩壊と政界再編 279
五五年体制の崩壊／社会党の凋落／小選挙区制と政界再編
3 安保強化とネオ・ナショナリズム 284

湾岸戦争以後の安保強化／対外摩擦の表面化
コラム14 日本の政治家寸評 290
第15講 二一世紀に入って 291
1 戦争の過去と未来 292
戦争の定義と性格／戦争が生む難民／核兵器とＡＩ兵器／戦争ができる国へ？
2 地球環境と持続可能な開発 301
公害対策から環境保護へ／環境保護でも南北対立／持続可能な開発とは
コラム15 中村哲さんと田尾陽一さん 314
おわりに 315

凡例

①資料のうち古いものは旧仮名、旧漢字を改め、ルビは基本的に難しい読み、日本人・朝鮮人・中国人の姓名に限定した。

②年月日は基本的に、「シリーズ・二〇世紀の記憶」別巻『二〇世紀年表』（毎日新聞社、一九九七年）に拠っている。法律の制定と公布、条約の調印と批准など二つの日付がある場合は、憲法のように重要なものは除き、いずれかにした。時差による日付のズレ（真珠湾攻撃は日本時間一二月八日、米国時間七日）は、日本時間を採用している。

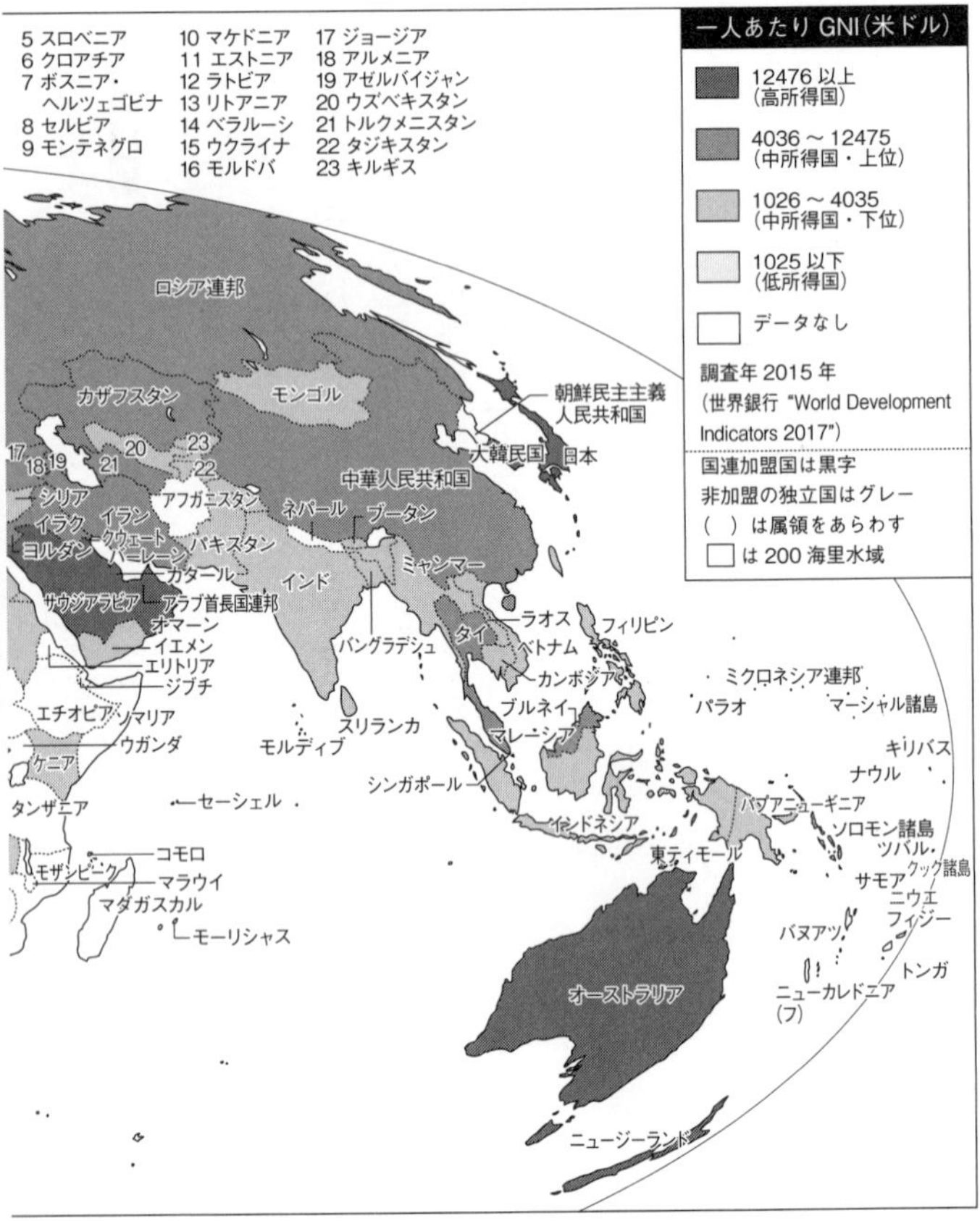
5 スロベニア
6 クロアチア
7 ボスニア・ヘルツェゴビナ
8 セルビア
9 モンテネグロ
10 マケドニア
11 エストニア
12 ラトビア
13 リトアニア
14 ベラルーシ
15 ウクライナ
16 モルドバ
17 ジョージア
18 アルメニア
19 アゼルバイジャン
20 ウズベキスタン
21 トルクメニスタン
22 タジキスタン
23 キルギス
一人あたり GNI(米ドル)
12476 以上 (高所得国)
4036 ～ 12475 (中所得国・上位)
1026 ～ 4035 (中所得国・下位)
1025 以下 (低所得国)
データなし
調査年 2015 年
(世界銀行 "World Development Indicators 2017")
国連加盟国は黒字
非加盟の独立国はグレー
( ) は属領をあらわす
は 200 海里水域
ロシア連邦
カザフスタン
モンゴル
朝鮮民主主義人民共和国
大韓民国
日本
中華人民共和国
シリア
イラク
イラン
ヨルダン
クウェート
バーレーン
カタール
アフガニスタン
パキスタン
ネパール
ブータン
ミャンマー
インド
サウジアラビア
アラブ首長国連邦
オマーン
イエメン
エリトリア
ジブチ
エチオピア
ソマリア
ウガンダ
ケニア
タンザニア
セーシェル
コモロ
モザンビーク
マラウイ
マダガスカル
モーリシャス
モルディブ
スリランカ
バングラデシュ
タイ
ラオス
ベトナム
カンボジア
フィリピン
ブルネイ
マレーシア
シンガポール
インドネシア
東ティモール
ミクロネシア連邦
パラオ
マーシャル諸島
キリバス
ナウル
パプアニューギニア
ソロモン諸島
ツバル
サモア
クック諸島
ニウエ
フィジー
バヌアツ
トンガ
ニューカレドニア (フ)
オーストラリア
ニュージーランド

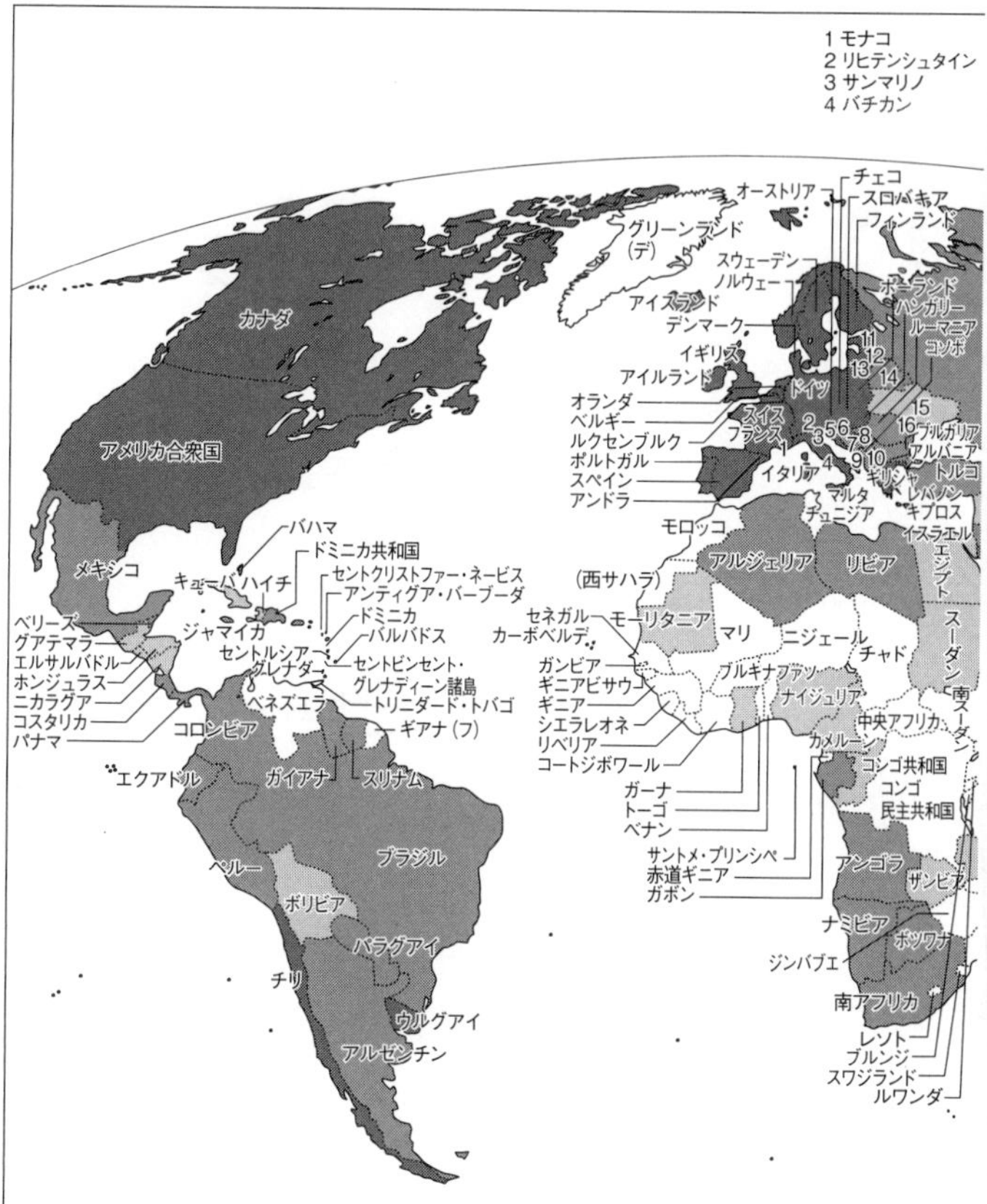

図Ａ　世界現勢（GNI は国民総所得、GNP は生産物の測度で数値は同一）

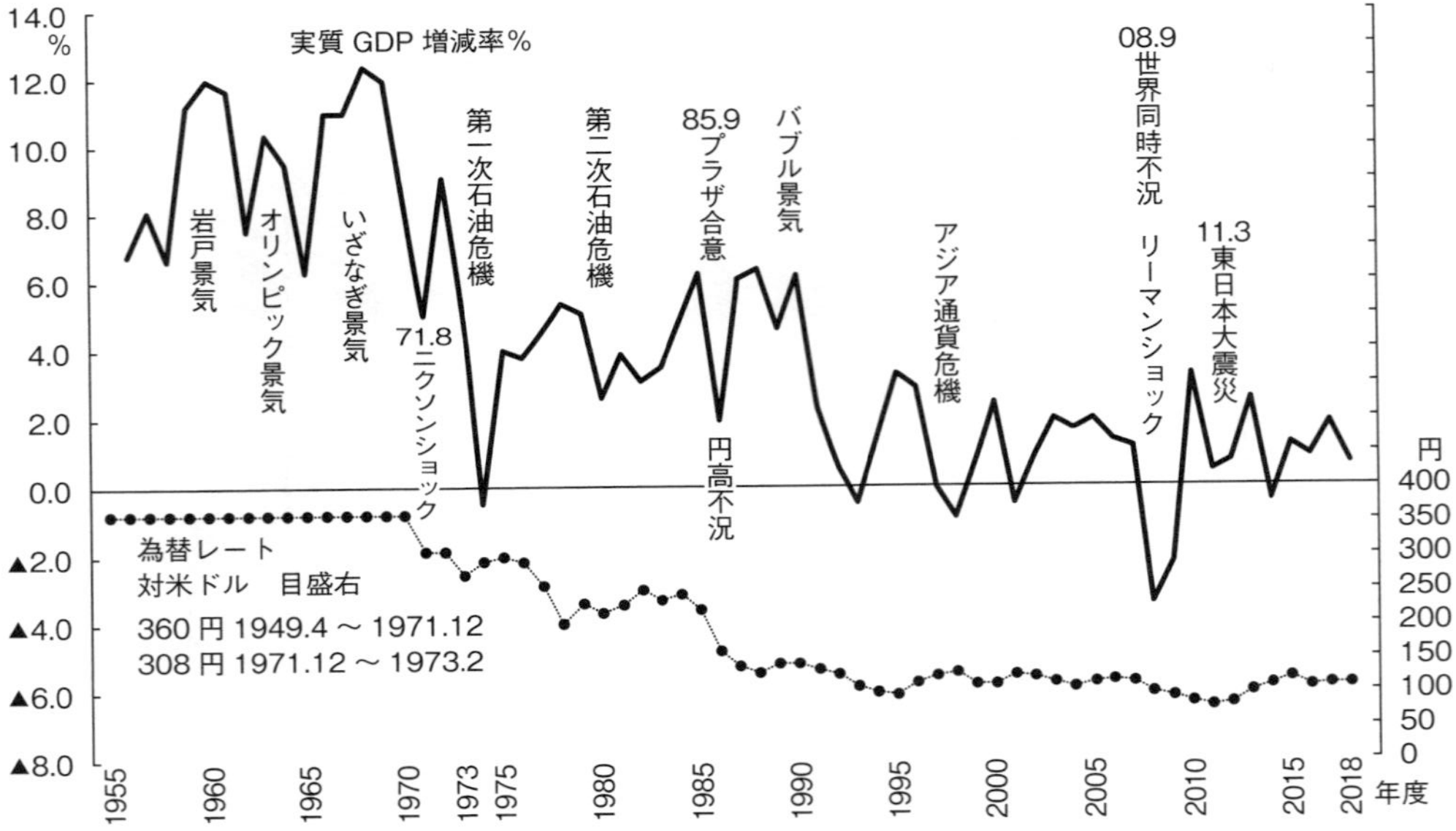

図B　戦後日本経済の歩み

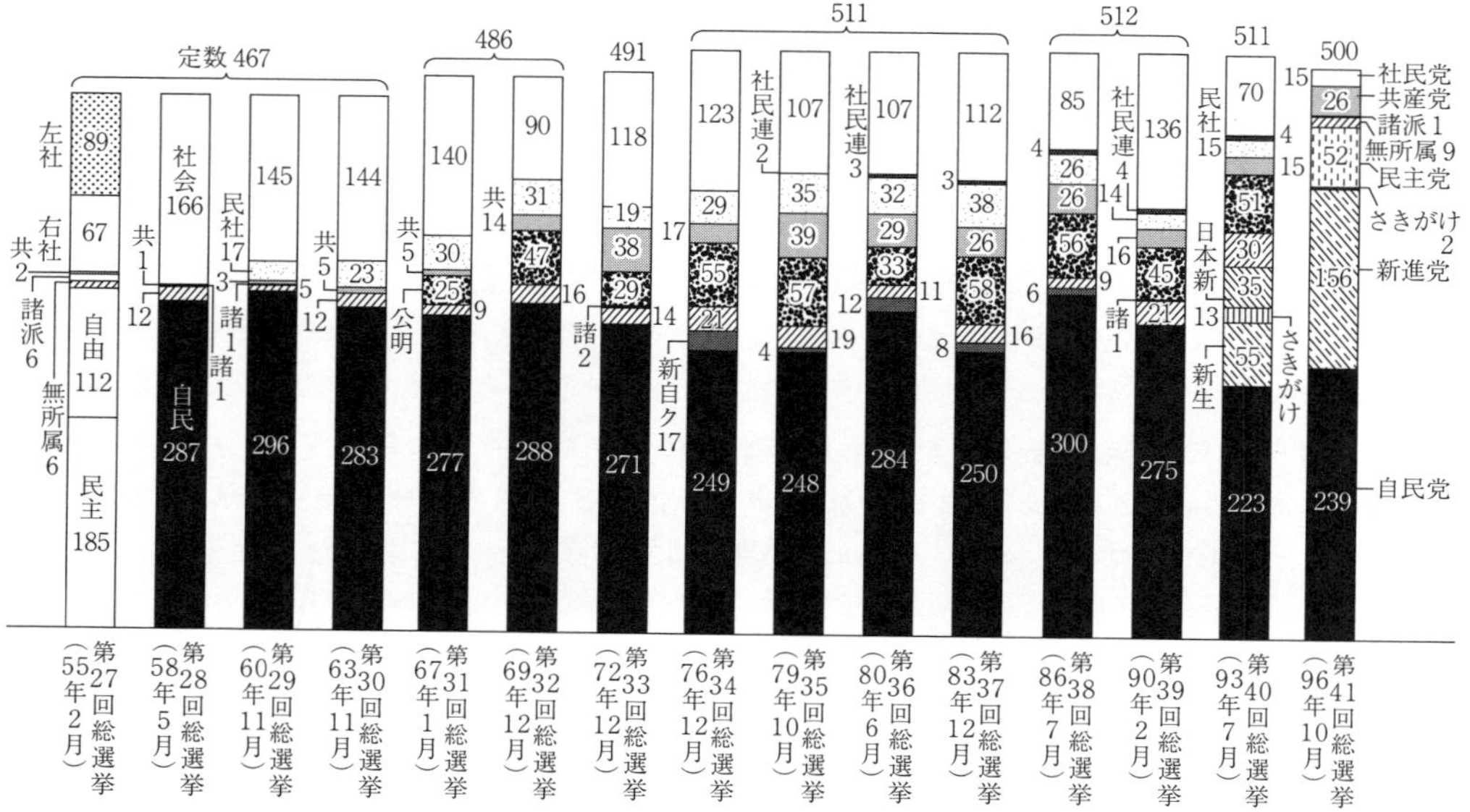
定数 467
486
491
511
512
511
500
左社 89
右社 67
共 2
諸派 6
自由 112
無所属 6
民主 185
社会 166
共 1
12
自民 287
3
諸 1
民社 17
145
296
5
12
共 5
144
23
283
140
共 5
30
25
公明
9
277
90
31
共 14
47
16
288
118
19
38
29
諸 2
14
271
123
29
17
55
21
新自ク 17
249
社民連 2
107
35
39
57
4
19
248
社民連 3
107
32
29
33
12
11
284
3
112
38
26
58
8
16
250
85
4
26
26
56
6
9
300
社民連 4
136
14
16
45
諸 1
21
275
民社 15
70
4
15
51
日本新
30
35
13
新生
55
さきがけ
223
15
26
52
156
239
社民党
共産党
諸派 1
無所属 9
民主党
さきがけ 2
新進党
自民党
第27回総選挙（55年2月）
第28回総選挙（58年5月）
第29回総選挙（60年11月）
第30回総選挙（63年11月）
第31回総選挙（67年1月）
第32回総選挙（69年12月）
第33回総選挙（72年12月）
第34回総選挙（76年12月）
第35回総選挙（79年10月）
第36回総選挙（80年6月）
第37回総選挙（83年12月）
第38回総選挙（86年7月）
第39回総選挙（90年2月）
第40回総選挙（93年7月）
第41回総選挙（96年10月）

図C　戦後の総選挙結果

はじめに

二〇二二年四月から高校社会科歴史科目が改編され、一年次の二単位必修科目として「歴史総合」がスタートする。従来の日本史、世界史を総合し、近代の始まりを「大航海時代」と見て、それ以降を扱う。これまでの科目は「日本史探求」「世界史探求」として二年次以降の選択科目となる。初めての二科目融合の試みであり（従来いずれかしか履修しない高校生が少なからずいた）、高校の先生方も戸惑いを覚えながら準備しているようだ。

本書は、高校で担当する先生方のために、さらに授業開始後は知識欲旺盛で、問題意識のある高一生も念頭に、参考書として執筆したものである。範囲は「大航海時代」からというわけにはいかず、二〇世紀史でさえない。歴史家には専門分野（国や時代）があって、そう多くはカバーできないからである。扱うのは「戦後総合史」である。従来の日本史、世界史（四単位）でさえ知識量に比して時間不足のため、戦後史までは到達しない（ポツダム宣言で終わってしまうような）授業が多かった。「歴史総合」は二単位であり、学校行事等を勘案すると、授業時間（通例一時限五〇分）は五一回くらいしか確保できないと聞いている。私見では、五一回では二〇世紀史も難しく、二時限連続で一〇〇分キープしても二五回程度でやれる範囲は「戦後総合史」であろう（知識量は時代が下がれば下がるほど多くなるから）。

筆者は一九四五年生まれの「終戦っ子」で、「戦後〇〇年」と共に年齢を数えられてきた（佐高信、落合恵子、吉永小百合やタモリ、自民党の谷垣禎一と同じ）。最も遠い記憶は朝鮮戦争開始の五歳くらいにあり、一〇歳の時に映画館で見たニュース映画の場面（中国に逃れていた共産党幹部の徳田球一の死去が二年遅れで報じられた）はかなり明瞭に覚えている。その頃までの貧しい時代から高度成長期に入ると、ラジオ・テレビ・新聞報道にも助けられ「経験した同時代なら、いくらでも話せる」と後に自負するほどになった。小学校時分から歴史が大好きで、大学院ではロシア・ソ連史を専攻し、大学受験予備校で世界史を一〇年教えたこともある。大学教員としては西洋政治史（第一次大戦以降）を三〇年ほど担当してきたし、専門科目の政治学を教えるのに学生が戦後史を知らないことを痛感して、「戦後の世界と日本」という教養科目を開講し、一五年以上教えてきた。

しかも、ここ五年ほど日本歴史学協会の歴史教育部会に属し、来るべき「歴史総合」についての高校の先生方とも議論してきた。新学習指導要領に定める「アクティヴ・ラーニング」と組み合わせた教科書と授業の在り方についても提言してきた（二〇世紀史に縮めて、五一回を一七講に分け、各講を「教師の講義」、「映像鑑賞と質疑応答」、「生徒中心の議論とまとめ」の三回に分ける）。残念ながら、提言は国立大付属や私立の進学校でしかできないと敬遠されたが、「歴史総合」で何か貢献できないかと思って、本書を執筆した次第である。

本書はむろん、既成の日本史、世界史教科書の記述を組み直したものではない。歴史研究の最新の知見も盛り込んでいる。本書は、年表や図版、コラムをかなり取り入れた点も含め、大学生にも社会人にも興味深い「戦後史再入門」になっていると自負する。大学授業で準テキストに指定した中村政則（一九三五―二〇一五）の融合的な、ただし日本史中心の『戦後史』（岩波新書、二〇〇五年）を、僭越ながら超えたいと思う。

第1講

第二次大戦と日本の敗戦

		ヨーロッパ	中国・太平洋
1939	9	ドイツ軍、ポーランド侵攻	
1940	6	ドイツ軍、パリ占領	
1941	4		日ソ中立条約
	6	ドイツ軍、ソ連侵攻	
	8	米英の大西洋憲章	関東軍特種演習
	12		日本軍、真珠湾を奇襲
1942	6		日本軍、ミッドウェー海戦で敗北
	12		日本軍、ガダルカナルで敗退
1943	2	ドイツ軍、スターリングラードで敗退	
	9	イタリア降伏	
	11	米英ソ、テヘラン会談	米英中、カイロ会談
1944	1	ソ連軍、レニングラード包囲打破	
	6	連合軍、ノルマンディー上陸	
	7		サイパン島の日本軍、玉砕
	11		米軍機、日本本土空襲開始
1945	2	米英ソ、ヤルタ会談	
	4		ソ連、日ソ中立条約不延長を通告
	5	ドイツ軍無条件降伏	
	7	米英ソ、ポツダム会談	
	8	朝鮮解放、ベトナム民主共和国成立	原爆投下、ソ連参戦、日本ポツダム宣言受諾
	9		日本、無条件降伏調印
	10	国際連合発足	GHQ が人権指令、五大改革指令
	12	国際通貨基金、世界銀行が発足	

1　第二次世界大戦

　第二次世界大戦はドイツ、イタリア、日本などの枢軸国とアメリカ、イギリス、ソ連、中華民国などの連合国との、一九三九年から一九四五年に及ぶ世界規模の二度目の戦争だった。ドイツによるポーランド侵攻の一九三九年九月に始まり、しばらくはヨーロッパ大戦に留まり、他方アジアでは一九三七年から日中戦争が続いていたが、一九四一年六月にドイツがソ連に侵攻し、一二月に日本がアメリカ真珠湾を攻撃すると、戦争は文字どおり世界大戦となった（図1）。

　大戦の経過は年表に示した通りで、当初は枢軸国側が優勢だったが、一九四二年一二月に南太平洋のガダルカナル諸島で日本軍がアメリカ軍に敗れ、翌年二月にスターリングラードでドイツ軍がソ連軍に敗れると、戦況は連合国の優勢に変わった。勝敗は個々の作戦の結果ではなく、結局のところ工業力など総合国力に勝る連合国側の勝利に終わったが（戦費は枢軸国を合計しても二七四五億ドルであり、アメリカ一国の二八八〇億ドルに及ばず）、そのことは連合国軍によるドイツ・日本の空襲、アメリカ軍による日本への原爆投下が両国を相次いで無条件降伏に追い込んだことからも明らかである。

総力戦と総動員体制

いま述べたように、第二次大戦は二度目の世界大戦であるだけではなく、二度目の総力戦でもあった。第一次大戦は、ドイツ、オーストリアの同盟国とイギリス、フランス、ロシアの協商国（日本も参加）との戦争で、なかなか勝敗が決まらなかったが、協商国側からロシアが革命のために脱落したものの、当時すでに世界最大の工業国だったアメリカが参戦したため、同盟国側の敗北に終わった。

総力戦が、兵器の開発と高性能化をもたらしたことはよく知られている。第一次大戦では戦車、飛行機、毒ガス、潜水艦などで、このために死傷者が著しく増え、死者は九〇〇万人を超えたという。第二次大戦では、第一次大戦のように地上戦ではなく、飛行機が勝

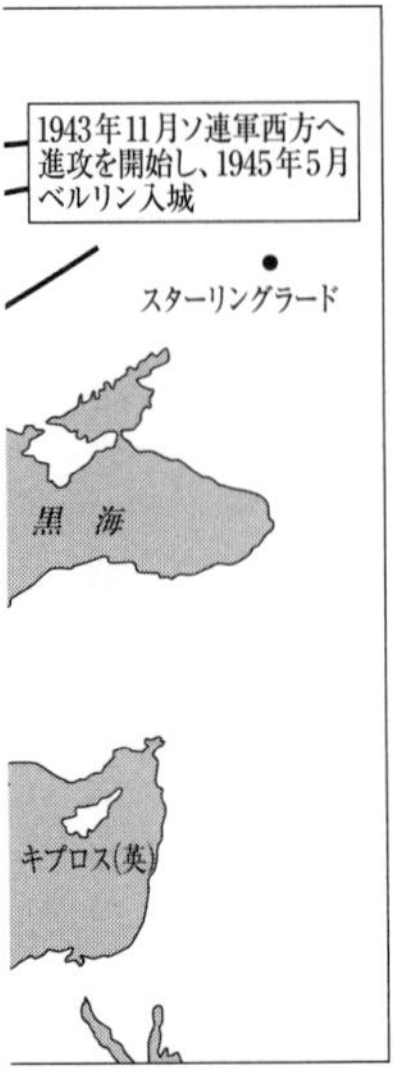

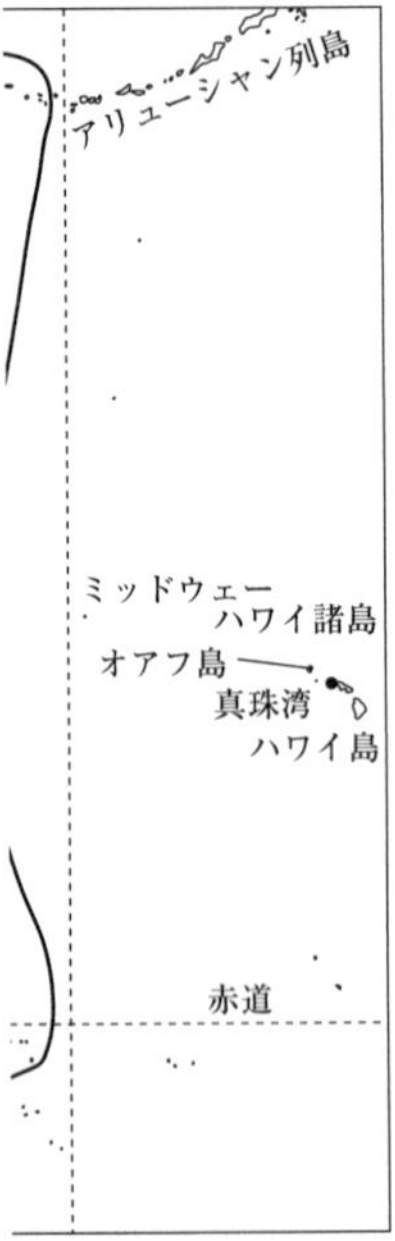

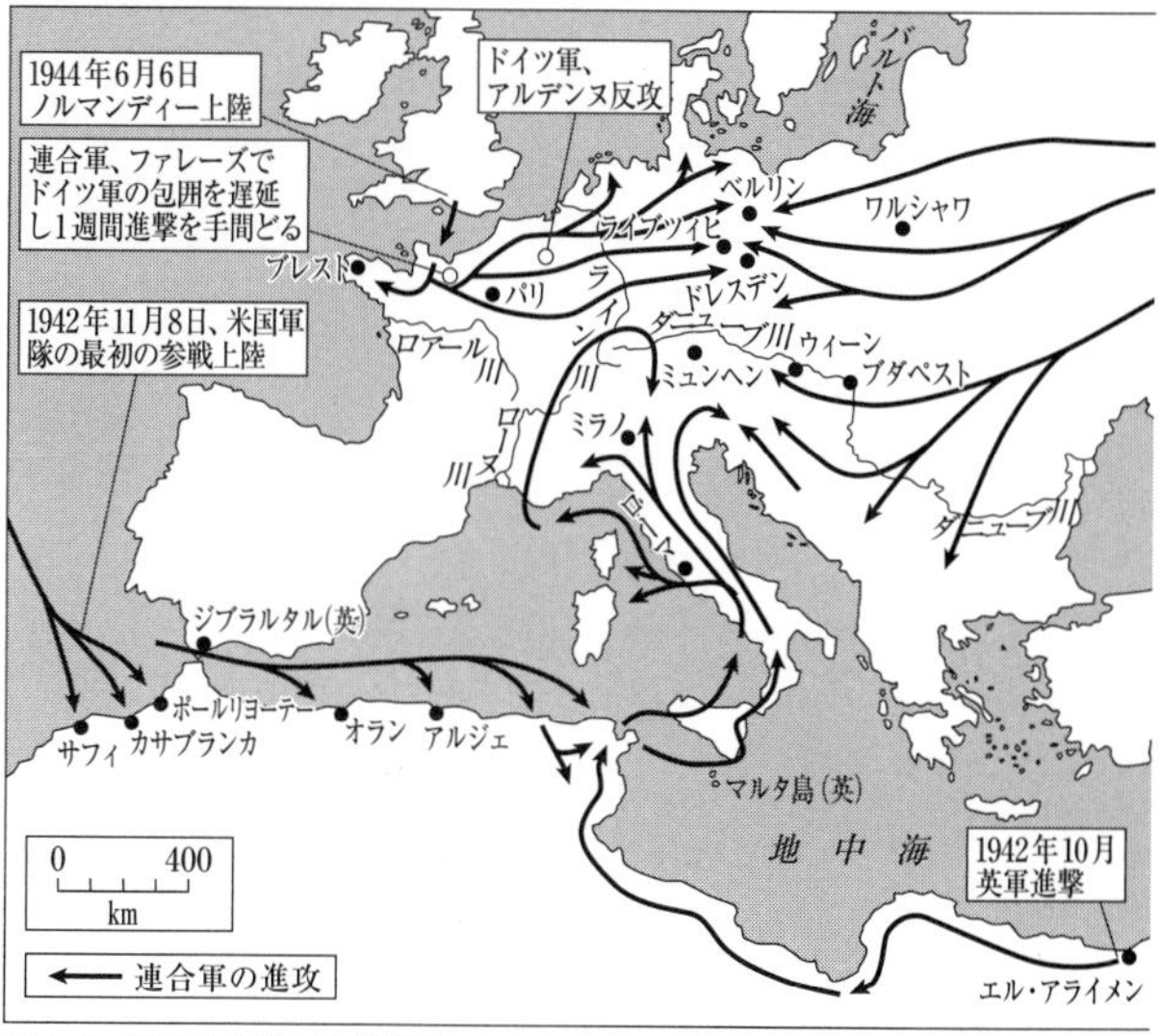

1944年6月6日
ノルマンディー上陸
連合軍、ファレーズでドイツ軍の包囲を遅延し1週間進撃を手間どる
1942年11月8日、米国軍隊の最初の参戦上陸
ドイツ軍、アルデンヌ反攻
バルト海
ベルリン
ワルシャワ
ライプツィヒ
ブレスト
パリ
ドレスデン
ライン川
ダニューブ川
ウィーン
ブダペスト
ロアール川
ミュンヘン
ミラノ
ローヌ川
ローマ
ダニューブ川
ジブラルタル(英)
ポールリヨーテー
サフィ
カサブランカ
オラン
アルジェ
マルタ島(英)
地中海
1942年10月
英軍進撃
エル・アライメン
0 400
km
連合軍の進攻

図 1-1　第二次大戦　欧州戦線

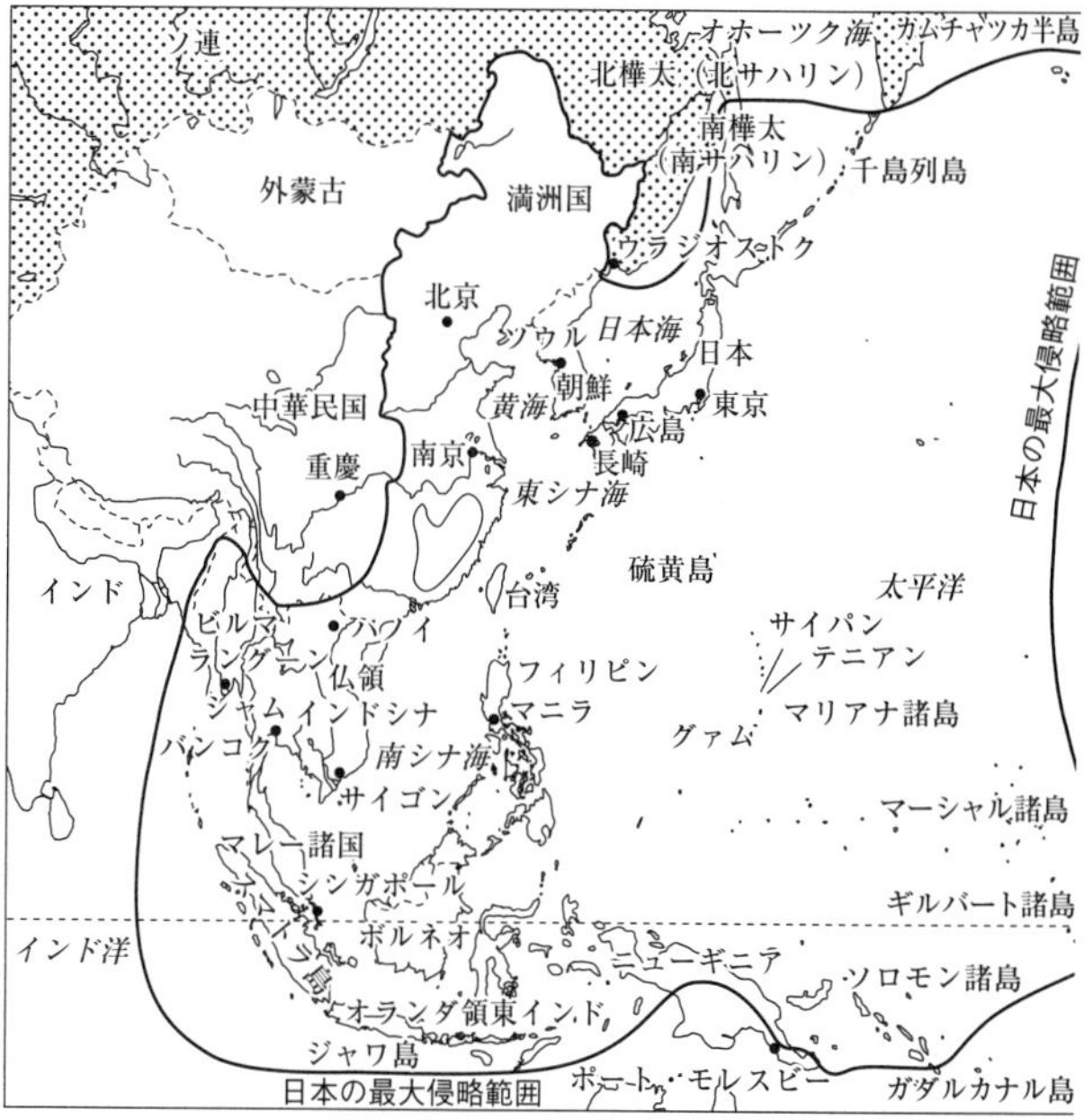

ソ連
オホーツク海
カムチャツカ半島
北樺太（北サハリン）
南樺太
（南サハリン）
千島列島
外蒙古
満洲国
ウラジオストク
北京
ソウル
日本海
日本
朝鮮
東京
中華民国
黄海
広島
長崎
南京
重慶
東シナ海
硫黄島
太平洋
日本の最大侵略範囲
インド
台湾
ビルマ
ハノイ
ラングーン
仏領
インドシナ
サイパン
テニアン
フィリピン
シャム
マニラ
マリアナ諸島
グァム
バンコク
南シナ海
サイゴン
マーシャル諸島
マレー諸国
シンガポール
ギルバート諸島
スマトラ島
インド洋
ボルネオ
ニューギニア
ソロモン諸島
オランダ領東インド
ジャワ島
日本の最大侵略範囲
ポートモレスビー
ガダルカナル島

図 1-2　第二次大戦　太平洋戦線

敗を決したと言っても過言ではなく、とくに大型爆撃機による都市空襲、無差別爆撃が敵国に大きな打撃を与え、国民の戦意を低下させた。広島と長崎に投下された原子爆弾は、空前の破壊と死傷者をもたらした。第二次大戦の死者は第一次大戦より一桁大きい数千万人台だった（ソ連だけで二五〇〇万人という）。

総力戦の国内的な特徴として、政府が与野党一致の挙国体制を作って反戦・反政府運動を許さなかったこと、生産・消費・貿易を全面的なコントロールのもとに置いたこと（戦時統制経済）が各国に共通していた。銃後の国民に武器弾薬や食糧の生産を担わせ前線の将兵を支えたこと（国民動員）、さらに将兵と国民の士気を高めるために排外的・愛国的なプロパガンダを行なったこと（精神的動員）も挙げられる。「欲しがりません、勝つまでは」という言葉は、実は第一次大戦中のドイツで編み出されたのである。

†ファシズムの敗退

この大戦では、ドイツ、イタリア、日本の独裁国家が敗れ、消滅したことも特徴の一つである。ファシズムとは、「ファッシ」（結束）を語源とするイタリア、ムッソリーニの一九二二年以降の独裁体制を指し、ドイツ、ヒトラーの一九三三年以降の独裁体制は政党の名からナチズムと呼ばれた。両体制は、一党独裁、人権と議会制の否定、排外主義、対外侵略を共通とするので、ヨーロッパではまとめてファシズムとされることもあった。この特徴は日本の独裁体制にも共通だが、議会制度を利用して政党独裁から個人独裁に至ったイタリア、ドイツとは異なっていた。軍部が満洲事変後にクーデタ事件をきっかけに政党政治を終わらせ、天皇の権威を利用して独裁政治を行なったので、軍国主義（ミリタリズム）と呼ばれる方が欧米では普通である。

枢軸国の独裁体制は、イタリアが一九四三年に早くも連合国軍接近の状況で崩壊したが（北部はドイツの傀儡《かいらい》国家に）、ドイツでは連合国軍ノルマンディー上陸後にクーデタ未遂があったものの、全土が焦土と化すまで崩壊しなかった。日本でも抵抗運動は起こらず、「本土決戦」さえ叫ばれたが、原爆投下とソ連参戦により降伏し、崩壊した。独裁体制は、米英の民主体制のような国民の支持を基盤としない脆弱《ぜいじゃく》さのために、敗北したと言ってよい。

この大戦は、米英とソ連のような異なる体制の国家が枢軸国と戦い、「反ファシズム」を大義名分に協力したことも特徴である。むろん、米英はドイツを打倒するためには挟撃＝「二正面戦争」を強いることが重要と判断し、ドイツのソ連侵攻を機に軍事援助を行ない、一九四三年テヘラン会談以降は共同作戦を協議したほど、軍事的動機も大きい。ドイツが敗勢になると、米英とソ連とのイデオロギー的な、また戦後構想をめぐる対立がしだいに表面化するようになったが、それまでは米英も「もう一つの独裁国家」（社会主義経済を土台とする共産党独裁）を黙認していたのである。

†民族解放運動の進展

第二次大戦は、第一次大戦後の民族問題の未解決を一つの背景にしていた。ドイツがヴェルサイユ体制打倒、「民族自決」を呼号して、オーストリア合邦、ズデーテン併合とチェコスロヴァキア解体へと進み、ドイツ人居住地域を包含した「大ドイツ帝国」を実現しようとしたからである。その現実が東欧・北欧諸国の併合と属国化であり、ヨーロッパ・ユダヤ人の収容所送りとホロコースト（大量虐殺）に他ならなかった。従って、反ナチ・反ファシズムの抵抗運動は自ずと民族解放運動の性格を帯びることになった（ポーランド、ユーゴスラヴィアなど）。

大戦によって、従来の植民地に、また大戦中に宗主国が入れ替わった植民地に民族独立運動が生まれた。アジアでは日本の植民地朝鮮、イギリスの植民地インドやビルマ（現ミャンマー）、フランスに代わって日本の支配を受けたベトナムなどインドシナ三国、オランダに代わって日本の支配を受けたインドネシア、アメリカに代わって日本の支配を受けたフィリピンのそれである。インドはイギリス軍に兵士と物資を提供して戦後の独立を狙い、実際に独立を達成した。しかし、日本の敗戦とともに旧宗主国が復帰し、植民地支配を続けたインドシナ三国やインドネシアは独立戦争を行なうことになった。

植民地支配と帝国主義は第二次大戦で大きく崩されたが、反対にソ連は領土と勢力圏を拡大した。反帝国主義の理念よりも国益を重視したためで、モンゴル(外モンゴル)はソ連の属国とされ、ソ連が占領した東ヨーロッパ諸国も冷戦開始とともに「人民民主主義」と呼ばれるソ連に準ずる体制となって、従属させられた。

†講和と戦後秩序

第二次大戦の講和は、第一次大戦のパリ講和会議とは様相を異にしていた。大戦中の一九四一年にローズヴェルトとチャーチルが「大西洋憲章」を発表し、講和と戦後秩序の基本構想を示し、第一次大戦講和の反省に立って「無賠償・無併合」を唱えた。一九四三年にはこの二人と蔣介石が会談し、日本敗北後の領土の本土限定と植民地の独立を明示した(カイロ宣言)。一九四五年二月のローズヴェルト、チャーチル、スターリンの会談では、間近に迫ったドイツの無条件降伏と米英仏ソによる四分割・占領統治を決定した(ヤルタ協定)。また、最終日に三首脳によって、南樺太の返還、千島の引渡し、日本が満洲に持っていた鉄道・港湾の利権のソ連への譲渡が秘密裡に約束された。このヤルタ密約(史料1)は「大西洋憲章」違反であるが、米英首脳はそうしてまでソ連がドイツ降伏後早期に対日参戦することを求めていたのである。七月のトルーマン、チャーチル（途中で政権交代によりアトリーに）、スターリンの会談はドイツ占領統治を協議するとともに、日本に対して無条件降伏を要求し、カイロ宣言の確認を迫る宣言を発した（米英中三国ポツダム宣言）。

第二次大戦の講和は、イタリアが早期に降伏したため、またドイツが四分割されて米ソ対立が始まったため、統一した会議は開かれず、対日サンフランシスコ講和会議は冷戦開始で遅れ、一九五一年にようやく開かれたが、ソ連とこれに同調する諸国は平和条約に調印しなかった。戦後世界秩序は平和条約によってではなく、それに先立つ米英ソ三大国の首脳会談によって決められたので、「ヤルタ・ポツダム体制」と呼ばれることになる。

講和会議とは異なって、戦後まもなく冷戦が本格化しないうちに米ソが主導したのが「国際軍事裁判」である。ニュルンベルクで開かれたドイツ主要戦犯に対する裁判は、ドイツ軍とナチ親衛隊が行なった残虐な侵略戦争と大量破壊・殺害、ユダヤ人に対するホロコーストに「平和に対する罪」「人道に対する罪」という新設の犯罪カテゴリーを適用、起訴した。生物・化学兵器使用や捕虜虐待を禁じた既成の条約の範囲を大きく超えるため、法の遡及適用はできないという原則を犯してまで、カイテルら一一名を絞首刑に処した（一九四六年一〇月）。東京で開かれた日本の主要戦犯に対する裁判も同様で、東條英機ら七名が絞首刑に処された（一九四八年一一月）。二つの裁判は「勝者の裁き」であり、米英軍のドイツ空襲や米軍の原爆投下は戦争犯罪ではないのかという批判は少数だった。

2 アジア・太平洋戦争

†戦争の呼称と認識

かつて「太平洋戦争」という言葉があったが、日米戦争に限定され、日中戦争のように八年も長引き、その打開のために日本が蔣介石《チャンカイシー》政権を支援する米英との戦争に打って出たこと、アジア諸国を戦場としたことが看過されがちなので、「アジア・太平洋戦争」という呼称が一般化した。さらに遡って満洲事変から始まったと見て「十五年戦争」とする命名もあり、中国はそう認識してきたが、満洲事変後に戦争が連続していたわけではなく、日中の和平の可能性もあったことから必ずしも適切ではないという説の方が有力である。

その「アジア・太平洋戦争」の末期に日ソ戦争（厳密には日本・満洲国とソ連・外モンゴルとの戦争）が三週間ほどあって、日本はミズーリ号上で無条件降伏文書に調印したのだが、これも満洲とその周辺を戦場としたという意味ではアジア・太平洋戦争に含まれる。もっとも「日ソ戦争」という呼称は最近まで避けられ、ソ連による中立条約違反の一方的侵略というのが一般的な理解だった。しかし、日本がノモンハン事件など、ソ連侵攻を企図する「北進論」をとってきた歴史に照らすと、またソ連の対日参戦が米英の後押しによるもので、「本土決戦」を前に米国の負担を軽減するためだったことを考えると、日ソ戦争もアジア・太平洋戦争に含めてよいし、含めるべきである。

†日本の敗因

第一に、総力戦の勝敗の帰趨は、狭義の戦力ではなく、総合的な国力によって決まるもので、枢軸国と連合国との格差は先に指摘した。日本とアメリカを比較すると、アメリカは国民総生産で日本の一一・八倍、粗鋼生産で一二・一倍、国内石油生産で七七八倍という圧倒的な格差であった。こうした国力差は当時日本軍部も知っていたが、「この程度の差なら作戦次第で勝てる」と思い込んだ。例えば日米開戦時の海軍戦力を比較すると、戦艦一〇：一五、航空母艦一〇：九、艦載機五七七：六一八であり、アメリカ艦隊が大西洋と太平洋に二分されることを考慮すると、日本が有利とさえ言えた。しかし、日本は緒戦こそ勝利したものの、ミッドウェー海戦敗北（一九四二年六月）以降空母、艦載機を失い続けたのに対し、アメリカは巨大な生産力にものを言わせて損失分をはるかに上回る増強を行ない、日本軍を圧倒したのである。

第二に、日本の戦争目的の不明確さが挙げられる。そもそも宣戦布告の文書では、ABCD（米英中蘭）包囲陣に対する「自存自衛」だった。開戦四日後に「大東亜戦争」の公式呼称を決定し、緒戦の勝利に酔って「大東亜共栄圏建設」を掲げたが、実際に諸国・植民地の親日派を集めて大東亜会議が開かれたのは一九四三年一一月で、戦局はすでに悪化しつつあった。戦争終結構想も貧困で、開戦直前に大本営政府連絡会議で決定された「腹案」は、南方作戦によって戦略的自給圏（石油、金属などの産地）を確保し、蔣介石政権の屈服を促進し、独伊と提携してイギリスを屈服させ、アメリカの戦意を喪失させて講和に持ち込むという、主観的願望に過ぎなかった。

第三に、作戦面では陸海軍とも航空戦力の決定的重要性を認識しきれておらず、海軍は「大艦巨砲」主義を払拭できず、陸軍も米軍機空襲による甚大な被害にもかかわらず「本土決戦」を呼号した。また、兵站《へいたん》（兵員、武器弾薬、物資の輸送）を軽視し、伸びきった戦線を支えられなかったこと、情報収集でアメリカに大きく遅れていたこと（レーダー、暗号解読）、そして将兵に対する精神主義の鼓吹と生命軽視（具体的には戦闘機の装甲板の薄さ、輸送船団護送の弱さ）、なかでも南太平洋諸島への「将兵置き去り＝餓死」、投降を禁じたための「玉砕」、そして「特攻」が指摘される。

第四に、占領地における軍政の失敗が挙げられる。軍政の目的は資源の獲得と占領軍の自活であり、そのために強引な開発、物資の調達（むしろ徴発）、労働力の徴用が行なわれ、東南アジアでは軍票（占領軍発行の通貨）が乱発された。既存の市場と交易網、これに依存する民衆の生活が破壊され、反日抵抗運動を生み出す一方、確保した石油等の資源は、船舶の軍事転用による不足、輸送船団護衛の弱さのために日本本土に十分に輸送されなかったのである。

3 日本の敗戦過程

†国際的孤立のなかでの継戦

一九四四年七月にサイパン島が陥落し（東條内閣総辞職、小磯国昭内閣に）、アメリカは空軍基地を建設して一一月から長距離大型爆撃機による日本本土空襲を開始した。翌年二月に元首相の近衛文麿は昭和天皇に「このまま日本が敗れれば共産化する」と終戦及び対米英講和を助言したが、天皇は「一撃を加えてから」と退けた。三月一日、首都に近い硫黄島が陥落した。一〇日には東京大空襲があり、約一〇万人もの非戦闘員が死亡した。三月下旬、米軍は本土防衛の「南の盾」とも言うべき沖縄諸島の一角に上陸した。五月八日には同盟国ドイツが連合国に無条件降伏した。その直前にソ連のモロトフ外相は日本の佐藤尚《なお》武《たけ》大使に「日ソ中立条約を延長しない」（まだ一年は有効のはず）と通告した。ソ連は、日本が知らないヤルタ密約により参戦準備を着々と進めていた。

この国際的孤立の中で、日本の最高戦争指導会議（首相、外相、陸・海相、陸軍参謀総長、海軍軍令部総長）は、ソ連参戦に怯《おび》えながら、なお日ソ中立条約に幻想を抱いていた。「二正面戦争」は何としても避けたいので、ソ連に米英との戦争の和平を仲介してもらおうと外交工作を行ない、近衛訪ソまで企図したが、あしらわれ、相手にされなかった。軍部は沖縄陥落（六月末）により「本土決戦」の準備を急いだが、高度一万メートルを飛来するB29の大編隊に高射砲弾は届かず、わずかな戦闘機による迎撃もほとんど不可能だった。国民は半年を越える空襲に厭戦気分を強め、米軍の上陸に対して水際で竹槍を持って戦えと言われ、政府・軍部に対する信頼を失った。

†米ソ日三国の暗闘と終戦

七月一七日から八月二日までのポツダム会談では、直前に原爆実験に成功したアメリカが、ソ連を参戦させないうちに日本を降伏させようとして、トルーマンが二五日に秘かに原爆投下を決定し、翌二六日に米英中三国の対日宣言を発表した（史料2　ソ連は参戦国ではない)。日本はソ連の仲介がなお可能と幻想を抱き続け、ソ連は対日参戦までの時間稼ぎをすることができるという皮肉な結果をもたらした。

ポツダム宣言の日本の政体に関する規定は、天皇の地位に言及しない「日本国民の自由に選んだ平和的傾向の政府」(第一二項)であり、「皇室の維持」とも両立すると解釈すれば受け容れ可能だったにもかかわらず、鈴木貫太郎首相は「黙殺」声明を発し、原爆投下にいわばお墨付きを与えてしまった。

八月六日広島に原爆が投下され(図2)、七日の閣議で東郷茂徳《しげのり》外相は新型爆弾が原爆であると報告した。ソ連の斡旋になお期待を繋ぐ意見もあったが、この日スターリンは一一日の参戦予定を四八時間繰り上げるよう極東ソ連軍に命令した。こうして九日未明にソ連軍が満洲に侵攻し、モスクワではモロトフが佐藤大使に宣戦布告文を読み上げ、手渡した(同時に、ポツダム宣言に加入した)。その数時間後、長崎に第二の原爆が投下された。二つの原爆による死者は約二〇万人と見られている。

最高戦争指導会議は、「皇室の安泰」を唯一の条件にポツダム宣言を受諾するか、本土不占領、自主的武装解除など四条件を付帯する(認められなければ本土決戦)か、で紛糾した。事態を打開すべく動き始めた重臣の木戸幸一は天皇と会談し、「聖断」による一条件だけでの受諾=終戦のシナリオを設定した。しかし、九―一〇日の御前会議でも両派の対立は続き、この会議を踏まえて、天皇の統治権を容認するような文章を付加した対米回答が作成された。アメリカのバーンズ国務長官は「降伏のときから天皇と日本政府の権威は連合国最高司令官に従属する」ことを加えて要求してきたので、戦争継続派の怒りを呼び、陸軍省軍務局の中堅将校はクーデタを準備し始めた。

それでも、鈴木、東郷はバーンズ回答受諾で合意し、天皇の支持も得た上で、一四日の最高戦争指導会議、閣議を乗り切り、続く御前会議に臨んだ。御前会議では、戦争継続派の阿《あ》南《なみ》惟幾《これちか》（陸相）、梅津美治《よしじ》郎《ろう》（参謀総長）、豊田副武《そえむ》（軍令部総長）の発言が許されたが、もはや大勢は決していた。天皇は、これ以上の戦争継続は無理との判断を示し、バーンズ回答を受諾すると述べた。続いて閣議が開かれて「終戦詔書」が作成され、一五日ラジオ放送の準備がなされた。陸軍中堅将校のクーデタは失敗し、阿南陸相は責任を取って自決した。八月一五日、天皇はラジオ放送で「終戦」を国民に告げ知らせた。

Chicago Daily Tribune
FINAL
4 SQ. MILES WIPED OUT
Blast Rocks B-29 10 Miles from Hiroshima
ATOMIC BOMB DESTROYS FIVE MAJOR INDUSTRIAL TARGETS IN JAP CITY
TRUMAN ARRIVES IN CAPITAL AND MEETS CABINET

図２　原爆広島投下の米紙報道（「真珠湾への報復」とある）

†ソ連侵攻と降伏文書調印

しかし、これで戦争は終わらなかった。ソ連はポツダム会談以降アメリカへの不信を強め、ヤルタ密約が守られない恐れから、軍事力で満洲、南樺太、千島を占領しようとし、これに対して日本軍が「自衛戦闘」を容認したことを幸いに戦争を継続し、これらと北朝鮮を短期間で制圧、占領した（図3）。これらの地域の日本軍将兵約六〇万人がソ連領内に移送され、極東を中心に全土の収容所で強制労働に就かされた。シベリア抑留である。

なお、トルーマンは八月一六日以降のスターリンとの往復文書で、北海道北部占領要求はさすがに拒否した。また、日本軍の降伏を受け入れて占領することと領土編入とは別もので、領土問題は講和会議で決定すると釘を刺した。しかし、ソ連は南樺太と千島列島すべてを占領し（最後の歯舞諸島の占領は、日本降伏文書調印の九月二日の三日後）、一九四六年二月二日、ヤルタ密約公表（一一日）を前に両者をソ連領と宣言して編入してしまった。いわゆる北方領土問題の発端である。

《史料1》ヤルタ密約（一九四五年二月一一日）

三大国即ち「ソヴィエト」連邦、「アメリカ」合衆国及英国の指導者は「ドイツ」国が降伏し

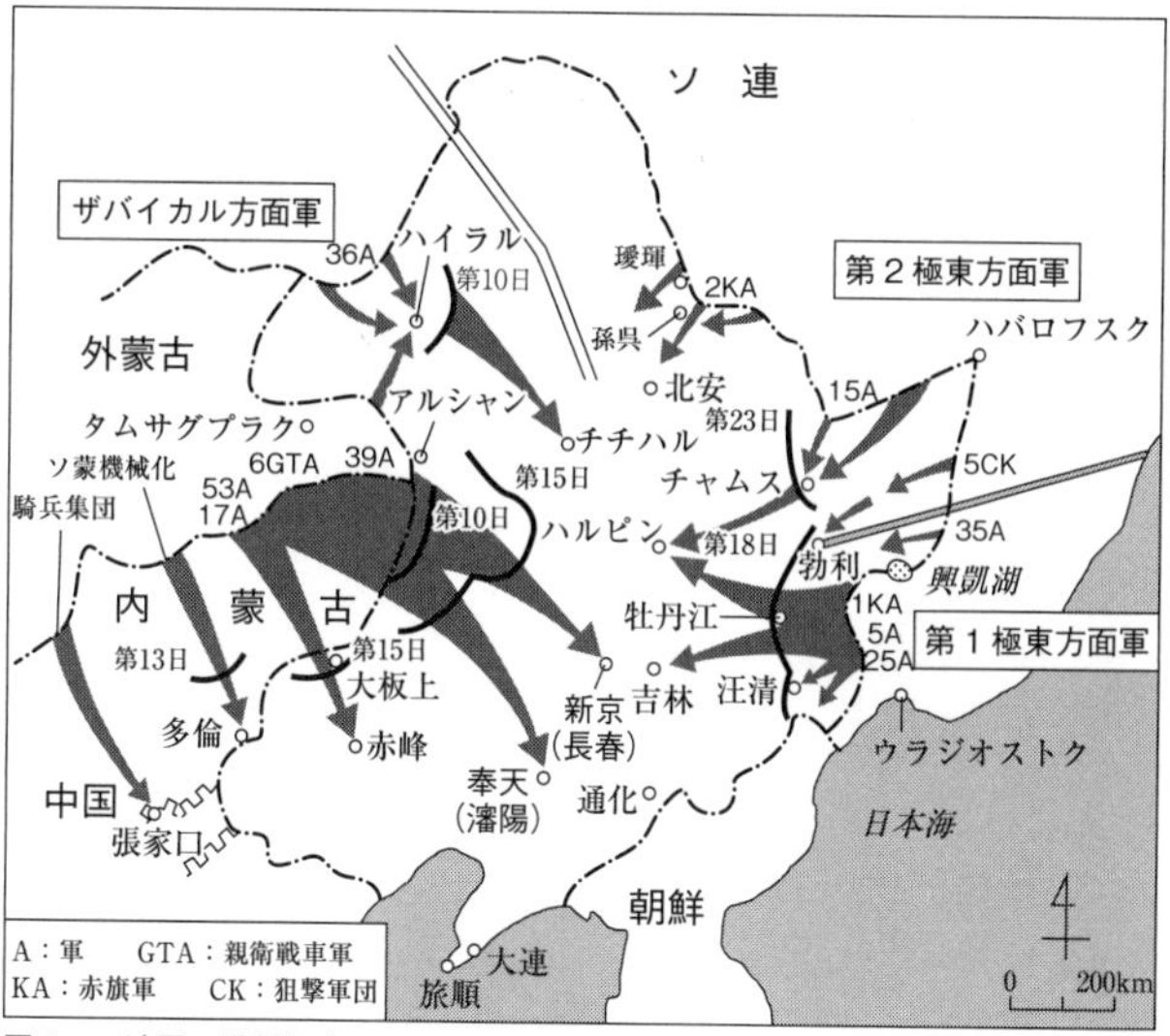

図３　ソ連軍の満洲侵攻

且「ヨーロッパ」に於ける戦争が終結したる後二月又は三月を経て「ソヴィエト」連邦が左の条件に依り連合国に与《くみ》して日本に対する戦争に参加すべきことを協定せり

一、外蒙古（蒙古人民共和国）の現状は維持せらるべし

二、一九〇四年の日本国の背信的攻撃に依り侵害せられたる「ロシア」国の旧権利は左の如く回復せらるべし

イ　樺太の南部及之に隣接する一切の島嶼は「ソヴィエト」連邦に返還せらるべし

ロ　大連商港に於ける「ソヴィエト」連邦の優先的利益は之を擁護し該港は国際化せらるべく又「ソヴィエト」社会主義共和国連邦の海軍基地と

しての旅順口の租借権は回復せらるべし
ハ　東清鉄道及大連に出口を供与する南満洲鉄道は中「ソ」合弁会社の設立に依り共同に運営せらるべし　但し「ソヴィエト」連邦の優先的利益は保障せられ又中華民国は満洲に於ける完全なる主権を保有するものとす
三、千島列島は「ソヴィエト」連邦に引渡さるべし
前記の外蒙古並に港湾及鉄道に関する協定は蔣介石総帥の同意を要するものとす　大統領は「スターリン」元帥よりの通知に依り右同意を得る為措置を執るものとす
三大国の首班は「ソヴィエト」連邦の右要求が日本国の敗北したる後に於て確実に満足せしめらるべきことを協定せり
「ソヴィエト」連邦は中華民国を日本国の羈絆《きはん》より解放する目的を以て自己の軍隊に依り之に援助を与うる為「ソヴィエト」社会主義共和国連邦中華民国間友好同盟条約を中華民国国民政府と締結する用意あることを表明す

《史料2》ポツダム宣言（一九四五年七月二六日）

一、吾等合衆国大統領、中華民国政府主席及グレート・ブリテン国総理大臣は、吾等の数億の国民を代表し協議の上、日本国に対し今次の戦争を終結するの機会を与うることに意見一致せり。
二、合衆国、英帝国及中華民国の巨大なる陸、海、空軍は西方より自国の陸軍及空軍に依る数倍

の増強を受け日本国に対し最後的打撃を加うる態勢を整えたり。右軍事力は日本国が抵抗を終止するに至る迄同国に対し戦争を遂行するの一切の連合国の決意に依り支持せられ且鼓舞せられ居るものなり。

三、蹶起《けっき》せる世界の自由なる人民の力に対するドイツ国の無益且無意義なる抵抗の結果は、日本国国民に対する先例を極めて明白に示すものなり。現在日本国に集結しつつある力は、抵抗するナチスに対し適用せられたる場合に於て全ドイツ国人民の土地、産業及生活様式を必然的に荒廃に帰せしめたる力に比し測り知れざる程更に強大なるものなり。吾等の決意に支持せらるる吾等の軍事力の最高度の使用は日本国軍隊の不可避且完全なる壊滅を意味すべく、又同様必然的に日本国本土の完全なる破壊を意味すべし。

四、無分別なる打算に依り日本帝国を滅亡の淵に陥れたる我儘《わがまま》なる軍国主義的助言者に依り日本国が引続き統御せらるべきか、又は理性の経路を日本国が履《ふ》むべきかを日本国が決定すべき時期は到来せり。

五、吾等の条件は左の如し。

吾等は右の条件より離脱することなかるべし。右に代る条件存在せず。吾等は遅延を認むるを得ず。

六、吾等は無責任なる軍国主義が世界より駆逐せらるるに至る迄は平和、安全正義の新秩序が生じ得ざることを主張するものなるを以て、日本国国民を欺瞞し之をして世界征服の挙に出づるの過誤を犯さしめたる者の権力及勢力は永久に除去せられざるべからず。

七、右の如き新秩序が建設せられ且日本国の戦争遂行能力が破砕せられたることの確認あるに至る迄は、連合国の指定すべき日本国領域内の諸地点は、吾等の茲《ここ》に指示する基本的目的の達成を確保する為、占領せらるべし。

八、カイロ宣言の条項は履行せらるべく、又日本国の主権は本州、北海道、九州及四国並に吾等の決定する諸小島に局限せらるべし。

九、日本国軍隊は完全に武装を解除せられたる後各自の家庭に復帰し、平和的且生産的の生活を営むの機会を得しめらるべし。

十、吾等は日本人を民族として奴隷化せんとし又は国民として滅亡せしめんとするの意図を有するに非ざるも、吾等の俘虜《ふりょ》を虐待せる者を含む一切の戦争犯罪人に対しては厳重なる処罰を加えらるべし。日本国政府は日本国国民の間に於ける民主主義的傾向の復活強化に対する一切の障碍を除去すべし。言論、宗教及思想の自由並に基本的人権の尊重は確立せらるべし。

十一、日本国は其の経済を支持し、且公正なる実物賠償の取立を可能ならしむるが如き産業を維持することを許さるべし。但し、日本国をして戦争の為再軍備を為すことを得しむるが如き産業は此の限りに在らず。右目的の為原料の入手（其の支配とは之を区別す）を許さるべし。日本国は将来世界貿易関係への参加を許さるべし。

十二、前記諸目的が達成せられ、且日本国国民の自由に表明せる意思に従い平和的傾向を有し且責任ある政府が樹立せらるるに於ては、連合国の占領軍は直に日本国より撤収せらるべし。

十三、吾等は日本国政府が直に全日本国軍隊の無条件降伏を宣言し、且右行動に於ける同政府の誠意に付適当且充分なる保障を提供せんことを同政府に対し要求す。右以外の日本国の選択は迅速且完全なる壊滅あるのみとす。

参考文献

①吉田裕『アジア・太平洋戦争　シリーズ日本近現代史⑥』岩波新書、二〇〇七年
②小林英夫『日中戦争――殲滅《せんめつ》戦から消耗戦へ』講談社現代新書、二〇〇七年
③大木毅『独ソ戦―絶滅戦争の惨禍―』岩波新書、二〇一九年
④芝健介『ホロコースト――ナチスによるユダヤ人大量殺戮の全貌』中公新書、二〇〇八年
⑤吉田裕『日本軍兵士――アジア・太平洋戦争の現実』中公新書、二〇一七年
⑥一ノ瀬俊也『日本軍と日本兵――米軍報告書は語る』講談社現代新書、二〇一四年
⑦佐藤卓己『増補　八月十五日の神話――終戦記念日のメディア学』ちくま学芸文庫、二〇一四年
⑧岩波書店編集部編『子どもたちの8月15日』岩波新書、二〇〇五年
⑨日暮吉延『東京裁判』講談社現代新書、二〇〇八年
⑩長谷川毅『暗闘――スターリン、トルーマンと日本降伏』上・下、中公文庫、二〇一一年（英文原著、二〇〇五年）
⑪富田武『日ソ戦争1945年8月――棄てられた兵士と居留民』みすず書房、二〇二〇年
⑫同　『シベリア抑留――スターリン独裁下、「収容所群島」の実像』中公新書、二〇一六年

コラム1　各国の終戦記念日

日本では一九四五年八月一五日を「終戦記念日」という。昭和天皇による四カ国共同宣言受諾の表明であって、「敗戦」はむろん「終戦」の言葉もない。朕《ちん》を主語とする統治権者意識丸出しの、戦争責任など微塵も感じさせない八一五文字の文章である。「終戦記念日」という用語も、一〇年後の『朝日新聞』八月一五日で初めて用いられたという。

日本の植民地、占領地だった国家と地域では日も命名も異なる。朝鮮半島では八月一五日を「光復節」と呼び、大韓民国に継承された（一九四八年八月一五日が建国記念日）。ソ連軍の一員として平壌に入った金日成は「解放記念日」と呼び、朝鮮民主主義人民共和国に継承されたが、ソ連の援助で解放されたという表現を薄め、ついには言及もしなくなった。多くの国々にとって、日本の敗戦記念日は降伏文書調印の九月二日だったが、ソ連はこの日にスターリンが国民向けに勝利演説をしたものの、対日戦勝記念日は三日となった。中国では国民党政府がソ連にならって三日を抗戦勝利記念日とし、国共内戦後に中華人民共和国にも継承された。

日本では「玉音放送」が聞き取れず、意味が分からない人々が多かったが、「戦争が終わった」ことはすぐに広まった。東京では、それまで連日B29の大編隊で黒かった空が真っ青になったのが印象的だったと多くの人が語っている。なお、筆者は三月一〇日の東京大空襲以降、福島県田村郡に「胎児疎開」中だった。

第2講

占領下改革と新憲法

		世界	日本
1946	1		昭和天皇「人間宣言」
	3	チャーチル「鉄のカーテン」演説	
	4		第1回衆院議員選挙→5 吉田内閣成立
	5	極東国際軍事裁判開廷、食糧メーデー	
	6	伊共和制へ、中国で国共内戦本格化	
	10	ニュルンベルク国際軍事裁判判決	第2次農地改革
	11		日本国憲法公布
	12	ベトナムで抗仏戦争開始	傾斜生産方式開始、シベリア抑留者帰還開始
1947	1		2.1 ゼネスト中止声明
	2	パリ平和条約調印（連合国と伊など）	
	3	トルーマン教書、モスクワ4国外相会談	教育基本法公布
	5		日本国憲法施行
	6	マーシャル・プラン発表	片山内閣成立（中道3派）
	7	ソ連参加拒否、チェコなどにも拒否させる	
	8	パキスタン、インド独立	
	9	コミンフォルム設立	
	11	国連総会パレスチナ分割案を採択	
1948	1	ガンジー暗殺	
	2	チェコスロヴァキア政変	
	3		芦田内閣成立（中道3派）
	5	第1次中東戦争開始	
	6	ベルリン封鎖←西側（米英仏）地図、通貨改革	
	8	大韓民国樹立	
	9	朝鮮民主主義人民共和国樹立	
	10	米・国家安全保障会議、日本反共化を決定	第2次吉田内閣発足
	11	極東国際軍事裁判判決	
	12	国連「世界人権宣言」採択	GHQ、経済安定9原則を指示

1　日本占領の体制

　連合国軍のうち日本本土や沖縄、奄美大島、小笠原諸島はアメリカ軍が占領することになった。ドイツが米英仏ソ四国によって、朝鮮半島が米ソ両国によって分割占領され、冷戦の激化により、それぞれ東西、南北に分断国家が生ずることにならなかっただけ、幸運だった。日本は、米軍占領下ながら政府を有する間接統治だった。ちなみにアメリカ占領軍は一九四五年一二月の四三万人が最大で、統治の安定により翌年には半減した。

　最高総司令官のマッカーサーがマニラから厚木飛行場を経て、東京に到着すると、連合国軍総司令部（GHQ）が、参謀部のほかに法務局、国際検事局、渉外局、民政局、民間運輸局などの機関を設けて占領統治に当たった（図4）。民政局には局長ホイットニーのもとにケーディス、ハッシー、ラウエルら若手（四〇歳台前半）の法律家が集められたが、彼らは母国アメリカでローズヴェルトのニューディール（新規まき直し）を体験し、軍国主義日本を福祉の充実した民主国家に改革しようと意気込んでいた。他方、参謀第二部はウィロビーら反共・反ソ派が強かった。

　GHQはしかし、一九四六年二月に発足した極東委員会（米、英、中、ソ、仏、オランダ、オーストラリア、ニュージーランド、インド、カナダ、フィリピンの対日参戦一一カ国、ワシントンに本部）の下部に置かれ、同時に発足した対日理事会（米英中ソ）の諮問・勧告を受けることになっていたので、必ずしもアメリカ国務省・国防総省の意のままになったわけではない。

極東委員会が新憲法制定に関与したことは後に見るが、対日理事会にも、農地改革や労働

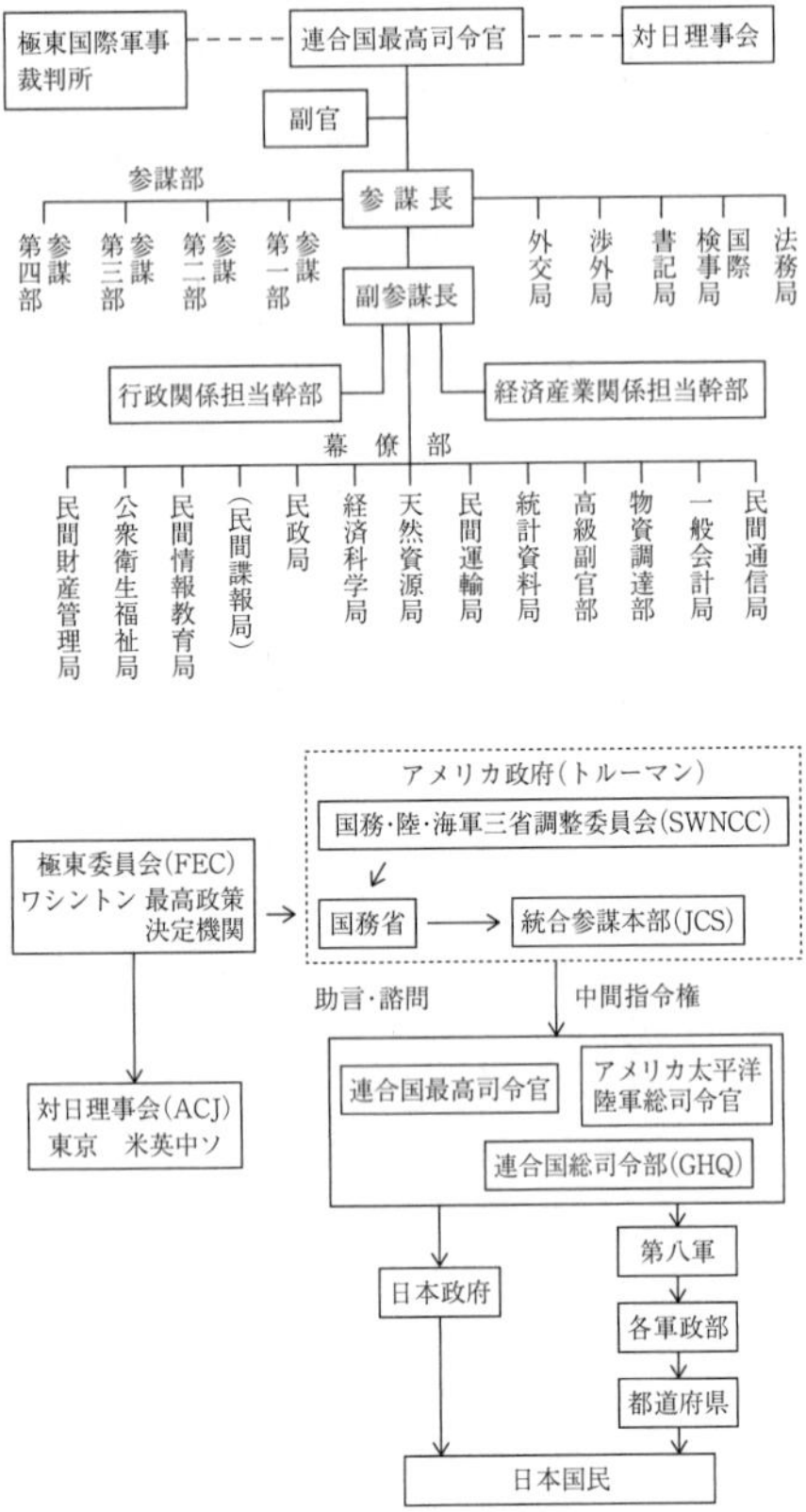

図４　GHQと米国政府、極東委員会の関係

立法でイギリス（労働党政権）やソ連の意見が多少なりとも反映された。

2　占領下の諸改革

†非軍事化・軍国主義排除

ＧＨＱがまず着手したのは、帝国陸海軍の解体である。両省は軍事的機能を剝奪《はくだつ》され、陸軍省は第一復員省に、海軍省は第二復員省に衣替えして、在外将兵の復員を主要業務とした。約三〇〇万人の将兵は、マレー半島のイギリス軍による捕虜や中国で国民党軍ないし共産党軍に協力した日本人捕虜、満洲等から移送されたソ連軍の捕虜を除けば、概ね一九四六年末には復員を終えた。彼らは現地で武装解除され、武器・弾薬は戦利品として没収されたが、日本本土に残された艦船や航空機、戦車その他の火器は米軍によって処分された。軍需工場も解体され、武器・弾薬は同じく米軍によって処分された。

第二に、戦争犯罪人の逮捕と裁判、刑の執行が行なわれた。東條英機を始めとする主要戦犯（Ａ級戦犯）は巣鴨刑務所に収容され、極東国際軍事裁判にかけられ、東條ら七名は有罪判決ののち絞首刑に処された（図5）。日本軍が占領していた地域でも軍司令官クラス

朝日新聞

戰犯廿五被告に判決下る

東條、廣田ら七名絞首刑

無罪なし 木戸ら十六名終身禁固

絞首刑	東條 英機
絞首刑	廣田 弘毅
絞首刑	松井 石根
絞首刑	土肥原賢二
絞首刑	板垣征四郎
絞首刑	木村兵太郎
絞首刑	武藤 章
終身禁固	木戸 幸一
終身禁固	平沼騏一郎
終身禁固	賀屋 興宣
終身禁固	嶋田繁太郎
終身禁固	白鳥 敏夫
終身禁固	大島 浩
終身禁固	星野 直樹
終身禁固	荒木 貞夫
終身禁固	小磯 國昭
終身禁固	畑 俊六
終身禁固	梅津美治郎
終身禁固	南 次郎
終身禁固	鈴木 貞一
終身禁固	佐藤 賢了
終身禁固	橋本欣五郎
終身禁固	岡 敬純
禁固廿年	東郷 茂徳
禁固七年	重光 葵

うなずく被告たち

瞬間、口元くずす東

図5　極東国際軍事裁判判決

が、例えばフィリピンのマニラでは山下奉文《ともゆき》が裁判の末、絞首刑に処された。満洲で細菌兵器を開発し、中国人等に人体実験を行なった関東軍七三一部隊関係者も、遅れてソ連による裁判の結果、長期刑判決を受けた。戦闘中、占領後の敵軍兵士と住民に対する残虐行為、内外の捕虜収容所における虐待の命令者、実行者も裁判に引き出された。BC級戦犯の中には、無実、あるいは証拠不十分にもかかわらず処刑された者も少なからずいた（映画『私は貝になりたい』）。

　こうした戦犯以外の職業軍人、各省高級官僚、政党政治家、大政翼賛会・産業報国会関係者、国家主義団体幹部なども公職追放処分を受けた。政友会の鳩山一郎は戦前、文部大臣在任時の「滝川事件」を理由に公職追放処分を受けている。その数は一九四八年末までに約二〇万人に及んだという。

第三に、戦前に共産主義者や同調者、天皇崇拝や国家神道に従わない人々を投獄し、死刑に処した根拠法の治安維持法は、彼らを尾行・逮捕し、拷問にかけ、殺害さえした特別高等警察（特高）ともども廃止された。徳田球一ら三・一五事件（一九二八年）、四・一六事件（一九二九年）で逮捕され、治安維持法違反で長期の獄中生活を余儀なくされた共産党幹部は、終戦後の一〇月には刑務所から解放された。

第四に、天皇崇拝を支えてきた国家神道は、国に保護・援助される特権を失い、神道諸派や他の宗派と同じ扱いを受けるようになった。昭和天皇は、一九四五年九月に軍服のマッカーサーと並んで燕尾服で写真に収まり、翌年一月一日には「人間宣言」を発して「現《あら》人神《ひとがみ》」ではないことを国民の前に明らかにした。東大助教授の丸山眞男は、『世界』誌五月号に「超国家主義の論理と心理」を発表し、天皇制研究の先鞭をつけ、知識人の共感を呼んだ。

†政治・社会の民主化

第一に、言論、出版、集会、結社、信教等の自由が実現された。戦前は検閲制度があり、警察や特高の裁量も大きく、最終的には治安維持法が適用されるので（適用するとの威嚇だけでも）、これらの自由は著しく制限されていた。天皇と天皇制に関わる言動に関しては、刑法の「不敬罪」も威嚇効果があった。日中戦争以降、新聞は「戦争讃美」の御用新聞と化した。太平洋戦争に至ると「大本営発表」の伝達マシーンに成り下がってしまい、空襲が激しくなって被害が大規模になると、国民はもはや「皇軍不敗」を信じなくなった。しかし、敗戦後のGHQ統治下では、新聞は全国紙・地方紙とも大量に発行され、一九四六年五月の食糧メーデーでは「ナンジ人民、飢えて死ね、御名御璽《ぎょめいぎょじ》」といった痛烈な天皇批判のプラカードさえ登場した。治安維持法下では弾圧されていた共産党も、急速に支持を集めるようになった。

第二に、戦前は家父長制と旧民法のもとで差別されていた女性たちが、戦争の苦難をくぐりぬけて強くなった。市川房枝らによる戦前からの運動の復活とGHQによる後押しもあって、婦人参政権が新憲法制定以前に実現した。一九四六年四月の衆議院議員選挙では、女性議員が三九名も誕生した。新憲法制定後には民法も改正され、戸主制度が廃止され、親権は両親にあり、遺産相続は男女平等とされた。

第三に、労働組合活動の自由が認められた。戦前は第一次大戦頃から労働組合が数多く生まれたが、それを保護する法律は制定されず、企業側に有利で、争議にも警察が介入することが少なくなかった。戦後に労働組合が雨後の筍《たけのこ》の如く結成されると、労働者の団結権、団体交渉権、争議権を明記した労働組合法が一九四五年一二月、新憲法に先立って制定された。やや遅れて一九四七年には最低の労働条件（八時間労働など）を定めて企業側に守らせる労働基準法が成立し、監督官庁としての労働省も誕生した。

第四に、学校教育が民主化された。戦前の小学校では「修身」の授業で「父母を敬い、目上に従う」「男の子は兵隊になる」よう教え込まれ、「歴史」では「皇国史観」が植え付けられた。教室の黒板の上には「ご真影」（天皇・皇后の写真）が置かれ、生徒は毎朝敬礼することが義務づけられていた。こうした教育が天皇崇拝と軍国主義の源だと判断したGHQの指導により、教科書の墨塗りが行なわれ、「皇民教育」にしがみつく教員が排除された。やがて新憲法制定後の一九四七年三月に、制定過程で提案された義務教育九年制も含めて、憲法理念の実現、教育の機会均等、男女共学などを原則とする教育基本法が制定された。

†経済改革の実施

第一に、戦前天皇制を支え、国民の多数を占める農民を貧困に陥れた元凶は、封建的な地主制度であると見たGHQは、早くも一九四五年一二月に「農地改革に関する覚書」を日本政府に示した。改革案作成は地主勢力の抵抗で難航したが、ようやく一〇カ月後に農地改革法が成立した。不在地主の全小作地、在村地主の保有限度（北海道を除き平均一町歩＝約一万ヘクタール＝一〇〇メートル四方）を超える小作地、三町歩を超える自作地・所有小作地が政府に買収される、小作料は金納化され、額を制限されるという内容だった。実施の結果、一九五〇年半ばまでに全国の小作地の約八八%が買収され、売り渡され、従来の地主は山林を除いて多くの耕地を失った。

第二に、戦前天皇制を支えたもう一つの柱であり、対外侵略の動力となったのは財閥であると見たGHQは、財閥解体に乗り出した。財閥とは、巨大銀行を頂点とし、持株制度によって主要産業部門の大会社を支配下におくピラミッド型のコンツェルンのことである。一九四六年八月に発足した持株会社整理委員会は、財閥本社八三社を持株会社と指定し、その所有する有価証券（株式、社債など）を売却処分し、財閥本社の解散と財閥家族（三菱の岩崎家など）による企業支配力の排除を徹底的に行なった。政府は、過度経済力集中排除法による大企業の分割・再編にも着手したが、不徹底に終わり、財閥解体は一九五一年をもって完了したと宣言した。

第三に、国家統制的で、財閥支配的だった日本経済における企業間の自由競争を確保するために、一九四七年四月「私的独占の禁止及び公正取引の確保に関する法律」、いわゆる独占禁止法がGHQの指示により、米国反トラスト法にならって制定された。トラスト（企業合同）やカルテル（価格協定）をいっさい禁止したもので、国際カルテルへの加入、競争会社の役員の兼務、持株会社の禁止までも規定した。しかし一九四九年、ドッジ・ラインの実施によるデフレ不況の深刻化（後述）のもとで「不況カルテル」や「合理化カルテル」が容認され、独占禁止法はしだいに骨抜きにされるようになった。

3 新憲法の制定

†日本側官・民草案とマ元帥ノート

マッカーサーは一九四五年一〇月一一日に新任の幣原喜重郎《しではらきじゅうろう》首相と会見し、「五大改革」（先の非軍事化の第三、民主化の第二、第三、第四と経済改革）を指示した。幣原は、戦争放棄を約束するから天皇制は何としても残してほしいと懇願した。マッカーサーはその数日前、近衛文麿に対して憲法改正を指示し、近衛は法学者の佐々木惣一に憲法改正草案を準備させたが、帝国憲法の「万世一系の天皇が統治する」「天皇は神聖にして侵すべからず」はそっくり残されていた（まもなく近衛は「戦犯」に問われることを知って自殺）。

ついで国務大臣の松本烝治を委員長とする「憲法問題調査委員会」が発足して議論を重ねたが、途中で出された「松本四原則」の第一原則は、やはり「天皇による統治権の総《そう》攬《らん》」であった（第二原則で、議会の議決事項を増やし、大権事項を制限するとはしたが）。当時は進歩的な憲法学者とみなされていた委員の美濃部達吉も弟子の宮沢俊義も、帝国憲法を前提にした部分改正しか考えていなかった。

他方、各政党、民間諸団体も憲法改正草案を作成、発表したが、「憲法研究会」（高野岩三郎、鈴木安蔵、森戸辰男ら）のそれは出色だった。「国民主権」「人権の制限なき保障」を中心とするもので、天皇については、共和制が望ましいが、過渡的には「立憲君主制」が妥当だとした。人権条項には、ワイマール憲法にならった「労働権」「生活権」などが掲げられた。最終案（一二月末発表）では「国民は健康にして文化的水準の生活を営む権利を有す」と、後の新憲法第二五条と変わらない規定もあった。これにはＧＨＱも注目し、後にＧＨＱ草案制定の中心人物となるラウエルは「民間草案を土台にマッカーサーも満足するものができる」と述べたという。

ところで、「憲法問題調査委員会試案」が一九四六年二月一日に『毎日新聞』にスクープされると、GHQは自ら草案作成に動き始めた。前年一二月に極東委員会の権限が強化され、GHQが指令される立場になったため、新憲法制定につき口出しされることを恐れ、とくに委員会内部のオーストラリアを急先鋒とする、国際軍事裁判における昭和天皇訴追の主張をかわさねばならなかったからである。実際、極東委員会代表団は一月に来日したが、GHQ側は憲法改正には関与していないと、とぼけてみせた。代表団が離日するや、二月三日マッカーサーは、いわゆる「マッカーサー・ノート」を民政局長ホイットニーに示し(史料3)、憲法草案作成を急がせた。天皇は国民主権下の名目的元首であること、日本は戦争を、自衛のための戦争であっても放棄し、軍備を持たないこと、封建制度の廃止である。

†GHQ案と諸修正

ここでは憲法草案作成・審議過程を逐一追うことはしない。GHQ草案は民政局によって文字通り連日連夜の作業で、わずか一週間で作成された。閣議は二月二二日にGHQ草案の受入れを決定し、松本、法制局の佐藤達夫らが日本案の作成に当たり、三月二日に完成し、閣議決定を経て六日に公表された。四月一〇日に総選挙があり、五月二二日に第一次吉田茂内閣が成立してから、六月二五日に憲法草案が衆議院本会議に上程・審議され、二八日からは特別委員会、七月二五日からは小委員会（秘密会）で審議された上で、八月二四日に衆議院は帝国憲法改正草案を修正可決した（史料4）。

日米間で、また日本側内部で議論された主要な論点は以下のとおりである。

第一に、GHQ草案の語句の翻訳だが、これは重大な政治的意味を持っていた。まず「ピープル」は「人民」か「国民」かである。日本側は当然のように「国民」と訳したが（「人民」は左翼用語だった）、アメリカは「移民国家」であり、構成員も流動してきたから「ネイション」は馴じまないし、リンカーンによる民主主義の定義も「ピープルの、ピープルによる、ピープルのための統治」である。次に日本側は「ソヴリニティ」を「至高」と訳したが意味不明で、「主権」と訳すべきであり、結局その組み合わせは「国民主権」に落ち着いた。しかし、これでは「法の下の平等」が在日外国人には及ばないことになりかねず、後に実際に問題となった。

第二に、戦争放棄の第九条が「天皇の地位」と並ぶ大きな論点になった。マッカーサー・ノートでは「自衛のための戦争」も否定されたが、衆議院の小委員会では、芦田均委員長による修正をめぐって論争がなされた。第二項に挿入された「前項の目的を達するため」の前項が何を指すのか、「国際平和を誠実に希求し……」全体なのか、「国際紛争を解決する手段としては……放棄する」なのかである。後者ならば、自衛戦争は許されるという解釈が成り立つのでどうかと、議論中に佐藤達夫も芦田に耳打ちしたが、芦田は「その心配には及ばない」としりぞけ、芦田修正は受け入れられた。芦田の言動には不明、または一貫しないところがあって、朝鮮戦争後には自分は「自衛のための戦争」を否定したことはないと述べている。

第三に、GHQ草案はいくらニューディール寄りでも、さすがに生存権的な規定を含んでいなかった。社会党の衆議院議員になっていた森戸辰男が右小委員会で、これを追加するよう求めた（憲法研究会案を生かそうとしたことになる）。これには、幸福追求権の規定（第一三条）で十分だという意見もあったが、ワイマール憲法に通暁した森戸への反駁としては弱く、森戸修正案は容れられた（第二五条）。

第四に、男女平等と女性の権利（第一四条と第二四条）については、GHQ草案段階で、日本暮らしの経験をもつ通訳のベアテ・シロタが委員ではないものの、ケーディスに促されて発言し、日本の女性が伝統や風習の名において見合いを強制され、家庭に拘束され、社会から隔離されている現状をぜひ変えるべきだと訴えた。日本側委員は一言も反論しなかったという。ただし、議会の本会議では守旧的な男性議員がかなり抵抗し、反対に、加藤シズエ議員（社会党）は、妊娠・出産・育児に関する保護規定を入れるよう要求した。

第五に、教育に関する規定（第二六条）では、義務教育が小学校までと政府案にあったが、戦前、小学校を卒業しても中学校に行けない人が学んだ青年学校の先生たちが、中学校まで義務化すべきだと運動した結果、改められた。憲法では年限は示されなかったが、教育基本法では「九年の普通教育」と規定された（第四条）。

†極東委員会と国内世論

先の第九条第二項の問題は、衆議院小委員会で済んだのではなく、本会議で可決されてから極東委員会の九月二一日の会議で中国代表がとり上げた。このままでは「自衛のための戦争」が容認されかねない、それを防ぐにはソ連代表が提案したように、少なくとも首相と閣僚には軍人が就けないこと（文民条項）を付加すべきだと主張した。これはマッカーサーにも伝えられ、日本議会でも直ちに再修正の上、可決された（二三日、第六六条第二項）。

自衛権の問題は日本国内でも微妙で、衆議院上程前の五月の『毎日新聞』世論調査では、戦争放棄規定に七〇％が賛成したが、そのうち二〇％が自衛権は留保すべきだと表明していた。総じて吉田ら政府首脳にとって「戦争放棄」と「天皇維持」はワン・セットになっていて、後者のためには前者で多少譲歩してもかまわないというスタンスだったのである。

《史料3》マッカーサー・ノート（三原則）（一九四六年二月三日）

一　天皇は、国の最高位の地位にある。
　皇位は世襲される。
　天皇の職務および権能は、憲法に基づき行使され、憲法に示された国民の基本的意思に応えるものとする。

二　国権の発動たる戦争は、廃止する。日本は、紛争解決のための手段としての戦争、さらに自己の安全を保持するための手段としての戦争をも、放棄する。日本は、その防衛と保護を、今や世界を動かしつつある崇高な理想に委ねる。
　日本が陸海軍をもつ権能は、将来も与えられることはなく、交戦権が日本軍に与えられることもない。

三　日本の封建制度は廃止される。貴族の権利は、皇族を除き、現在生存する者一代以上には及ばない。
　華族の地位は、今後どのような国民的または市民的な政治権力も伴うものではない。
　予算の型はイギリスの制度にならうこと。

《史料4》憲法改正で議論された主要条文（一九四七年五月三日）

（前文は割愛）

第一章　天皇

第一条　天皇は、日本国の象徴であり日本国民統合の象徴であって、この地位は、主権の存する日本国民の総意に基く。

第二条　皇位は、世襲のものであって、国会の議決した皇室典範の定めるところにより、これを継承する。

第三条　天皇の国事に関するすべての行為には、内閣の助言と承認を必要とし、内閣が、その責任を負う。

第四条　天皇は、この憲法の定める国事に関する行為のみを行い、国政に関する権能を有しない。
天皇は、法律の定めるところにより、その国事に関する行為を委任することができる。

第五条　（摂政—略）

第六条　天皇は、国会の指名に基いて、内閣総理大臣を任命する。
天皇は、内閣の指名に基いて、最高裁判所の長たる裁判官を任命する。

第七条　天皇は、内閣の助言と承認により、国民のために、左の国事に関する行為を行う。

一　憲法改正、法律、政令及び条約を公布すること。

二　国会を召集すること。

三　衆議院を解散すること。
四　国会議員の総選挙の施行を公示すること。（五〜十　略）
第八条　（皇室の財産授受―略）
第二章　戦争の放棄
第九条　日本国民は、正義と秩序を基調とする国際平和を誠実に希求し、国権の発動たる戦争と、武力による威嚇又は武力の行使は、国際紛争を解決する手段としては、永久にこれを放棄する。
前項の目的を達するため、陸海空軍その他の戦力は、これを保持しない。国の交戦権は、これを認めない。
第三章　国民の権利及び義務
第一〇条　日本国民たる要件は、法律でこれを定める。
第一一条　国民は、すべての基本的人権の享有を妨げられない。この憲法が国民に保障する基本的人権は、侵すことのできない永久の権利として、現在及び将来の国民に与えられる。
第一二条　この憲法が国民に保障する自由及び権利は、国民の不断の努力によって、これを保持しなければならない。又、国民は、これを濫用してはならないのであって、常に公共の福祉のためにこれを利用する責任を負う。
第一三条　すべて国民は、個人として尊重される。生命、自由及び幸福追求に対する国民の権利については、公共の福祉に反しない限り、立法その他の国政の上で、最大の尊重を必要とする。

第一四条　すべて国民は、法の下に平等であって、人種、信条、性別、社会的身分又は門地により、政治的、経済的又は社会的関係において、差別されない。

華族その他の貴族の制度は、これを認めない。

栄誉、勲章その他の栄典の授与は、いかなる特権も伴わない。（以下略）

第一五条　公務員を選定し、及びこれを罷免《ひめん》することは、国民固有の権利である。

すべて公務員は、全体の奉仕者であって、一部の奉仕者ではない。

公務員の選挙については、成年者による普通選挙を保障する。（以下略）

第一六条　略

第一七条　略

第一八条　何人《なんぴと》も、いかなる奴隷的拘束も受けない。又、犯罪に因《よ》る処罰の場合を除いては、その意に反する苦役には服させられない。

第一九条　思想及び良心の自由は、これを侵してはならない。

第二〇条　信教の自由は、何人に対してもこれを保障する。いかなる宗教団体も、国から特権を受け、又は政治上の権力を行使してはならない。（以下略）

第二一条　集会、結社及び言論、出版その他一切の表現の自由は、これを保障する。

検閲は、これをしてはならない。通信の秘密は、これを侵してはならない。

第二二条　何人も、公共の福祉に反しない限り、居住、移転及び職業選択の自由を有する。
何人も、外国に移住し、または国籍を離脱する自由を侵されない。

第二三条　学問の自由は、これを保障する。

第二四条　婚姻は、両性の合意のみに基いて成立し、夫婦が同等の権利を有することを基本として、相互の協力により、維持されなければならない。
配偶者の選択、財産権、相続、住居の選定、離婚並に婚姻及び家族に関するその他の事項に関しては、法律は、個人の尊厳と両性の本質的平等に立脚して、制定されなければならない。

第二五条　すべて国民は、健康で文化的な最低限度の生活を営む権利を有する。
国はすべての生活部面について、社会福祉、社会保障及び公衆衛生の向上及び増進に努めなければならない。

第二六条　すべて国民は、法律の定めるところにより、その能力に応じて、ひとしく教育を受ける権利を有する。
すべて国民は、法律の定めるところにより、その保護する子女に普通教育を受けさせる義務を負う。義務教育は、これを無償とする。

第二七条　すべて国民は、勤労の権利を有し、義務を負う。

賃金、就業時間、休息その他の勤労条件に関する基準は、法律でこれを定める。
児童は、これを酷使してはならない。
第二八条　勤労者の団結する権利及び団体交渉その他の団体行動をする権利は、これを保障する。
第二九条　財産権は、これを侵してはならない。
財産権の内容は、公共の福祉に適合するように、法律でこれを定める。（以下略）
第三〇条　国民は法律の定めるところにより、納税の義務を負う。（以下割愛）

参考文献

①雨宮昭一『占領と改革　シリーズ日本近現代史⑦』岩波新書、二〇〇八年
②保阪正康『東京裁判の教訓』朝日新書、二〇〇八年
③田中宏巳『BC級戦犯』ちくま新書、二〇〇二年
④増田弘『マッカーサー――フィリピン統治から日本占領へ』中公新書、二〇〇九年
⑤豊下楢彦『昭和天皇・マッカーサー会見』岩波現代文庫、二〇〇八年
⑥古関彰一『日本国憲法の誕生』岩波現代文庫、二〇〇九年
⑦福永文夫『日本占領史 1945―1955　東京・ワシントン・沖縄』中公新書、二〇一四年

＊ＮＨＫスペシャル『日本国憲法　誕生』（二〇〇七年、ＤＶＤあり）は、筆者の講義経験からも有益な視聴覚教材だと思われる。

コラム2　戦争の傷跡と米軍の印象

筆者の家族は、生後三カ月くらいして福島県の疎開先から埼玉県浦和の父方祖父の家、神奈川県辻堂に移ったが、父が職業軍人（戦地に行かない技術将校）だったため「公職追放」に遭った。やっと大手の鉄鋼・造船メーカーに職を得て、京浜急行沿線の金沢文庫に移り住んだ（一九四八年）。新興住宅地だったが、近所に防空壕が残っていて子どもたちの格好の遊び場となった。

東京に出ることは稀で、戦後直後の代表的な風景「焼跡と闇市」は見ていない。後に野坂昭如の小説で知り、東大駒場裏門付近の喫茶店のマスターが元〇〇組幹部で「闇市の抗争」を懐かしそうに語るのを聴いたくらいである。ただ、大きな鉄道駅付近に白衣の傷痍《しょうい》軍人が、アコーディオンをもの悲しく奏でて日銭を得ていたのは忘れられない。

少し先の話だが、小学校は、地元の文庫小学校が「二部授業」（ベビー・ブームで児童が増え、午前・午後の入替授業）だったので、横須賀市の京急田浦駅前の船越小学校だった（米穀通帳を知人に預ける「寄留」による越境入学）。近くに米海軍基地があり、米兵がジープに乗っている姿は頻繁に見かけたが、「ギブミー・チョコレート」と言ってねだったか、どうかは記憶にない。やや山寄り奥の方に「パンパン宿」（主として米兵相手の売春宿の当時の言い方）があって、近寄ってはいけないと言われた（いわゆる赤線は一九五六年「売春防止法」で廃止された）。

第3講 戦後復興と朝鮮戦争

		世界	日本
1949	1	コメコン設立	総選挙で共産党躍進
	2		ドッジ来日、第3次吉田内閣発足
	4	北大西洋条約機構（NATO）発足	
	5	ベルリン封鎖解除、ドイツ連邦共和国成立	シャウプ来日
	7		下山事件、三鷹事件
	8	ソ連・ユーゴ対立表面化	松川事件
	9	ソ連、原爆保有を報道	
	10	中華人民共和国、ドイツ民主共和国成立	
	12	毛沢東モスクワ訪問、インドネシア独立	
1950	1	コミンフォルムが日本共産党批判、社会党分裂	
	2	中ソ友好同盟条約、米でマッカーシー旋風	
	3	インドのネルー首相「非同盟」言明	
	4		ダレス、対日講和促進を言明
	5	仏シューマン・プラン発表	
	6	北朝鮮軍南侵、国連総会非難決議	GHQ、共産党幹部の公職追放指令
	7		総評（日本労働組合総評議会）結成
	8		警察予備隊発足
	9	国連軍、仁川上陸	
	10	中国義勇軍が参戦	
	11	中国軍ラサ（チベット）侵攻	米国務省「対日講和7原則」を発表
1951	1	中朝連合軍ソウルを占領	
	3	国連軍ソウルを奪回、英国が原爆製造	
	4	マッカーサー、国連軍司令官罷免	
	6	ソ連マリクが朝鮮停戦交渉を提案	インド、対日講和会議ボイコット
	9	サンフランシスコ講和会議	日米安保条約・行政協定調印
	12	中国で「三反」運動開始	

1　政党政治と経済復興

†政党政治の復活

軍部によって政党政治が抑圧された後に大政翼賛会に統合されて消滅した政党は、敗戦とともに息を吹き返した（図6）。

まず保守系では、旧政友会の流れを汲む日本自由党が鳩山一郎、吉田茂らによって結成された。鳩山は「公職追放」を受けたので、政治家としてのキャリアでは劣る元外務官僚の吉田が幣原辞任後の首相となった。戦前は親英米派であり、戦中に東條独裁に反対した吉田は、アメリカ占領軍にとっても好都合だった。旧民政党系では、町田忠治《ちゅうじ》らが日本進歩党を結成したが、一年半後には日本民主党と改称し、政友会出身の外交ジャーナリストにして吉田のライバル芦田均が総裁となった。

革新系では、日本社会党が旧無産諸政党の政治家を糾合して結成された。片山哲のようなキリスト教社会主義者、西尾末広のような民主社会主義者、鈴木茂三郎《もさぶろう》のような共産党に近い左派社会主義者らの寄せ集めで、ソ連型社会主義（共産主義）を否定する西ドイツ

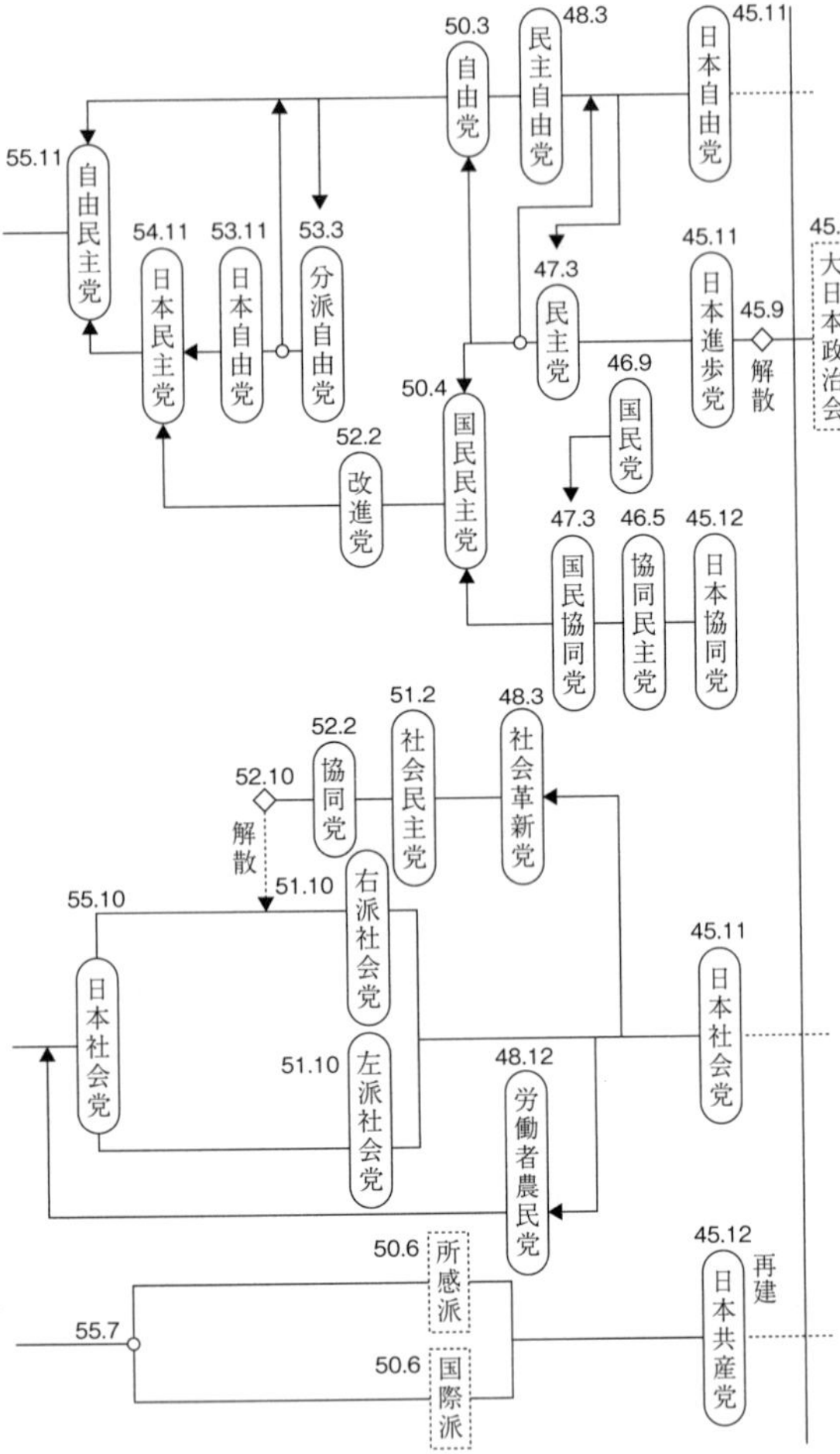

⬭は政党、⬚は会派などを示す。数字は結成、解散などの年月を示す。

図６　政党系統図

の社会民主党に近い立場をとっていた。日本共産党は、獄中にいた徳田球一や宮本顕治らが再建し、モスクワついで延安で活動して帰国した野坂参三が加わった。共産党はいきなり社会主義革命をめざすのではなく、まずは軍国・封建の日本の民主化を目標とし、GHQを「解放軍」と呼びさえした。議長の野坂は「愛される共産党」をスローガンに「アカ」イメージを払拭して支持を拡大しようと努め、一九四六年四月の総選挙では初めて衆議院に議席を得た。

†経済の改革・復興

戦争の敗北、空襲による生産の低下は著しかった。一九四六年の生産水準は、一九三四―三六年平均の三一%にまで落ち込んだが、生産能力のピーク（一九三七―四一年）に対して綿織物が三三%、工作機械は六三%と、産業部門ごとの格差も大きかった。重工業の落ち込みは軽工業に比して少なかったが、軍需産業の民需産業への転換は容易なことではなかった。

戦後の経済復興は、英仏のような戦勝国でも、民間企業が弱体化して市場経済に依存できないため、政府主導で行なわれることが多かった。イギリスの労働党政権、フランスの中道左派連立政権（ド・ゴール派、社会党、共産党）は、基幹産業の国有化もかなりの程度まで行なった。日本も電力、鉄道などの国有部門を維持し、経済安定本部が経済復興の司令塔となった。そこには有沢広巳ら戦時中に経済統制を担った社会主義者が復興計画を立案し、資源と資金を鉄鋼・石炭部門などに優先的に配分した（傾斜生産方式）。

日本では、一九四七年六月に片山（社会党）・芦田（民主党）連立政権が生まれた（首相は途中で片山から芦田に交代）。この中道左派政権、とくに片山首相はGHQ改革を推進し、労働省の設置、そして内務省（戦前、警察の総元締めであり、任命知事によって地方を支配した）の解体を実現した。他方でGHQは、（四七年）二・一ゼネストこそ命令により中止させたが、そのような労働攻勢に対する防波堤の役割を中道政権に期待した。共産党主導の産別会議の中に「民主化同盟」を設けて弱体化し、労使協調で生産復興に励むよう誘導する役割を期待したのである。

†米国の経済介入

戦後の経済混乱と政府主導、さらに労働攻勢（企業の支払い能力を超える賃上げ）は激しい物価高、インフレーション（日銀券の過剰な発行）をもたらした（図7）。一九四八年一〇月に芦田内閣が総辞職して第二次吉田内閣が成立する間に、アメリカ本国政府は国家安全保障会議決定で、対日政策を非軍事化・民主化から反共国家育成へと転換した。これに応じてGHQは、吉田首相に「経済安定九原則」実施を指令した。九原則とは、①総合予算の均衡、②徴税計画の強化と脱税防止、③金融機関貸出しの制限、④賃金安定化の計画立案、⑤物価統制の強化、⑥貿易統制業務の改善と為替管理の強化、⑦資材割当て配給制度の改善、⑧国産の重要原材料・工業製品の増産、⑨食糧供出制度の強化、である。

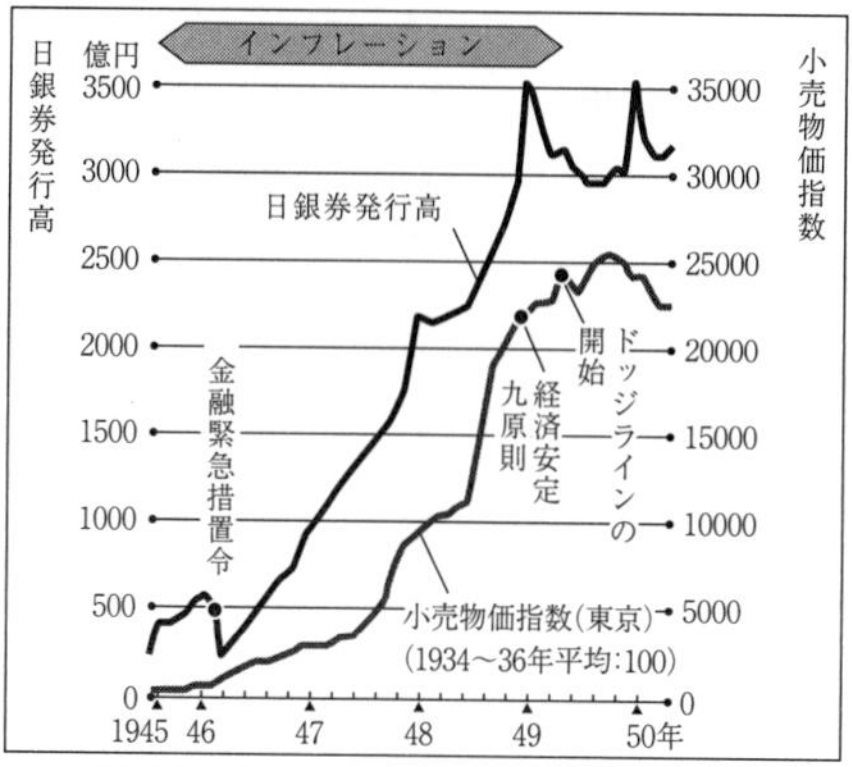

図7　戦後直後のインフレーション

これを実現するために日本政府は均衡財政（歳入増加、歳出削減）をとり、インフレを抑制しながら、大規模な企業整理（八八一四社）と大量解雇（四三万人超）を促進した。日本国有鉄道（国鉄）では大量解雇が実施され、一九四九年夏に下山事件（下山国鉄総裁の轢死）、三鷹事件（電車の車庫区での暴走）、松川事件（松川駅付近での列車転覆）が相次いで起こった。解雇を恨む労働者、共産党員の仕業であるかのように報道された（のち起訴された被告はすべて無罪となった）。そこには、一月の総選挙で当選者が四名から三五名に躍進した共産党に対する弾圧の意図が見え隠れしていた。

右九原則のうちインフレ収束と単一為替レートの設定は、来日したドッジ特使によって実施された（ドッジ・ライン）。固定為替相場（一ドル＝三六〇円）により、日本の国際貿易への復帰が実現した。同じくシャウプ調査団の勧告により、税制が直接税（法人税と所得税）中心に改められた。

2　冷戦と占領政策転換

†トルーマン・ドクトリン

第二次大戦末期から軋《きし》み始めた米ソ関係は、少しずつ表面化するようになった。その最初は、一九四六年三月に訪米したイギリス前首相チャーチルが行なった「鉄のカーテン」演説である。ソ連軍が占領した「バルト海のシュテッティンからアドリア海のトリエステまで、大陸を横切って鉄のカーテンがおろされている」（図8）、ソ連は西側からは見えないカーテンの向こう側で独裁的な支配を行なっている、というのである。大戦で「二流国」に転落したイギリス前首相の発言より大きな意味を持ったのは、一年後のトルーマン教書だった。

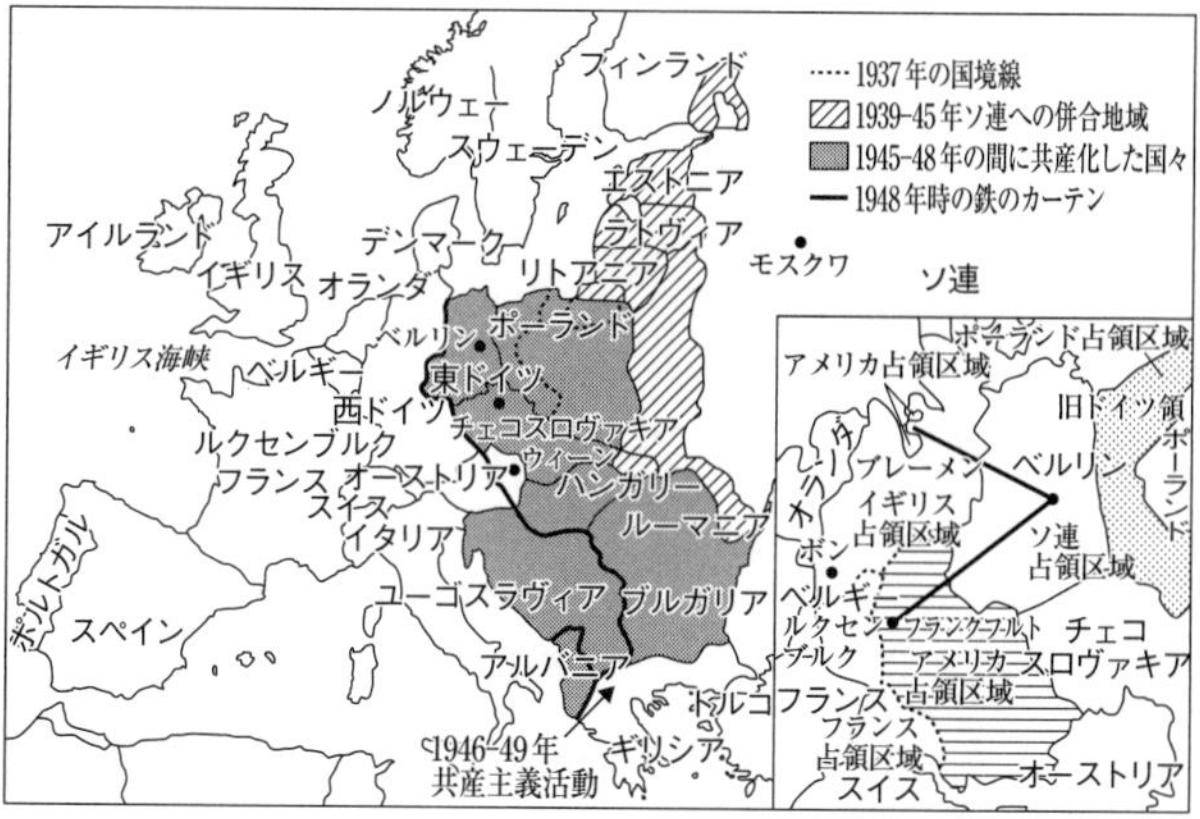

図8　1948年のヨーロッパ

一九四七年三月トルーマンは米国上・下両院合同会議で、恒例の年頭教書（ドクトリン）を読み上げた。その中でギリシアにおいて共産党系反王党派が優勢なこと、トルコが隣国のソ連から軍事的脅威に曝《さら》されていることを挙げ、軍事援助の予算を承認するよう要求した。これは二国だけの問題ではなく、ドイツ、日本に代わる「新たな全体主義」が世界を脅かしている証左であると、一種の反共十字軍とソ連「封じ込め」を呼びかけたのである（ギリシアの内戦と前後のことを描いた七〇年代の映画が『旅芸人の記録』）。

六月には、アメリカがヨーロッパ復興援助計画を提唱した（国務長官の名をとって「マーシャル・プラン」と呼ばれた）。一九四七年七月から四年間に約一三〇億ドルの経済・技術援助を欧州諸国に供与するというもので、資金はアメリカ

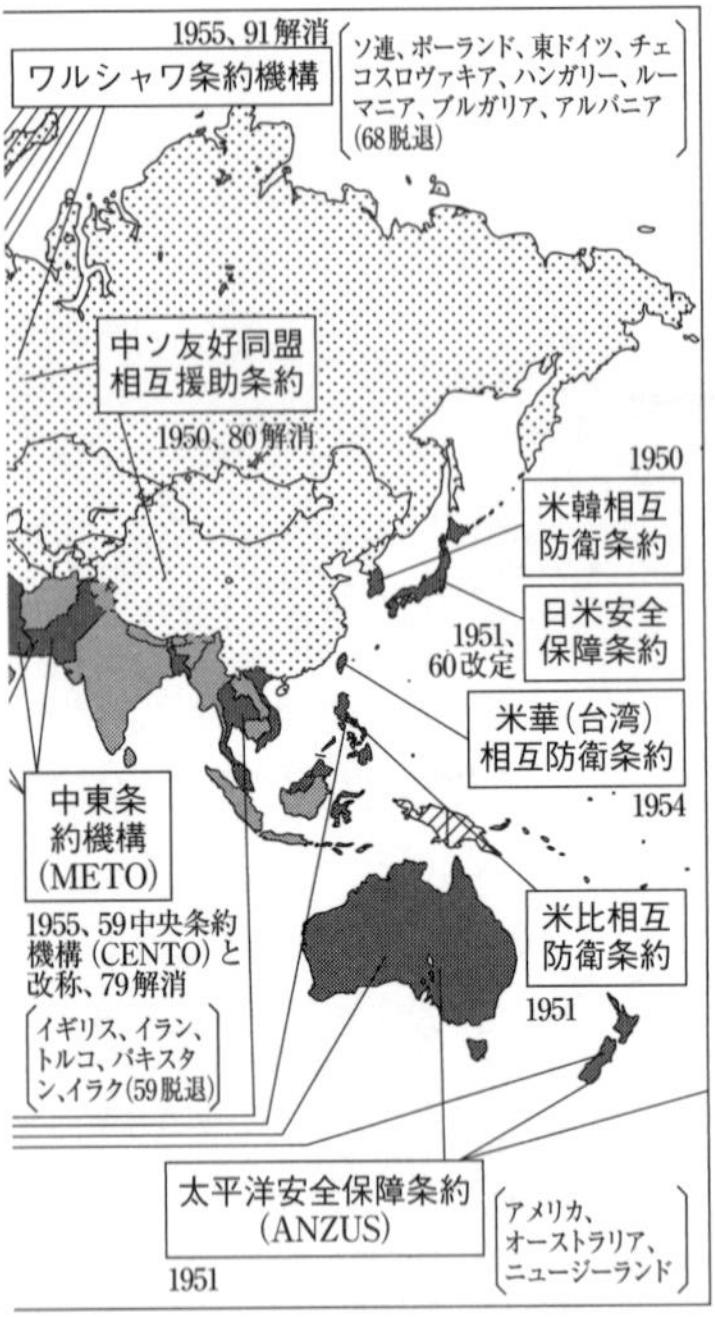

からの原・燃料、食糧、さらには工業製品の購入に当てられた。同じく疲弊した東欧諸国も強い関心を寄せたが、ソ連はアメリカの「紐付き」になることを恐れて参加を阻止した。この結果、西欧の多くの国々は一九五二年までに戦前の生産水準を回復したが、冷戦による東西の分断が経済面でも進行した。

冷戦は、分割占領されていたドイツが一九四八年六月の通貨改革（マルク引き下げ）をきっかけとするベルリン封鎖を経て、西側の連邦共和国と東側の民主共和国に分立する結果をもたらした（一九四九年五、一〇月）。ドイツ全体と同じく四カ国に分割占領されていたベルリンの西側地区が、ソ連と東側によって交通、電気などインフラを遮断＝封鎖されたのだが、米軍が物資を空輸、投下して窮地を救った。この一一カ月

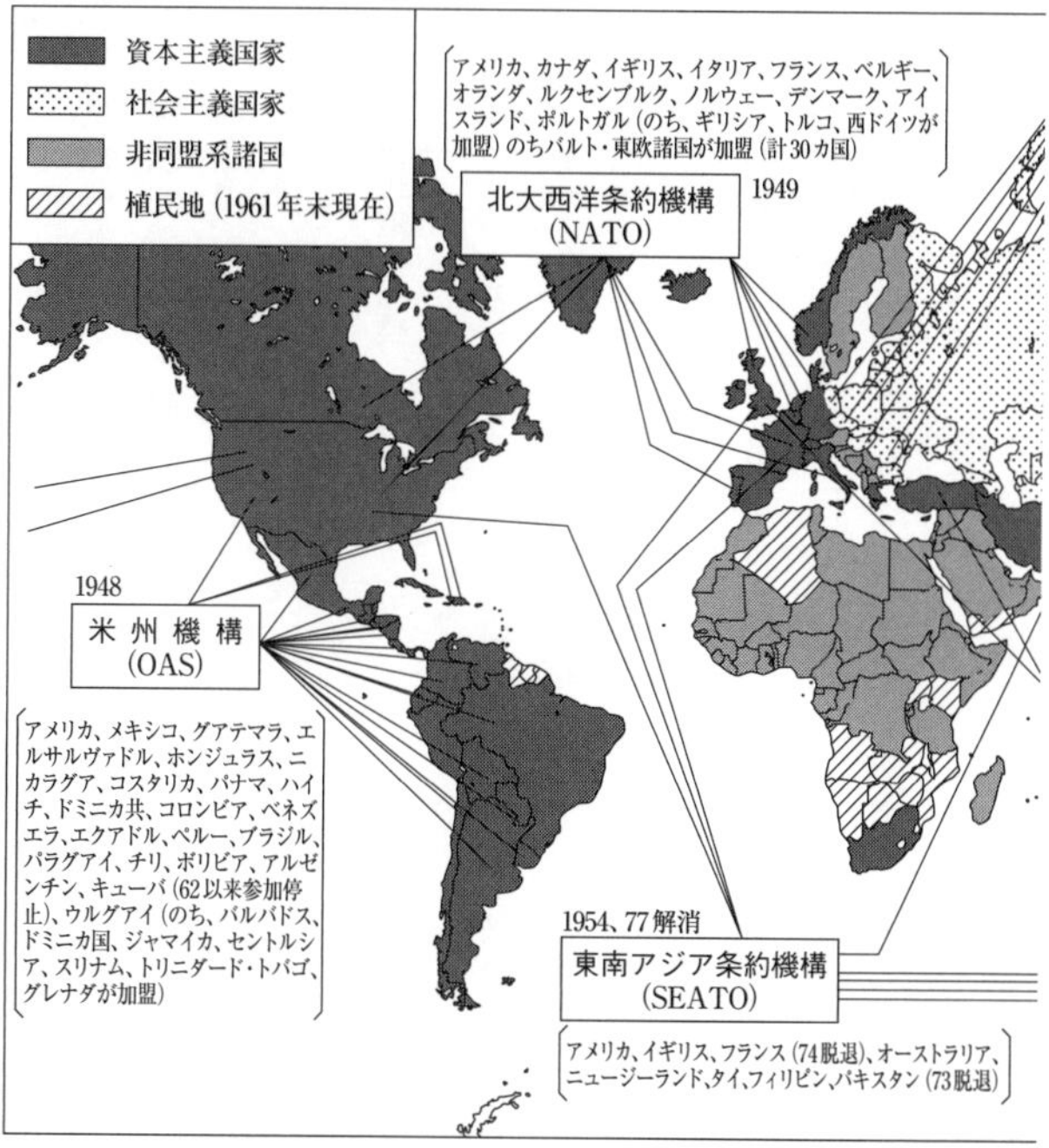

図9　世界の中の東西両陣営

間米ソの軍事的緊張は著しく高まり、アメリカは北大西洋条約機構（NATO）を設立し、ソ連は米国に四年遅れて原爆を開発し、さらにワルシャワ条約機構を設立した（一九五五年）（図9）。

ソ連は、東ヨーロッパの占領諸国に「人民民主主義」体制を取らせ、連立政権と市場経済を認めていたが、冷戦の進展とともに政策を変更した。マーシャル・プランに対抗して一九四七年九月にコミンフォルム（共産党・労働者党情報局）を設立し、各国共産党への統制を強めた。大きな転換点は一九四八年二月のチェコ政変で、共産党の一党独裁に移行したことだった。戦間期の東欧で議会制が唯一つ機能していて、経済・文化水準も高いチェコスロヴァキアは戦後、西欧の「ショー・ウィンドウ」となることを期待されていただけに、政変の衝撃は大きかった。

†日本占領政策の転換

日本では、先に見たように一九四八年一〇月のアメリカ国家安全保障会議決定から占領政策の転換が始まった。GHQ内部の改革派と反共派の対立の結果、民政局のケーディスは本国に呼び戻された。すでに朝鮮半島では八、九月に大韓民国と朝鮮民主主義人民共和国とが分立し、中国内戦では共産党軍が優勢になってきた。もはや日本を「東洋のスイス」（精密機械の他は農牧業中心）にするといった理想論は、ドイツを「田園国家」にする（工業力を剝奪する）構想と同じく通用しなくなっていた。

アメリカにとって日本は「潜在的工業国」であり、「加工貿易国」の貿易をいつまでも制限するわけにはいかなかった（ドッジ・ラインの実施）。アジア・太平洋戦争の敗戦国として課される重い賠償（工業設備を撤去する現物賠償）は軽減されねばならなかった。日本は

「アジアの工場」として復活し、「反共前線基地」の役割（在日米軍基地を支えること）を期待されたのである。それは北大西洋や中東、東南アジア、ラテン・アメリカに軍事同盟網を張りめぐらすアメリカの財政負担を減らす必要性からも要請された。

3 中国革命と朝鮮戦争

†中国内戦と共産党勝利

一九四六年六月から国共内戦は本格化した。軍事的には国民政府軍四三〇万人、共産党軍一二七万人で、前者がアメリカから新鋭兵器を援助されていたのに対し、後者は満洲の日本軍からの戦利品をソ連に供与されたに過ぎず、国民政府の優勢は明らかだった。にもかかわらず国民政府が敗れたのには、幾つかの要因があった。従来は、共産党が延安根拠地はむろん、獲得した解放区で土地改革に成功し、農民の支持を得たこと、国民政府要人の腐敗が著しく、アメリカでさえ四九年八月『中国白書』で見切りを付けたことが指摘されてきた。これは、事態の一面しか見ない共産党寄りの評価である（図10）。

他の要因の第一は、抗日戦争勝利後の政治運営において、政治協商会議を設置し、共産

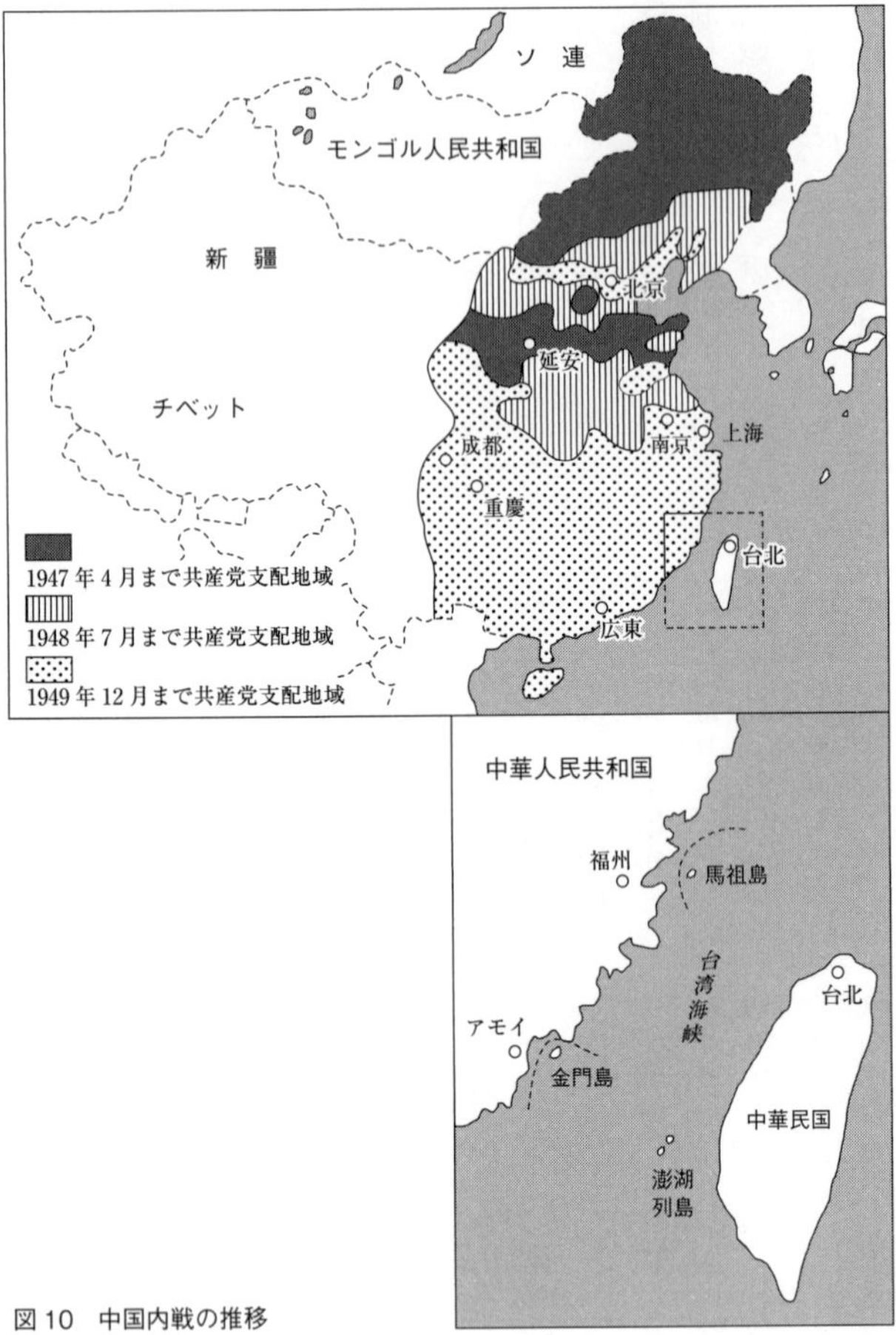
ソ　連
モンゴル人民共和国
新　疆
チベット
北京
延安
成都
重慶
南京
上海
台北
広東
1947 年 4 月まで共産党支配地域
1948 年 7 月まで共産党支配地域
1949 年 12 月まで共産党支配地域
中華人民共和国
福州
馬祖島
台湾海峡
アモイ
金門島
台北
中華民国
澎湖列島

図 10　中国内戦の推移

党を含む諸政党・諸勢力との協力態勢をとり、「訓政」から民主的な憲政への移行（孫文の遺訓）を約束しながら、旧来の国民党専制から脱却できず、民心から離れたことである。日本と同じ頃に制定された中華民国憲法は、制定のための国民大会に協商会議諸派が参加しなかった。

第二に、戦後のインフレと生産不振に対処する経済政策が失敗した点である。日本企業からの接収は、在地資本の利害も絡んではかばかしく進まず、安易に国営化される場合が少なからずあり、「官僚資本」だと批判された。この接収の不十分さと、内戦の進行自体が生産を阻害した。また、中国の民間資本が、内戦の拡大とともに大量に海外に逃避した。

第三に、国際情勢も不利に働いた。アメリカを中心とする国連からの援助は一九四六―四八年で総額四億三三〇〇万ドルに過ぎず、マーシャル・プランの四年間総額一三〇億ドルにはるかに及ばなかった（欧州重視）。しかも、「連合国間日本賠償委員会」で検討された日本からの賠償獲得は、冷戦の進行に大きく左右された。いったん中国は総額の二七％（米国の三四％に次ぐ）と決められたものの、議長国アメリカが賠償による日本経済弱体化を懸念して消極的になり、総額を大幅に減らし、中国国民政府に賠償請求放棄を迫る始末だった。

一九四九年一〇月に中華人民共和国が成立すると、毛沢東《マオツオドン》ら指導者は真っ先にソ連を訪問し、二カ月間も滞在したが、それはたんに「社会主義国同士の友好」を内外に示すためではなかった。一九四五年八月の国民政府が結んだ中ソ友好同盟条約を改定するためで、東北部における鉄道利権の返還と大連商港のソ連優先権撤廃が実現された（旅順軍港の返還は先延ばしにされた）。しかも名称が中ソ友好同盟「相互援助」条約に改められたのは、「日本軍国主義の復活」に備えるという名目よりは、「アメリカ帝国主義」を仮想敵国としたものと言ってよい。

中国革命の成功は、ヨーロッパでやや劣勢のスターリンに東アジアでの攻勢を促したかもしれない。一一月のアジア・大洋州労働組合会議で国家副主席の劉少奇《リュウシャオチ》が、毛沢東の武装闘争路線がアジアの階級闘争の基本形態であると述べたとき、スターリンはこれに賛意を示した。一九五〇年一月にコミンフォルムが、日本共産党の公式路線である野坂議長の「平和革命」論を突然批判したのも、スターリンの意を受けたと見て間違いない。

†朝鮮戦争勃発とその惨状

朝鮮半島の分断国家、大韓民国と朝鮮民主主義人民共和国との対立は米ソ冷戦の中でいっそう強まった。韓国では李《イ》承晩《スンマン》が政敵を排除し独裁者となって「北進統一」を、共和国でも金日成《キムイルソン》が同じく独裁者となって「南進統一」を唱え、ともに「民族の悲願」と訴えた。

金日成は、中国革命の成功と「劉少奇テーゼ」に刺激されて「南進統一」の準備に入った。一九五〇年一月にアメリカ国務長官のアチソンが、米国の太平洋における防衛ラインの外側に朝鮮半島と台湾を置いたことをチャンスと見た可能性はある。

しかし、金日成が共和国軍の戦力が不十分であり、南進は米軍の介入を招きかねないと懸念したのも当然である。四月にモスクワを訪問してスターリンと、五月に北京を訪問して毛沢東と会見し、軍事援助を要請した。スターリンは、米軍が介入して世界大戦を招かないようソ連は直接には参戦せず、戦車、航空機等の援助とパイロットの派遣、作戦上の助言に留めることを約束した。毛沢東は、国共内戦を戦った朝鮮人（主として延辺自治州の朝鮮人）部隊二個師団を最初から投入し、情勢次第では人民解放軍も出兵することを約束した。

朝鮮戦争は六月二五日、共和国軍が三八度線を突破したことにより開始された。第一段階は、共和国軍が韓国軍を圧倒し、釜山《プサン》を中心とする地域まで追い詰めたところまで。第二段階は、驚いたアメリカが「国連軍」の名で（開始直後の国連総会の「侵略」決議をふまえて）仁川《インチョン》に上陸し、共和国軍を押し返したのみならず鴨緑江付近まで追い詰めたところまで。第三段階は、中国東北部への米軍の侵攻を恐れた中国が人民解放軍を「義勇軍」の名で投入し、人海戦術で米韓軍を三八度線の南まで押し返したところまで。第四段階は、米

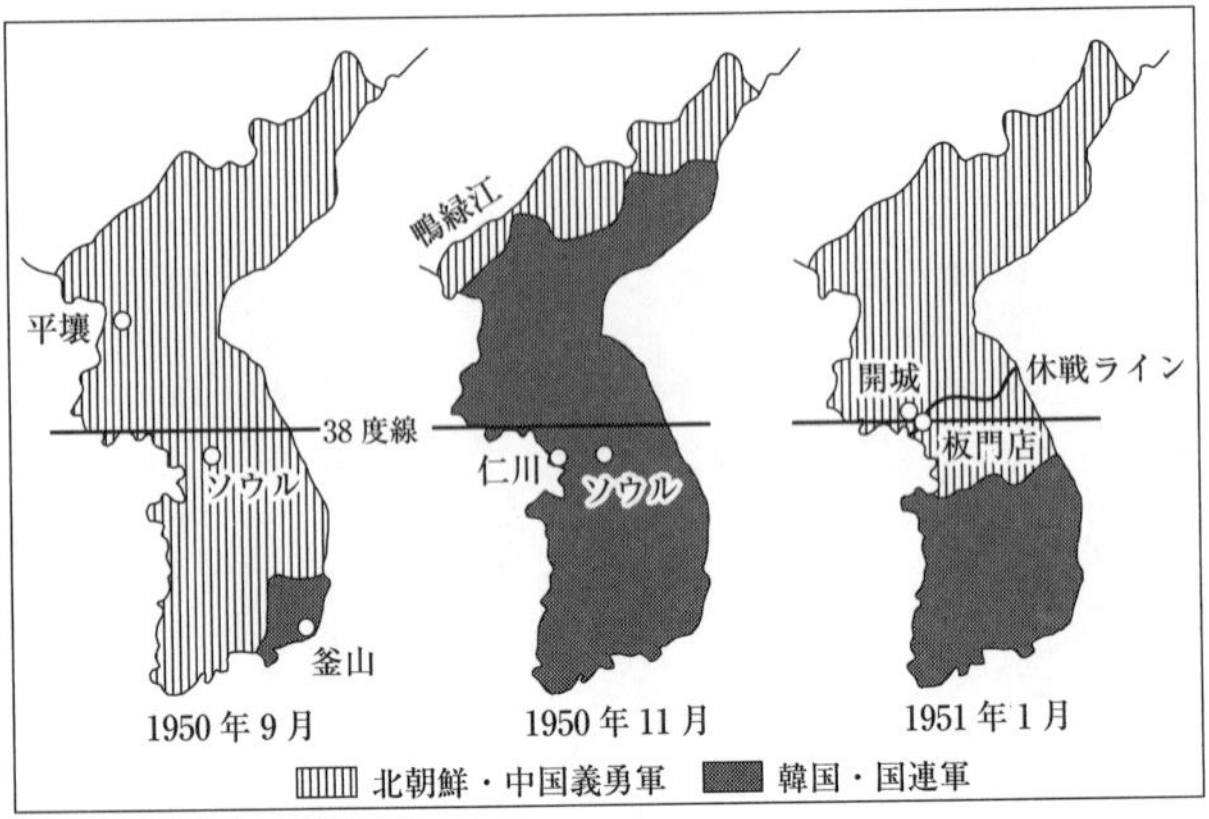

図11　朝鮮戦争の推移

韓、中朝の両軍が三八度線付近で前進と後退を繰り返しながら膠着《こうちゃく》状態になって、一九五三年七月に板門店《パンムンジョム》で休戦協定が結ばれるまでである(図11)。

この戦争は冷戦の中の「熱戦」であり、同じ朝鮮民族が殺し合い、母国の土地を南へ、北へと逃げ惑う悲劇だった。米軍により、太平洋戦争の日本空襲で投下された量を上回る爆弾が投下され、国土は灰燼《かいじん》に帰した。在日米軍司令官で国連軍司令官を兼ねたマッカーサーは、中国東北部への原爆投下も進言したが、さすがにトルーマンに制止され、司令官を罷免された。この戦争は休戦協定が結ばれただけで、南北間の戦争の一触即発の危機が繰り返され、統一が実現されないまま今日に至っている。

†朝鮮戦争と日本の関与

日本は在日米軍（国連軍）の本部があり、後方基地の役割（兵員、武器弾薬、食糧等の輸送、戦死傷者の後送先）を果たした。海上保安庁は掃海（機雷の除去）に協力し、義勇兵として参戦した日本人も少数ながらいた。軍需品（被服や携帯品等に加え武器・弾薬まで）の生産・修理は、不況の日本には好都合で、朝鮮特需と呼ばれた。

朝鮮戦争開始直後に、GHQ命令で警察予備隊（七万五〇〇〇名）が発足した。朝鮮戦争に乗じた在日朝鮮人や日本人左翼による「後方攪乱」に備える狙いで、憲法第九条の制約から軍隊とは公然と言えない故の名称だった。そこには旧軍人が数多く幹部として採用され、警察予備隊は後に保安隊を経て自衛隊に変身した（一九五四年）。

開戦直後には「公職追放」が解除され、反対に共産党幹部の追放と「レッド・パージ（労組等からのアカの追放）」が行なわれた。共産党指導部はコミンフォルム批判を受け入れるか否かで分裂し、徳田書記長ら主流派は中国に潜行し、北京から「反米・民族解放」の武装闘争を指導した。一九五二年の「血のメーデー」事件や吹田事件などであり、直後に破壊活動防止法が制定された。共産党はこうした武装闘争の結果、労働運動や社会運動から遊離し、国民の支持を失った（一九五二年総選挙で全議席を失った）。

参考文献

①下斗米伸夫『アジア冷戦史』中公新書、二〇〇四年
②伊藤修『日本の経済――歴史・現状・論点』中公新書、二〇〇七年
③久保亨『社会主義への挑戦1945-1971 シリーズ中国近現代史④』岩波新書、二〇一一年
④文京洙『韓国現代史』岩波新書、二〇〇五年
⑤和田春樹『北朝鮮現代史』岩波新書、二〇一二年

コラム3 サラリーマンの家

横浜市金沢区の住居は当初、二間＋台所・便所・玄関だった。便所は汲み取り式、風呂がないため母が筆者と弟を連れて銭湯に通った（帰りに蕎麦を食べるのに釣られた）。台所はかまどで煮たきし、冷蔵庫は届けられた氷を入れ替えるもの、電気洗濯機は洗い・濯《すす》ぎは電動でも、絞りには手回しローラーが使われた。部屋は畳敷で、六畳の居間には真ん中にちゃぶ台が置かれ、そこが食事と団欒《だんらん》の場所だった。やがて父方祖父も一緒に暮らすために増築して二間増え、風呂場もできた。都市ガスが導入され、電気冷蔵庫も全自動洗濯機も買って母の家事負担が軽減されたが、それは高度成長開始の頃だった。

近くに水田や畑、山林があったので、小川でザリガニを取り、トンボや蟬を追いかけ、夏休みには昆虫採集もした。山の向こう側には北条実時《さねとき》建立の称名寺《しょうみょうじ》があり、海辺では潮干狩りや海水浴を楽しんだ（後に「八景島シーパラダイス」になる海辺）。子どもにとってはラジオ放送も楽しみで（テレビは一九五九年の「皇太子ご成婚」以降に普及）、早朝のラジオ体操と夕方の「少年探偵団」は記憶に残っている。この頃はサラリーマンも家庭で鶏を飼い、産んだ卵を食していたが、ある日可愛がっていた鶏の姿が見えないので、母に尋ねると「そこ」と言って、ちゃぶ台の上の水炊き鍋を指さした。以来筆者は鶏が苦手になったが、長じて酒の席でこの話題を出すと「俺もそうだ」と言う人が多かった。

第4講

日本の独立と五五年体制成立

		世界	日本
1952	1	李承晩ライン設定	
	5		血のメーデー事件
		欧州防衛共同体（EDC）条約調印	
	7		破壊活動防止法成立
	10		総選挙で共産党議席失う、保安隊発足
	11	チェコでスランスキー粛清裁判	
	12	米国、水爆実験成功	
1953	2	ネルー「第三世界」結集を呼びかけ	吉田首相「バカヤロウ」解散→4総選挙
	3	スターリン死去	
	6	東ベルリン暴動	
	7	朝鮮休戦協定（板門店）	
	8	ソ連が水爆実験成功を報道	
	12	奄美群島返還の日米協定	
1954	3	米国ビキニ環礁で水爆実験→第五福竜丸被爆	
	4	ジュネーヴで極東平和会議	造船疑獄で指揮権発動
	5	ディエンビエンフー陥落	原水爆禁止署名運動、杉並で開始
	6	周恩来・ネルー平和5原則	
	7	ジュネーヴ協定調印（米、南は不調印）	自衛隊発足
	12		吉田内閣不信任、鳩山内閣成立
1955	2	東南アジア条約機構（SEATO）発足	総選挙→3 第2次鳩山内閣
	4	アジア・アフリカ会議（バンドン）	
	5	ワルシャワ条約機構、ソ首脳ユーゴ訪問	砂川（基地拡張反対）闘争始まる
	8		原水爆禁止世界大会（広島）
	10		左右社会党が統一
	11		自由党、民主党が保守合同
1956	2	ソ連共産党第20回大会	
	5	中国で「百花斉放」「百家争鳴」運動	
	7	ナセル、スエズ運河国有化	
	10	ハンガリー動乱	鳩山訪ソ、日ソ国交回復・共同宣言
	11	スエズ動乱	

1 サンフランシスコ講和会議

†講和への道

マッカーサーは対日早期講和を一九四七年三月に表明したが、新憲法が公布され、民主化も進んで、今後は経済再建が課題であり、そのためには国際経済環境の整備が不可欠であり、平和条約締結を急ぐべきだと考えた。マーシャル国務長官は七月に、極東委員会構成国（アメリカ以外一〇カ国）に対日講和予備会議を開くよう提案したが、ソ連は米英ソ中四国（四大国）外相会議で処理することを逆提案した。中華民国も拒否権に固執したため、マーシャル提案は実現しなかった。

その後は、国務省（「封じ込め」の提唱者ケナンら）が対日占領政策の検討を始め、マッカーサーがこれを嫌い、一九四八年三月にケナンが来日して会見した時も意見の不一致が見られた。しかし、経済復興で主導権をとったのは国務省だったことは先に見た通りである。四八年一〇月のアメリカ国家安全保障会議決定に対して、マッカーサーは連合国軍最高司令官として極東委員会には従うが、右決定には従わないと抗弁したが、実際には「経済安定九原則」以降の経済政策は本国主導だったのである。一九四九年一一月国務省は「対日講和起草準備中」と発表し、一九五〇年一月トルーマンは、ソ連の参加がなくても米英で講和を促進すると表明した。

日本国内では、これを受けて「全面講和」(ソ中など共産国も含む全交戦国との講和)か「片面講和」(アメリカなど西側諸国とのみの講和)かの論争が起こった。「全面講和」論の中心は南原《なんばら》繁東大総長ら知識人の「平和問題談話会」と社会党だった。南原は三月の卒業式の挨拶により、吉田首相から「曲学阿世の徒」と非難された。一九四八年に結成された全日本学生自治会総連合(全学連)、一九五〇年七月に産別民主化同盟を中心に結成された日本労働組合総評議会(総評)も、談話会と社会党を支持した。

「全面講和」論は、東西いずれの軍事同盟にも加入しない「非武装中立」論と一体であり、社会党は朝鮮戦争が北朝鮮によって引き起こされたことから、「非武装中立」論を明確にした。三月の「世界平和擁護」ストックホルム大会は、原子兵器禁止を訴え、その署名は五億にも達したという。他方、朝鮮戦争勃発により、自由党と吉田の掲げる「片面講和論」に対する支持が広がったことも事実である。

マッカーサーは日本「中立化」論をとってきたが、朝鮮戦争勃発後は「反共前線基地」論に転じ、日本共産党弾圧に乗り出した。少し前の二月アメリカ本国では、国務省内の

「ソ連スパイ」摘発に始まる反共運動（赤狩り）が展開され、大規模になった（主唱者の共和党議員の名から「マッカーシー旋風」と呼ばれた）。日本でも「レッド・パージ」が本格化していた。四月には共和党のダレスが国務省顧問、対日講和責任者に任命された。

†講和会議の議論と結果

対日講和をリードしたのは米英、とくにアメリカだった。国務省は一九五〇年一一月「対日講和七原則」を公表した。(1)領土問題では、ⓐ朝鮮の独立、ⓑ沖縄、小笠原諸島を米国の信託統治下におく、ⓒ台湾、澎湖諸島、南樺太、千島の将来は米英中ソが決定する、(2)賠償問題では、交戦国は対日賠償請求を放棄する、(3)日本は講和条約調印後、国際連合に加盟する、(4)講和後、日本が軍隊を持つに至るまでは、日本地域の安全保障は「日米、及びその他の諸国を加えた双方の義務とする」、が主要な内容だった。

領土のⓐは、すでに南北に分断国家が成立し、戦争している状態ではほとんど意味がなかった。ⓑは米軍占領の既成事実の追認である（信託統治は国連に提起されなかった）。ⓒの「中国」とは米国が承認する国民政府を意味しており、台湾と澎湖諸島の帰属を中華人民共和国抜きには決められないし、ソ連が応ずるはずもなかった。南樺太、千島はソ連にとって併合ずみで（四六年二月）、これもソ連が応ずるはずはなかった。加えて、オーストラリア、ニュージーランドは「寛大な講和」に反対し、フィリピンは賠償請求放棄に激しく反発した。

ソ連政府はさっそく対米覚書を発表し、米国政府の説明をただす形で自国の考え方を示した。台湾、澎湖諸島はカイロ宣言、ポツダム宣言で中国へ返還すると決定済みであり、ソ連に対する南樺太の返還、千島列島の引渡しもヤルタ協定で決定済みである。琉球諸島、小笠原群島については、カイロ宣言、ポツダム宣言に日本の主権から除くとは規定されていないのに、米国の信託統治下におくのは、両宣言違反ではないか。占領軍の撤退はポツダム宣言にも規定されたのに、その期限についても、米軍が引続き駐屯するのかについても触れていない。

日本外務省も独自に準備を進め、一九五〇年末には一定の結論を得た。「片面講和」を前提に「完全な主権の回復と平等の基調における民主主義諸国との協力」を原則としている。朝鮮の独立、台湾、澎湖諸島の扱いに異存はないが、「千島列島はソ連に引渡さず、琉球列島、小笠原諸島は日本に帰属する」と主張している。米軍の駐留は日本の要請に応じた「国連の機能の代行」であるとし、短期間、遠隔地、米国の経費負担の諸条件を付した。

一九五一年九月、サンフランシスコで日本と連合国が講和（平和）条約を締結するための国際会議が開かれ、五二カ国が参加した。分断国家の中華人民共和国、中華民国はいずれも招請されなかった。非同盟を掲げるインド、ビルマ（一九四七年に独立）、ユーゴスラヴィアは参加しなかった。ソ連が前述の立場にもかかわらず参加したのは、アメリカ主導の平和条約案が軍国主義と戦争をもたらすことを暴露するためである。

ソ連代表グロムイコは、領土問題、軍備制限と軍国主義復活予防などで対米覚書の内容を訴え、米英案を批判した上で、逐条の修正案を提案した。第三章「安全」では、第六条の修正として占領軍の「条約発効日から九〇日以内の撤退」と、その後の「外国軍隊の駐留と基地保有」禁止を提案した。また、日本の軍備制限（総数一五万まで）と核兵器等の保有禁止、日本周辺の海峡の非武装化と隣接国軍艦のみへの開放という一条ずつを追加するよう新たに提案した。結局グロムイコは、ソ連が代表団を派遣したのは「対日平和条約なるものが、まったく平和条約でないことを全ての人々に聞いてもらうためだった」と結び、ポーランド、チェコスロヴァキア代表と共に退席した。

平和条約（史料5）に見られるように、第二章第二条はa朝鮮、b台湾及び澎湖諸島、c千島列島および南樺太、e国際連盟委任統治下にあった太平洋諸島に関する「権利、権原及び請求権を放棄する」だけだった。aでは竹島（独島）、bでは尖閣（釣魚台）諸島が言及されず、その帰属先は日韓、日中台の紛争の元となった。cは事実上ソ連領で、日ソの紛争の元になった。

第三章第六条a項は、ソ連提案を容れて占領軍の「九〇日以内の撤退」を規定したが、但書で「二国間もしくは多数国間の協定に基く……外国軍隊の日本国の領域における駐屯または駐留を妨げるものではない」とされた。第四章第十一条では、日本は極東国際軍事裁判その他の連合国戦犯法廷における判決を受諾し、国内に拘禁されている者の刑を執行すると明記されている。しかも第五章第十四条では、日本の連合国に対する賠償支払い義務を記しながらも、現状の資源は「完全な賠償」と他の債務履行には十分ではないと、日本に同情的な立場をとっている。

2　日米安保条約と周辺諸国

†安保条約の対米従属性

サンフランシスコ平和条約調印の日に続けて、日本とアメリカの安全保障条約（安保条約）が締結された（史料6）。すでに見たように、日本の安全保障のためには米軍が撤退するのではなく、条約に基づいて駐留することが日米間の合意となった。平和条約第五条c

項にも、日本は国連憲章に定める「個別的または集団的自衛の固有の権利」を有し、集団的安全保障の取り決めを締結できるとあるのを、安保条約前文は繰り返している。前文には、日本は防衛の暫定措置として「日本国内外及び附近にアメリカ合衆国がその軍隊を維持することを希望する」とあり、同時に、「直接及び間接の侵略に対する自国の防衛のため漸増的に自ら責任を負うことを期待する」とも記されている。

第一条では、アメリカの軍隊が日本国内およびその付近に配備する権利を日本は米国に許与し、米国はこれを受諾すると記されているが、両国が対等の関係でないことは、占領軍が条約に基づく駐屯軍に衣替えしたに過ぎないことから明らかである。しかも在日米軍が日本国内における「大規模の内乱及び騒擾《そうじょう》を鎮圧する」ためにも出動できると規定されている点からも、日本の対米従属性は明らかである。

†周辺諸国との関係

賠償支払いは平和条約ではなく、日本と各国の個別条約に委ねられた。日本から賠償支払を受けたのは、ビルマ（一九五五年、二億ドル）、フィリピン（五六年、五億五〇〇〇万ドル）、インドネシア（五八年、二億二三〇〇万ドル）、南ベトナム（五九年三九〇〇万ドル）である。日本の支払能力を考慮して日本人の労役や日本商品で支払うことが認められ、それが日本企

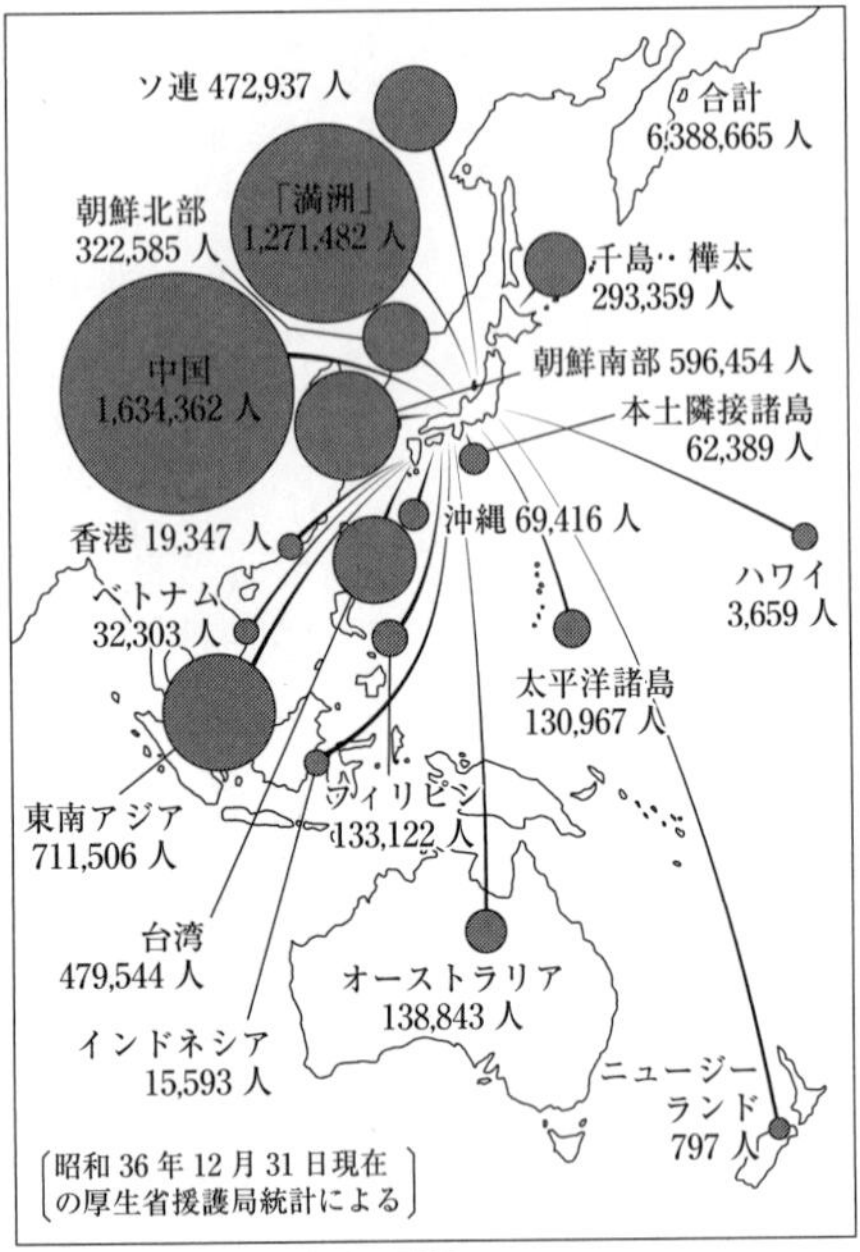

図 12　海外からの復員と引揚

業の東南アジア市場進出の足掛かりになった。

中華民国とは一九五二年に日華平和条約が結ばれ、戦争状態の終結、台湾・澎湖諸島の返還、日本財産の放棄と台湾の賠償請求権の放棄などを規定したが、中華人民共和国とは断交し、敵対関係を深めることになった。韓国とは一九五一年以来日韓会談を積み重ねてきたが、植民地関係の清算は容易ではなく、五二年に李承晩大統領は韓国・日本間の海域に「李承晩ライン」を設定し、その内側に立ち入った日本漁船を拿捕《だほ》したため、両国間の正常化はいっそう遠のいた。

在日外国人（大半が朝鮮半島・台湾出身者）は、一九四五―四六年に多数が帰国した（在日朝鮮人は二〇〇万人から五〇万人に減少)。一九四七年の「外国人登録令」により外国人登録証明書の携帯を義務づけられたが、サンフランシスコ平和条約の結果、彼らは日本国籍を失った。国政選挙権はすでに四五年一二月の衆議院議員選挙法で剝奪されていたが、地域住民としても(教育・医療等サービスの受益)、様々な差別的不利益を被ることになった。

なお講和会議の前、一九五〇年夏までに、海外からの復員(軍人)、引揚(民間人)がソ連と中国に一部を残して完了した(図12)。米ソが対日理事会や新聞報道で対立していたシベリア抑留者の帰還もほぼ完了し、残るは「戦犯」と容疑者だけになった。四八年八月のNHK素人のど自慢で歌われた「異国の丘」(吉田正作曲)は、当時の帰還者と待ちわびる家族の気持ちを表す一大ヒット曲となった。

3 五五年体制成立と日ソ国交

†社会党統一と保守合同

平和条約後の日本は、明暗さまざまだった。たしかに日本は独立したが(平和条約発効の五二年四月)、安保条約とともに締結された日米行政協定によって、米軍基地は特権的な地位を享受した。米軍将兵による周辺住民に対する犯罪は、日本側が裁判権を持たず、基地維持費は日本側負担とされた。しかも、最も米軍基地が多い沖縄は、一九四六年一月のSCAP（連合国軍最高司令官）覚書により日本の政治・行政の管轄範囲から除外され、平和条約以降は日本に「残存主権」はあるが、施政権は米軍にあるとされ、軍政下に置かれた。

共産党の武装闘争の影響を受けて学生運動や平和運動、文化運動は低迷を余儀なくされたが、しだいに復活した。原水爆禁止運動は、広島と長崎の被爆者を中心に占領軍の検閲下で粘り強く進められてきたが、一九五四年三月の「第五福竜丸事件」（焼津のマグロ漁船がビキニ環礁でのアメリカ水爆実験で「死の灰」を浴び、死者を出したこと）で一挙に全国化した。五月に東京杉並の主婦が始めた原水爆禁止の署名運動は、年内で全国二千万人を超えるに至った。翌五五年八月六日から三日間、広島で「原水爆禁止世界大会」が初めて開催され、二五七五人が参加、外国代表も一四カ国五二人が参加した。被害者はマーシャル群島に及び、在日朝鮮人被爆者もいるとして調査・救援が訴えられたことは画期的だった。

吉田首相は平和条約締結の立役者だったが、「親米一辺倒」と「ワンマン政治」に対する不満が高まってきた。鳩山が公職追放から復帰したら政権を譲るという「約束」（確証はないが、自由党内で流布した噂）が守られない不満から「新党」が結成されると疑っての「抜き打ち解散」（五二年八月）が最初だった。翌年三月に「バカヤロー解散」（吉田の失言に対する辞任動議に対抗して)、さらに一年後に「造船疑獄」事件での法相の検事総長に対する指揮権発動(佐藤栄作幹事長の逮捕阻止)が続いた。一九五四年一一月には、鳩山、岸信介らによって日本民主党が結成されるに至った(一二月に吉田内閣が総辞職し、鳩山民主党少数内閣が成立)。吉田自由党の「親米経済優先」路線に対する「自主外交改憲」路線であり、反米親ソではなく、親米一辺倒に対して日本外交の余地を拡げるという意味である。

社会党は講和論争のときに左右に分裂したが、一九五五年二月の総選挙では両派合計一五六議席、議席率三三・四%となり、片山内閣発足時の議席率を上回り、しかも与党に憲法改正発議を許さない三分の一越えを実現した。このとき民主党一八五議席、自由党一一二議席だったが、「鳩山ブーム」、保守合同の兆しもあったので、一〇月に社会党両派は先手を打って統一した。民主党、自由党の「保守合同」は一一月だった。二大政党制には程遠かったので、当時のマスコミは「一カ二分の一政党制」と名づけた。

†日ソ国交回復

鳩山内閣の最大の功績は、日ソ国交回復であり、これに伴う国連加盟であった。日ソ国交正常化は、日本にとってはサンフランシスコ平和条約の未達成課題であり、スターリン死後のソ連の平和共存外交にとっても課題だった。

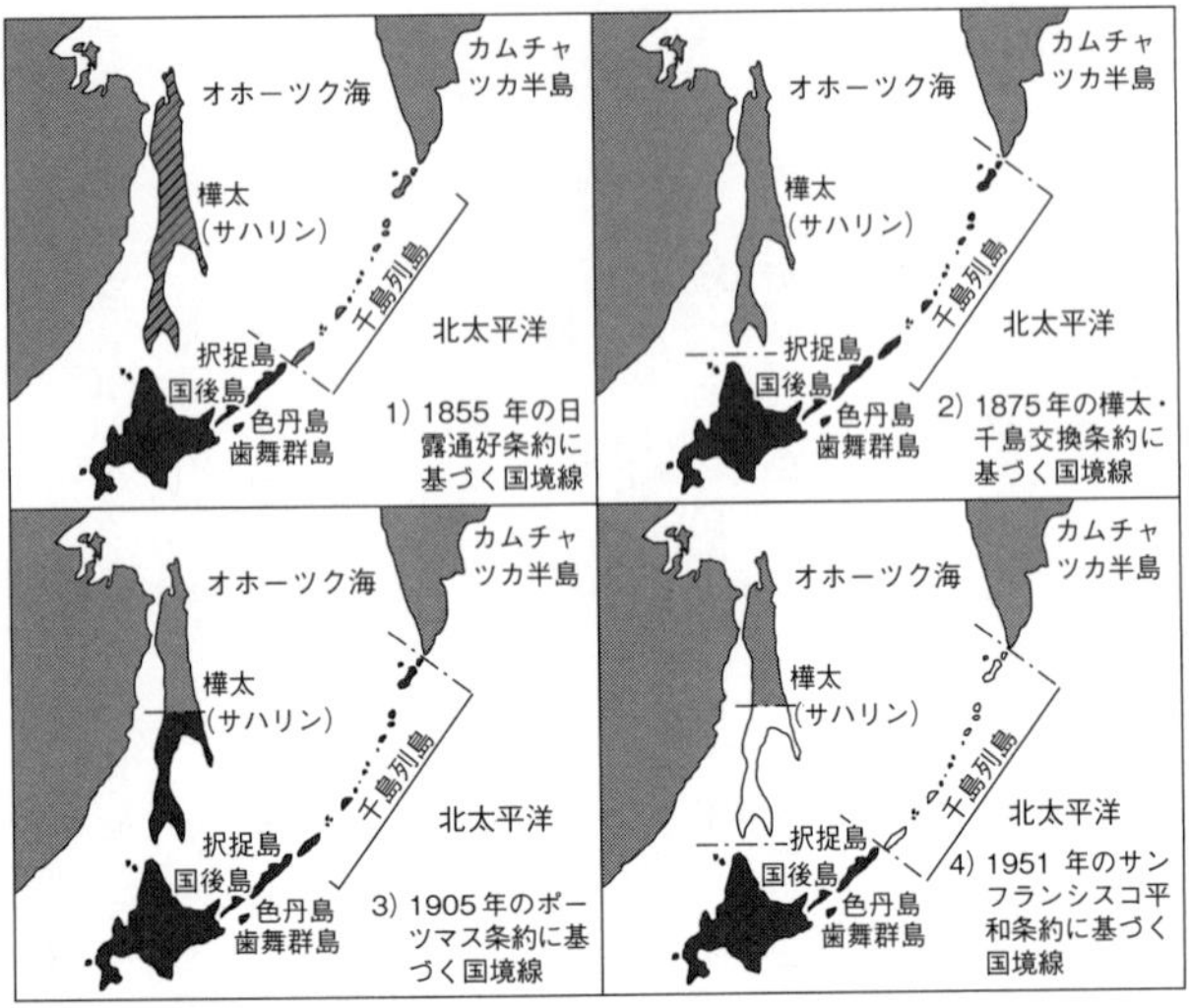

図 13　北方四島（帰属の変遷）

両国の交渉は一九五五年からロンドンで始まり、その夏にはソ連側が「色丹、歯舞引渡し」を示唆し、当時の重光葵《まもる》全権代表はこれを受けて交渉を進めようとしたが、本国から「待った」がかかった。ロンドンからの帰路に米国に寄った重光は、ダレスからこれに応ずるなら「沖縄は返還できない」と釘を刺された。いったん頓挫した交渉を再起動させるきっかけは、翌年五月の河野一郎農林水産相によるモスクワでの漁業交渉だった（サケ・マスの漁獲量と漁業水域を決める）。自民党内部でも吉田らの「あくまで四島返還」（国後、択捉も）論が強く、鳩山首相は一〇月、自ら訪ソして交渉に乗り出した（図13）。

　日本側の主役は高齢の鳩山ではなく、粘り腰の河野だった。相手は主として、これもタフなフルシチョフ共産党第一書記だった。二人の交渉は未だ全容が公開されていないが、およそ以下のようであった。まず、交渉の議題は複数あったが、難題の領土問題を最後に回して、漁業合意の仕上げ、日本人長期抑留者の帰国、日本の国連加盟（従来ソ連が拒否権を行使）から着手した（すでに事実上の合意はできていた）。領土交渉では、ソ連がこだわる理由が四島の経済的価値にはなく、地政学的＝軍事的価値にあることが判明した。「二島の引渡し」を示唆したのは、日米同盟関係にくさびを打ち込むためであった。結局「日ソ共同宣言」では、「日本の要望に応え、かつ日本の利益を考慮して」という押し付けがましい表現で、しかも、二島は「平和条約が締結された後に現実に引き渡される」という条件付きだった。

　このように、条件付きとはいえソ連が譲歩したのは、一〇月に「ハンガリー事件」（スターリン批判の影響による民主化運動）が緊迫した局面を迎え、スエズ戦争（英仏イスラエルによるエジプト侵攻）も含めて、同時に対処しなければならなかった事情もあると推測される。付け加えるなら、長期抑留者の帰還はよいとして、「請求権の相互放棄」で抑留中の労働の賃金支払いを請求できなくなったのは遺憾である（日ソ戦争はソ連の一方的侵攻で、彼らには請求権などなかったのに)。それにもかかわらず、「日ソ共同宣言」はまれに見る日本外交の成果だったと言ってよい。

《史料5》サンフランシスコ平和条約（抜粋）

第一章　平和（略）

第二章　領域

第二条

a　日本国は、朝鮮の独立を承認して、済州島、巨文島及び鬱陵《うつりよう》島を含む朝鮮に対するすべての権利、権原及び請求権を放棄する。

b　日本国は、台湾及び澎湖諸島に対するすべての権利、権原及び請求権を放棄する。

c　日本国は、千島列島並びに日本国が一九〇五年九月五日のポーツマス条約の結果として主権を獲得した樺太の一部及びこれに近接する諸島に対するすべての権利、権原及び請求権を放棄する。

d　日本国は、国際連盟の委任統治制度に関連するすべての権利、権原及び請求権を放棄し、且つ、以前に日本国の委任統治の下にあった太平洋の諸島に信託統治制度を及ぼす一九四七年四月二日の国際連合安全保障理事会の行動を受諾する。

e　日本国は、日本国民の活動に由来するか又は他に由来するかを問わず、南極地域のいずれの部分に対する権利若しくは権原又はいずれの部分に関する利益についても、すべての請求権を放棄する。

f　日本国は、新南群島及び西沙群島に対するすべての権利、権原及び請求権を放棄する。

第三条　日本国は北緯二九度以南の南西諸島（琉球諸島及び大東諸島を含む）、孀婦《そうふ》岩の南の南方諸島（小笠原群島、西之島及び火山列島を含む）、並びに沖ノ鳥島及び南鳥島を、合衆国を唯一の施政権者とする信託統治制度の下に置くこととする合衆国のいかなる提案にも同意する。（以下略）

《史料6》日米安保条約（抜粋）

日本国は、本日連合国との平和条約に署名した。日本国は武装を解除されているので、平和条約の効力発生の時において固有の自衛権を行使する有効な手段をもたない。

無責任な軍国主義がまだ世界から駆逐されていないので、前記の状態にある日本には危険がある。よって日本国は、平和条約が日本国とアメリカ合衆国との間に効力を生ずるのと同時に効力を生ずべきアメリカ合衆国との安全保障条約を希望する。

平和条約は、日本国が主権国として集団的安全保障取極を締結する権利を有することを承認し、さらに、国際連合憲章は、すべての国が個別的及び集団的自衛の固有の権利を有することを承認している。

これらの権利の行使として、日本国は、その防衛のための暫定措置として、日本国に対する武力攻撃を阻止するため日本国内及びその付近にアメリカ合衆国がその軍隊を維持することを希望する。

アメリカ合衆国は、平和と安全のために、現在、若干の自国軍隊を日本国内及びその付近に維持する意思がある。ただし、アメリカ合衆国は、日本国が攻撃的な脅威となり又は国際連合憲章の目的および原則に従って平和と安全を増進すること以外に用いられうべき軍備をもつことを常に避けつつ、直接および間接の侵略に対する自国の防衛のため漸増的に自らの責任を負うことを期待する。

よって、両国は、次のとおり協定した。

第一条　平和条約及びこの条約の効力発生と同時に、アメリカ合衆国の陸軍、空軍及び海軍を日本国内及びその付近に配備する権利を、日本国は許与し、アメリカ合衆国は、これを受諾する。この軍隊は、極東における国際の平和と安全の維持に寄与し、並びに、一または二以上の外部の国による教唆又は干渉によって引き起こされた日本国における大規模の内乱及び騒擾を鎮圧するため、日本国政府の明示の要請に応じて与えられる援助を含めて、外部からの武力攻撃に対する日本国の安全に寄与するために使用することができる。

第二条　第一条に掲げる権利が行使される間は、日本国は、アメリカ合衆国の事前の同意なくして、基地、基地における若しくは基地に関する権利、権力若しくは権能、駐兵若しくは演習の権利又は陸軍、空軍若しくは海軍の通過の権利を、第三国に許与しない。

第三条　アメリカ合衆国の軍隊の日本国内及びその付近における配備を規律する条件は、両政府間の行政協定で決定する。

第四条、第五条（略）

参考文献

①石川真澄『戦後政治史』岩波新書、一九九五年
②原彬久『吉田茂――尊皇の政治家』岩波新書、二〇〇五年
③豊下楢彦『安保条約の成立―吉田外交と天皇外交―』岩波新書、一九九六年
④増田弘『自衛隊の誕生――日本の再軍備とアメリカ』中公新書、二〇〇四年
⑤吉見俊哉『親米と反米――戦後日本の政治的無意識』岩波新書、二〇〇七年
⑥和田春樹『領土問題をどう解決するか――対立から対話へ』平凡社新書、二〇一二年

コラム4　学校給食と映画『原爆の子』

小学校期のことは前にも触れたが、何と言っても給食のことは忘れ難い。米軍払い下げの脱脂粉乳から作られたミルクは不味くて、残している友達も多かった。コッペパンは硬かったが、おかずが美味しければ食べられた。おかずは牛肉がなく、豚肉も少なく、鶏肉と鯨肉がメインだった。鯨の竜田揚げは大好きだったし、同年輩の昔話では必ずと言っていいほど話題になった。学校給食は、貧しい家庭（戦争で父親が死んだ家庭など）の生徒にとって「平等」を実感できる機会だった。

筆者の学年（四五年四月―四六年三月生まれ）は人数も少なく、栄養不足で体格もよくなかった。朝礼で整列すると、弟の学年以降（団塊の世代）が列も長く、体格も向上していたように記憶する。後の時代のような「いじめ」はなかったと思うが、ちぢれ毛で浅黒い肌の同級生がからかわれていた（生まれ月からハーフはあり得ない）。

四年生の時だと思うが、学校の特別授業で映画『原爆の子』を観に映画館に行った。初公開は一九五二年八月六日（独立後最初の広島被爆の日）だが、低学年は避けたのだろう。強烈な衝撃を受け、その頃始まった第五福竜丸事件をきっかけとする原水爆禁止運動とともに、筆者の反戦・反核意識の原点となった。父が「非破壊検査」でX線を浴びていたことから母が原爆にも関心を持ち、長崎で被爆した医師・永井隆『この子を残して』を読んでいた影響もあろう。

第5講

安保闘争から高度成長へ

		世界	日本
1957	1	国連総会アパルトヘイト非難決議	ジラード事件（米兵による農婦射殺）
	3	ガーナ独立	
	6	中国で「反右派」闘争	
	8	ソ連が大陸間弾道弾（ICBM）発射実験	
	10	ソ連が人工衛星スプートニク打ち上げ	国連安保理非常任理事国に当選
1958	1	EEC・EURATOM 発足、西独 NATO 加盟	
	3		日教組の勤務評定反対闘争開始
	5	中国、「大躍進」路線を決定	
	8	中国、金門・馬祖島砲撃	
	10	フランス第5共和制→12 ド・ゴール大統領当選	警察官職務執行法反対闘争
1959	1	カストロらのキューバ革命成功	
	3	チベット反乱、ダライ・ラマはインド亡命	
	4		皇太子結婚
	8	中国・インド国境で武力衝突	
	10		社会党から西尾派離党
	11	西独社民党「国民政党」に転換	三池炭鉱争議始まる（～60.11）
	12	在日朝鮮人の北朝鮮帰還第1船	在日朝鮮人の北朝鮮帰還第1船
1960	1	アルジェリアで仏人入植者が反乱	新安保条約調印、民社党結成
	2	フランス、初の原爆実験	
	4	中共、ソ共の平和共存路線を公然と批判　韓国学生革命	
	5	米 U2 機ソ連で撃墜さる	
	6	コンゴ動乱←コンゴ独立	安保条約批准反対闘争ピークに
	9		池田首相、高度成長・所得倍増等を発表
	10		浅沼社会党委員長、右翼少年に刺殺さる
	12	国連、植民地独立宣言採択（当年17カ国）	
		南ベトナム解放民族戦線が結成	

1　冷戦の推移

†冷戦から雪解けへ

ソ連の独裁者スターリンが一九五三年に死去すると、国内の抑圧は緩和され、国際的協調が少しずつ追求されるようになった。大きな転機は一九五六年二月のソ連共産党第二〇回大会で、後継者の地位を固めつつあったフルシチョフ第一書記が「平和共存」政策をうちだし、スターリンを初めて公然と批判したことである。

「平和共存」とは、帝国主義と社会主義の対立は必ず戦争をもたらすという従来のいわば宿命論を捨て、両体制は平和的に共存できるし、しなければならないとする、核軍事対決の時代の対外政策である。少なくとも核戦争は回避し、両体制のいずれが優れているかを経済競争で示そうというもので、マルクス主義の歴史観「社会主義の最終的勝利」論まで捨てたのではない。経済競争は発展途上国に対する「援助競争」の形もとり、ソ連はエジプトのアスワン・ハイ・ダムやインドのビラ製鉄所の建設を援助した。また「平和共存」は「民族解放」の大義に基づくベトナム戦争まで抑え込むものではなかった。

「スターリン批判」は、一九三〇年代の大規模な弾圧と独ソ戦開戦時の判断の誤りが中心で、レーニンの権威と共産党独裁の正統性を問うものではなかったが、それでも、いわば神の如き存在を批判したことは内外に衝撃を与えた（この議題は秘密会議だったが、すぐに広まった）。とくに、東欧諸国の独裁者＝「小スターリン」には衝撃で、ポーランドやハンガリーでは共産党の民主化や言論・集会・結社等の自由を求める改革運動が起こった。中国では毛沢東、北朝鮮では金日成に対する批判が、一時的ながら生まれた。

†二極から多極へ

米国とソ連の二極を中心に両陣営ともピラミッド状をなしながら、対立した国際秩序を冷戦構造という。そこではイデオロギーこそ正反対だが、軍事同盟網と核兵器を頂点とする軍事力を持っている点、各陣営の内部では米国、ソ連による一元的な統制が行なわれていた点が共通していた。マッカーシズムとジダーノフシチナ（ほぼ同時期のジダーノフ書記による思想統制）は、いわば双子のような存在だった。

こうした冷戦構造はまず東側から崩れ始めた。ポーランドやハンガリーの民主化運動がそれで、ハンガリーでは、知識人がワルシャワ条約機構脱退を唱えるに至ったので、ソ連はこれを武力で鎮圧した。中国がソ連に原爆サンプルの提供を要請して断られたこと、ソ連人技術者が中国から引き揚げたことをきっかけに、共産主義建設の方法（大躍進政策、人民公社の是非）をめぐるイデオロギー論争が絡んで、対立が深まっていった。

西側では、西ドイツと日本が高度経済成長を遂げ、アメリカの経済的覇権を脅かし始めたこと、フランスが対米自立志向（大統領の名からゴーリズム）を強め、米ソ英に対抗して自ら核開発に成功し、中国の核開発を支持し、国家承認したことが挙げられる（両国の核実験成功は各一九六二年、一九六四年）。

いずれの陣営にも属さない国家は「非同盟中立諸国」と呼ばれたが、一九五五年のバンドン会議に参集した国々が中心となる（中国は除く）。インド、エジプト、インドネシア、それにソ連との対立により東側陣営を離れたユーゴスラヴィアなどである。

†対立と協調の繰り返し

米ソ対立、冷戦は一九五六年に解消したわけではなく、揺り戻しもあった。一九六〇年アメリカのU2型偵察機がソ連領内で撃墜された。ドイツでは連邦共和国、民主共和国の分立以来、経済発展の格差から東独国民の西独への流出が目立ち始め、一九六一年ソ連と東独は、ベルリンに市民の往来を不可能にする壁を構築し、両国境全線でも同様の措置をとった。

最大の危機は一九六二年一〇月のキューバ危機だった。キューバのカストロらは親米バチスタ政権を打倒したが（一九五九年）、米国による政権転覆工作と全面禁輸措置を受け、それだけ反米民族主義から親ソ社会主義へと接近し、ついにはソ連に中距離ミサイル基地建設を申し出て、ソ連もこれに応じた。

一九六二年一〇月一四日U2型偵察機が基地の存在を確認し、二二日ケネディ大統領はキューバの海上封鎖を通告、国防総省はソ連船が封鎖線を越えたら撃沈し、二四時間以内に米ソ開戦になると表明した（図14）。この最後通告をめぐって、米ソそれぞれの最高指導部では激しい議論があったようだが、二八日フルシチョフ首相（党第一書記）はソ連船に引き返しを命令した。これが全世界を核戦争の瀬戸際にまで導いた「キューバ危機」である。このとき中国指導部は、ソ連のミサイル持ち込みを「冒険主義」、アメリカの最後通告に応じたことを「降伏主義」と非難し、中ソ対立は抜き差しならないものになった。

図14　キューバの中距離ミサイル基地

このキューバ危機を教訓に、ケネディの提案により、ホワイトハウスとクレムリンとの間に直通電話（ホットライン）が設置された。一九六三年八月にはモスクワで「大気圏内・宇宙空間及び水中における核兵器実験を禁止する条約」（通称は部分核停条約）が締結された。これに対して中国、フランスは、核兵器の実験は通例地上から始めるものゆえ、米英ソ三国による核独占を意味するとして調印を拒否した（フランスは地上実験を済ませていたが、中国は未だだった）。

2　六〇年安保改定と安保闘争

†安保条約の改定

一九五一年の安保条約については、その不平等性、片務性に対する不満が自民党内にも強く、改定の声が高まった。岸信介首相（石橋湛山首相の病気辞職で五七年二月から）は、マッカーサー（元帥の甥）大使と協議した上で、東南アジア諸国を訪問し、さらに防衛力整備計画を策定して、改定への意欲をアメリカに示してから訪米した。この訪米ではこれといった成果を得られなかったが、一九五八年二月にアメリカ側草案がマ大使から示された。

日本側の「対等」要求に対して「海外派兵」までは求めない、両国は軍事面だけではなく経済面でも協力するという点で歩み寄りを見せた。

続く一〇月の草案では、条約の期間が一〇年とされ、日本が求めた「事前協議制」については軍部を刺激しないよう、条約本文にではなく付属文書で規定することになった。条約を具体化する「行政協定」の存続という米国側の主張は盛り込まれた。条約の適用区域は「太平洋地域」とされたが、まもなく日本側の意向を考慮して「日本国の施政下にある領域」に限定した（沖縄は適用外とされた点に注意）。「双務性」といっても、米軍が日本を守るのに対して、日本は在日米軍基地を守るという形であった。

これで新条約の骨子がおおよそ定まったが、その後は自民党内部の派閥対立に足を引っ張られ、また「警察官職務執行法」改正案が野党と世論の猛反発（「デートも邪魔する警職法」）により廃案に追い込まれ（五八年一〇―一一月）、新条約への準備が遅れることになった。さらに準備が遅れたのは、日本側が「行政協定の大幅改定」を要求し、加えて「事前協議」において日本側に「拒否権」があるか否かの問題も検討されたからである。

こうして岸首相は、党議決定を経て一九六〇年一月に訪米し、新日米安保条約が地位協定（行政協定の改定版）とともに調印された。しかし、前年一一月には全学連主流派デモ隊が国会構内に突入し、反対運動が高まりつつあった。戦後一五年も経っておらず、国民に戦争の記憶がなお強く残り、しかも、一九五八年には台湾海峡で、中国と台湾の睨み合いが金門・馬祖島の砲撃戦に至り、アメリカ第七艦隊が出動したことも記憶に新しかった。

†国会での論争点と世論

果たして、新安保条約批准のための国会では激しい論争が交わされた（史料7）。論点の第一は「双務化」で、たしかに旧条約に規定された米軍の「治安出動」は削除されたものの、日本は相変わらずアメリカに従属したままで、米国の戦争に「巻き込まれる」のではないかという不安が強かった。第二は「極東における国際の平和及び安全の維持」の「極東」の範囲である。日本とソ連極東、中国東北部、朝鮮半島辺りを指すのか、台湾海峡、フィリピン周辺までなのか、である（岸は二月に「日本周辺でフィリピン以北」と答弁）。

第三の論点は「事前協議制」である。交換公文によれば、日米間で事前協議の対象になるのは、在日米軍の配置の重要な変更、装備の重要な変更、日本からの戦闘作戦行動のための基地使用の三点である。この「装備の重要な変更」とは、秘密の「討議記録」では「中・長距離ミサイル並びにそれらの基地建設も含めて、核兵器の日本への持ち込み」と説明されている。沖縄嘉手納基地のB52戦略爆撃機が核爆弾を搭載していることから、他の基地でもあり得ると想定されたので、今後は必ず日本政府が申し出て事前協議が行なわれるのかと、野党は追及した。

第四の論点は「集団的自衛権」行使が憲法上許されるのか否かである。憲法が「個別的自衛権」(外国の侵略に対する自国軍隊による防衛)を認めているとしても、アメリカが行なう戦争に日本が「集団的自衛権」の行使として自衛隊を参戦させることは許されるのか、である。岸首相は二月に「自国と密接な関係にある他の国が侵略された場合に、その他国にまで出かけていって防衛することは、憲法上できない」と明言した。

国会での論戦はテレビ中継され、新聞各社も熱心に報道したので、国民の関心はさらに高まり、反対運動が大規模に展開された。社会党、共産党、総評を中心とする「安保改定阻止国民会議」の国会請願署名は四月に一九〇万名に達し、国会議事堂は連日デモ隊に包囲された(図15)。五月一九日から翌未明にかけ衆議院本会議で自民党が新安保条約案を強行採決すると、マスコミ報道と反対運動のテーマは「安保反対」から「民主主義を守れ」に変わった。

図15　安保闘争の国会周辺

六月四日総評傘下の国鉄労働組合などが抗議ストを行なった。一〇日にはアイゼンハワー大統領秘書が来日したが、羽田空港で抗議デモに遭って帰国した。一四日から翌日にかけて岸首相は自衛隊の治安出動を防衛庁長官に要請したが、拒否された。一五日には全学連主流派のデモ隊が国会構内突入を図り、警官隊との激突の中で東大生の樺美智子が死亡した。一六日には閣議がアイク訪日延期要請を決定した。一九日零時、前日から三〇万人を超えるデモ隊が国会を包囲する中、参議院で議論されず新安保条約案は自然成立した。二三日、岸首相は退陣を表明した。

この安保闘争は、戦後最大規模の大衆運動だった。メイン・テーマは安保条約であるが、A級戦犯容疑者として逮捕された（釈放された）岸が首相であることが、戦争への不安を高めたことも疑いない。アメリカが占領終了後も在日米軍基地を有し、将兵が犯罪を少なからず起こしたこと（一九五七年の群馬県相馬ヶ原射撃場での米兵による農婦射殺＝ジラード事件など）に対する反感も大きかった。

この運動を主導・動員したのは社会・共産両党、総評・各単産（国労など）、主婦連、全学連等の既成の団体だった。しかし、「声なき声の会」のような市民団体も登場し、普通の市民が自発的にデモに参加したことも事実である。安保条約が結局は国会を通過したことを指して、反対運動を「壮大なゼロ」と評する識者もいたが、これは「民主主義の試練」であり「民主主義の鍛錬」でもあったと言ってよい（大島渚監督の映画『日本の夜と霧』）。

最後に、安保条約の周辺諸国への影響について簡単に触れる。まずソ連は、岸訪米、新安保条約調印の直後に、この条約はソ連への敵対を強めるものだとして「日ソ共同宣言」第九項「色丹、歯舞の平和条約締結後の引渡し」は無効になったと伝えてきた。引渡した二島に米軍基地が置かれることを想定したからに相違ない。中国は「日本軍国主義の復活」を盛んにプロパガンダするようになった。

3 高度経済成長期へ

†成長ぶりと要因

経済の高度成長は一九五五年に始まった。翌年の「経済白書」が「戦後は終わった」と評した年である。経済成長率は、かつてのGNP（国民総生産）計算で実質的に（物価高を割り引いて）一〇％前後で、一九七三年（石油ショック）まで推移した（図16）。GDP（国内総生産）は、一九五〇年（戦後五年、朝鮮戦争の年）から一九七五年までに日本は八倍ほど大きくなり、七五年でドイツ（西ドイツ）の一・五倍、アメリカの三分の一超に達した。

この経済成長は、石炭から石油へのエネルギー革命と並行し、その恩恵を受けた結果だ

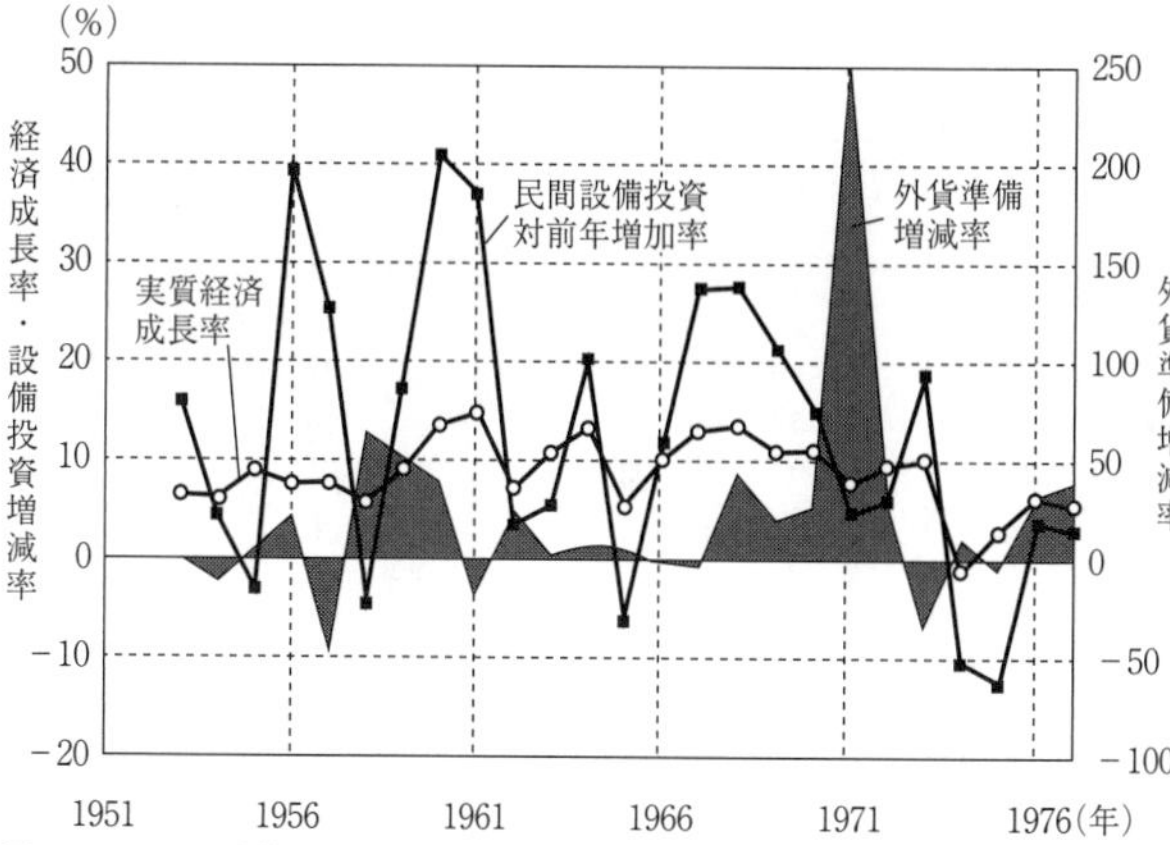

図16　GNP・設備投資・外貨準備の増加率

と言ってよい。日本最大級の三井三池炭鉱が経営的に行き詰まって、合理化と人員削減に乗り出し、大争議に発展して（一九五九―六〇年）、結局は労働組合側が敗北したことが象徴的である。その後日本の石炭産業は斜陽化し、中東地域から安価に購入し、巨大タンカーで輸送される石油が燃料・原料の主役となった。

生産と投資の主力は民間資本にあり、旺盛な国内需要に応じて増産し、工場を増設して新型機械を導入し、モデル・チェンジや新商品開発により、さらに増産する好循環が生まれた（「投資が投資を呼ぶ」）。企業実績の好調と「春闘」方式に支えられた賃金上昇が勤労者の購買力を高め、耐久消費財は飛ぶように売れた。「三種の神器」と呼ばれた電気洗濯機、電気冷蔵庫、モノクロ・テレビがその代表例である（テレビの普及は一九五九年の皇太子結婚がきっかけ)。これらの電気製品は、当初は外国企業からパテント(特許)を買っていたが、まもなく技術開発により、高性能で安価な商品を生産できるようになった。新興企業が旧財閥系企業の寡占市場に割り込んで、高いシェアを占められたのも、得意分野に特化し、技術力を生かしたからである(ソニー、ホンダ等)。企業主導で、労働組合も協力した「生産性向上運動」、QC(品質管理)運動や提案運動も、企業業績の向上に貢献した。中小企業(町工場)もまた、単なる下請(親企業の指示通り)ではなく、「職人技」(技能)も含めて品質向上に努め、日本の商品の質の高さを海外に知らせたのである。

むろん、政府の役割も大きく、欧米では非難する意味で誇張して「日本株式会社」と呼ばれた。政府の役割は第一に、長期計画を示して企業活動を誘導する点にあった。岸の後任池田勇人首相が打ち出した「国民所得倍増計画」が代表例で、この計画は好調な企業実績と好況に支えられ、目標の一〇年を待たずに達成された。道路、港湾などのインフラ整備も政府の計画に基づき、整備事業に補助金が投入された。第二に、企業に対する税制・金融上の優遇措置である。法人税の軽減、金融緩和と日本開発銀行による長期低利融資、石油化学工業や電子関連産業の振興のための助成などである。

第三に、国際競争力がつくまでの期間は、外国商品に対する高関税(乗用車など)、輸入数量制限などの自国産業保護の措置をとった（やがてGATT＝関税・貿易に関する一般協定の要請により、貿易自由化は七〇年代前半には農産物を除いてほぼ達成）。資本の自由化はさらに先のことになる。

†社会の変容

高度経済成長による社会の変容の第一は、都市化である。労働力の大量の需要に応じて、農家の二・三男が都市に出稼ぎに行き、中学卒業生が集団就職で大都市に流入して定着したため、都市人口が農村人口を上回った。反対に農業人口が減り（その内部では兼業農家と「三ちゃん農業」が増え）、農村の過疎化が進んだ。新幹線、高速道路などの交通網の整備も人口移動を促した。これに伴って農村の伝統社会と大家族は解体し始め、都市住民にとって故郷は盆・暮に帰る「里帰り」先になってしまった。東京、名古屋、大阪の人口集中が著しく、都市公害が問題になるとともに（後述）、周辺諸県はそのベッド・タウンと化した（「通勤地獄」が生まれた）。

第二は、都市生活自体の変化である。夫婦と子ども二人の「核家族」が主流になり、団地で家電製品に囲まれる「マイ・ホーム」が標準化した。夫は一家を養える給料の稼ぎ手となり、妻は専業主婦になった（実は史上初めてで、高度成長期だけ続いた）。家事負担が家電製品(電気掃除機、電気炊飯器などを含む)普及のほか、インスタント食品とスーパー・マーケットの登場で楽になった分、趣味を持つか、「教育ママ」になった(高校、ついで大学進学率の向上)。一家団欒はテレビ視聴を中心とするようになった。新聞連載漫画がアニメ化された「サザエさん」やNHK「大河ドラマ」、ヒット歌謡番組が話題だった。

人々はテレビ・コマーシャルに消費意欲をかき立てられ、家電製品も次々と買い替えるようになった。東京オリンピックを機にカラー・テレビが普及し、クーラー、さらには自家用車(マイ・カー)も続いて「3C」と呼ばれた。「消費は美徳」と言われ、「中流意識」さえ生まれたが、他人や近所と比べての「見せびらかしの消費」に過ぎなかったとも言える。

第三に、農村の共同体が失われ始める一方、企業が一種の擬似共同体の役割を果たした。企業は給与を支払うだけではなく、社会保険・年金の支払いを半額負担し、社員寮や社宅、住宅購入融資まで提供し、福利厚生(自前の保養施設など)を充実させて、社員を定年まで丸抱えする「企業社会」だったからである。進出先に生まれた「企業城下町」は言うまでもなく、一般企業でも社員と家族に運動会や遊興施設の割引利用まで提供した。忠誠心を確保し、元気に働いてもらうために他ならない。

《史料7》新安保条約（抜粋）

前文　友好強化、経済協力、国連憲章の「集団的・個別的自衛の固有の権利」の確認（要点）

第一条　締約国は、国際連合憲章に定めるところに従い、それぞれが関係することのある国際紛争を平和的手段によって国際の平和及び安全並びに正義を危うくしないように解決し、並びにそれぞれの国際関係において、武力による威嚇又は武力の行使を、いかなる国の領土保全又は政治的独立に対するものも、また国際連合の目的と両立しない他のいかなる方法によるものも慎むことを約束する。（以下略）

第二条　締約国は、その自由な諸制度を強化することにより、これらの制度の基礎をなす原則の理解を促進することにより、並びに安定及び福祉の条件を助長することによって、平和的かつ友好的な国際関係の一層の発展に貢献する。締約国は、その国際経済政策におけるくい違いを除くことに努め、また、両国の間の経済的協力を促進する。

第三条　締約国は、個別的に及び相互に協力して、継続的かつ効果的な自助及び相互援助により、武力攻撃に抵抗するそれぞれの能力を、憲法上の規定に従うことを条件として、維持し発展させる。

第四条　締約国は、この条約の実施に関して随時協議し、また、日本国の安全又は極東における国際の平和及び安全に対する脅威が生じたときはいつでも、いずれか一方の締約国の要請により協議する。

第五条　各締約国は、日本国の施政の下にある領域における、いずれか一方に対する武力攻撃が、自国の平和及び安全を危うくするものであることを認め、自国の憲法上の規定及び手続に従って共通の危険に対処するように行動することを宣言する。（以下略）
第六条　日本国の安全に寄与し、並びに極東における国際の平和及び安全の維持に寄与するため、アメリカ合衆国は、その陸軍、空軍及び海軍が日本国において施設及び区域を使用することを許される。（次項に、一九五二年日米行政協定に代わる協定を結ぶ、とある）
第七〜十条　割愛

参考文献

①原彬久『岸信介―権勢の政治家―』岩波新書、一九九五年
②豊下楢彦『集団的自衛権とは何か』岩波新書、二〇〇七年
③山本章子『日米地位協定――在日米軍と「同盟」の七〇年』中公新書、二〇一九年
④武田晴人『高度成長　シリーズ日本近現代史⑧』岩波新書、二〇〇八年

＊二〇〇五年（戦後六〇年）の映画『ALWAYS 三丁目の夕日』は、ヒロインの集団就職と住み込み、下町の小さな自動車修理店の仕事と家族、そして東京五輪の前後で変わる東京の街並みと近所の人間関係などが描かれた作品で、聴講学生は、当時の社会の様子を知って興味深かったとの感想だった。

コラム5　安保闘争とキューバ危機

六〇年安保闘争は中三のとき、栄光学園という横須賀のミッション系の六年一貫校に通っていたせいか、政治的関心は低かった。東京の中三生の中にはデモに行った者もいたことは、大学に入ってから知った。ただ、全学連主流派を指導していたブント（共産主義者同盟）の島成郎の母上が、私の母方祖母と女学校以来の親友だったので、話には聞いていた。

筆者は山岳部に属し、登山に夢中だった。テント生活には合唱がつきもので、山の歌（ダークダックスの「山男の歌」等）のほか、元はシベリア抑留者が持ち帰ったロシア民謡とソヴィエト歌謡も歌った。当時は「歌声喫茶」全盛期で、人工衛星打ち上げ（一九五七年一〇月）、ポリオ・ワクチン輸入（六一年）などもあって、ソ連は比較的好意を持たれていた。

しかし何といっても最大の出来事は、高二の一〇月のキューバ危機、「恐怖の一三日間」である。米ソが戦略爆撃機と核弾頭を数多く保有していたことはむろん、ＩＣＢＭ（大陸間弾道弾）も一九五七年にソ、米の順で開発、保有してきたことは、高校生でも知っていた。しかも、横須賀はアメリカ第七艦隊の基地だから、ソ連が水爆を搭載したＩＣＢＭを打ち込んだら、僕たちは一瞬にして消えてしまうと感じた。大学に行ったらあれもしたい、これもしたいと思っていたことがはかない夢になってしまう、ラジオ放送をしがみつくように聴きながらの一三日間だったのである。後に『映像の世紀』で何度も観ることになる。

第6講 ベトナム戦争と世界

		世界	日本
1961	1	米・キューバ国交断絶、中国、調整政策へ	
	3	ケネディ大統領「進歩のための同盟」提唱	
	4	イスラエルでアイヒマン裁判	
		ガガーリン地球一周、米軍ピッグス湾上陸失敗	農業基本法強行可決
	5	韓国で軍事クーデター→朴正煕が実権掌握	
	8	東西ベルリン境界に「壁」構築	
1962	1	米州機構、キューバを除名	
	2	米国、対キューバ全面禁輸	
	3	仏、アルジェリアとエビアン協定→独立	
	7	ソ連、キューバと武器援助等で協定	社会党「江田ビジョン」論争
	10	米国、カリブ海封鎖、あわや核戦争	
	11	日中LT貿易で合意	
			胎児性水俣病患者16人認定
1963	1	ド・ゴール、英国のEEC加盟に反対	
	5	アフリカ統一機構（OAU）憲章に30カ国調印	
	6	サイゴンで仏僧が政権に抗議の焼身自殺	
		ホワイトハウス・クレムリン間にホットライン設置	
	8	キング牧師の人種差別反対首都大行進	
	10	部分核停条約発効	茨城県東海村で原子力発電試験に成功
	11	ケネディ大統領、ダラスで暗殺	
1964	1	フランス、中国を承認	
	3	UNCTAD開催　韓国で日韓条約反対運動	
	4		IMF8条国に移行
	5	パレスチナ解放機構（PLO）結成	
	7	米国で新公民権法成立	
	8	トンキン湾事件（偽情報）→米、北爆へ	
	10	フルシチョフ共産党第一書記解任	東京オリンピック
		中国初の原爆実験	

1　ベトナム戦争の経過

†抗仏戦争から抗米戦争へ

ベトナムでは、一九四五年九月二日（日本降伏文書調印の日）にホー・チ・ミンが「ベトナム民主共和国」を宣言した。四六年三月国民政府軍が北ベトナムから撤退すると、南ベトナムに復帰・占領していたフランス軍が進駐し、本格的な抗仏戦争が始まった。冷戦が進展し、四九年に中華人民共和国が成立すると民主共和国も中国、ソ連と接近し、中国モデルの社会主義をめざすようになった。フランスは膨大な戦費を費やしたものの勝利の見通しが立たず、ジュネーヴでの和平会議に応じた（一九五四年四月）。会議中にディエンビエン・フーで大敗を喫し（五月）、和平協定に調印した（七月）。北緯一七度線を休戦ラインとし、二年後に南北同時に選挙を実施して統一政府を形成することになった。

しかし、ベトナムの社会主義化を恐れたアメリカが南に傀儡政権を立て、その政権が選挙を拒否したために、南北に分断国家が生まれた（南は「ベトナム国」から「ベトナム共和国」へ）。アメリカは、ベトナムの共産化は将棋倒しのように周辺諸国に及ぶと考え（ドミノ倒

図17　ベトナム抗米戦争

し理論）、一九五五年に軍事同盟の東南アジア条約機構（SEATO）を発足させた。南ベトナムでは一九六〇年に「南ベトナム解放民族戦線」が結成され、仏教徒もキリスト教徒も傀儡政権に反対する人々が結集した。

一九六四年八月に「トンキン湾事件」（北ベトナム魚雷艇が米駆逐艦を攻撃したとされるが、偽情報と後になって判明）が起き、北ベトナム爆撃（北爆）が開始された（図17）。これによりジョンソン大統領は米国議会決議で戦争遂行の白紙委任を得て、攻撃をエスカレートしていった。翌年には海兵隊が大量に派遣され、陸上戦闘が本格化した。並行して「戦略村」による農村工作、ゲリラ平定も進められた。一九六八年三月の南ベトナム・ソンミでの米軍による村民虐殺事件が代表例である。これに対抗して北ベトナムはソ連、中国に軍事援助を仰ぎ、北から南へのジャングルを貫通する輸送ルート（ホー・チ・ミン・ルート）を通して武器弾薬や物資が運ばれた。六八年には解放戦線がテト（小正月）攻勢に出て、南への浸透ぶりを示した。三月にジョンソンは北爆停止を宣言し、北ベトナムに和平交渉を呼びかけた。アメリカは六七―六八年だけで経済援助も含めて三〇〇億ドルも注ぎ込んだが、次第に敗勢に追い込まれていたのである。

†アメリカ本国の反戦運動

アメリカでは、ベトナムの農村地帯に対する枯葉剤散布やナパーム弾投下、逃げ惑う農民、「ベトコン」（ベトナム人コミュニスト）と疑わしき人物の南ベトナム警察幹部による射殺など、テレビ映像によって戦争の実態が伝えられた。実際、米軍将兵は解放戦線の神出鬼没のゲリラ戦法に怯え、「ベトコン症候群」に悩まされるようになった（体験者のオリバー・ストーンが監督として製作した一九八六年公開の映画『プラトーン(小隊)』)。

この忌まわしい戦場、「醜い戦争」に徴兵された青年が次々と送り込まれるのは、アメリカ人にとって他人事ではなかった。こうして「公民権法」成立(一九六四年)後も続く黒人差別反対運動と重なるように、ベトナム反戦・兵役拒否運動が高まってきた(黒人は、白人エリートのような徴兵逃れができなかった)。公民権運動の歌 We Shall Overcome とジョーン・バエズの反戦歌がどのデモ、集会でも合唱された。ベトナム反戦運動はまもなく全世界に広まっていった。

2 中国文化大革命と中ソ対立

†中ソ蜜月から対立へ

中華人民共和国は建国当初、ソ連と相互援助条約を結んだが、国内では「新民主主義」と市場経済活用の穏健な政策がとられた。しかし、一九五〇—五三年の「抗米援朝戦争」は大きな財政的・経済的負担になったため、また、米国に対する兵器や技術での遅れを痛感させられたため、ソ連式の社会主義建設が急がれるようになった。その下準備として、援朝戦争中から汚職や浪費、脱税等に反対する「三反・五反運動」が展開され、国家の統制が強められた。一九五三年から第一次五ヵ年計画がスタートし、農業では、土地改革が済んで間もないのに集団化の第一段階＝合作社建設が進められた。朝鮮戦争で欧米諸国との貿易関係が断たれ、ソ連の設備・機械の導入しか当てにできなくなったのである。

こうした困難のもと、中国共産党は経済建設を進めるのに、合理的制度改革ではなく、熱狂的大衆運動に依存しがちな路線をとるようになった（実はソ連の第一次五ヵ年計画が先例）。「三反・五反運動」が最初であり、「合作社運動」も同様だった。一九五六年のスターリン批判を受けて、「百花斉放、百家争鳴」を打ち出し、知識人にある程度の言論の自由を許したが、共産党批判まで飛び出したので、翌五七年には言論を抑圧する「反右派闘争」へと転換した。五六年の共産党第八回大会は劉少奇、周恩来《チョウエンライ》らがリードして比較的穏健な経済政策を決定したが、五八年には毛沢東がわざわざ大会第二回会議を開いて急進的な経済政策に変更した。「大躍進運動」「人民公社運動」である。

前者は、銑鉄生産の立ち遅れを克服するために、農民から集めた鍋・釜といった鉄製品をミニ溶鉱炉（「土法高炉」と呼ばれた。図18）で溶かして増産しようとする運動である。後者は、土地や家畜、農具などの生産手段を共有する合作社を、個人の身のまわり品を除く生活手段まで共有し、共同生活をする人民公社へと変える運動で、これこそが「共産主

図18　大躍進期の土法高炉

義」であり、ソ連のコルホーズ（集団農場）より優れていると自負した。しかし、その結果は惨憺《さんたん》たるもので、「土法高炉」産の銑鉄は質が悪かった。農民を大量動員した上に、「深耕密植」農法の実施で地味《ちみ》が痩《や》せる結果になり、農業生産は大きく低下した。一九六〇年の綿花や穀類の生産量は、五一年の水準に下がった。各地で飢餓や栄養失調が続出し、約二千万人が死亡したという。毛沢東は責任をとって一九五九年四月に国家主席を辞任した（党主席だけになった）。

その後の経済政策は劉少奇（国家主席）、鄧小平《デンシャオピン》（党総書記）らが主導し、急進路線を改め「調整政策」をとった。家庭菜園の生産物は村の市場で販売してよいとされ、一部の地方では請負制（農民が村から土地を借りて耕作する方法）も広まった。商品経済の部分的導入である。鄧小平の言葉を借りれば「黒猫でも白猫でも、鼠を捕まえるのがよい猫だ」というわけである。総じて農業と軽工業を重視し、重工業生産の高テンポを抑える政策だった。「調整政策」は三年間で成果を挙げ、中国経済は安定するかに思われた。

ところが、一九六二年から六三年にかけて毛沢東から「社会主義教育運動」（政治・経済・組織・思想の四方面を清める「四清運動」）が提起された。来るべき文化大革命のいわば予行演習である。以上の国内過程は、ソ連で農業振興や国民経済管理の分権化を進め、文芸政策についてはジグザグを繰り返したフルシチョフの動向とパラレルなところがあり、毛沢東は「修正主義」か否かの判断の目安にしていた（フルシチョフは六四年一〇月に失脚）。

†文化大革命

一九六六年五月に始まった、公式名称「プロレタリア文化大革命」の意味から説明すると、「文化」は文芸作品の批判から始まり、後には中国の「四旧」（伝統的な思想・文化・風俗・習慣）を破壊する運動へと発展した経緯による。「プロレタリア」とは、フルシチョフにならって「資本主義復活」を企む劉少奇、鄧小平らの党・国家官僚を打倒し、毛沢東を支える「真の革命勢力」のことである。

文革は、歴史劇の批判（皇帝を諌《いさ》めて免官となった官僚を、毛沢東の「大躍進」を諌めて国防相を罷免された彭徳懐《ポンドーファイ》の隠喩だったとする政治的こじつけ）がきっかけだった。大学生や高校生らの若者＝「紅衛兵」は、北京市長（副市長が右歴史劇の作者）や文化人を大衆集会で批判、罵倒した（こうした「吊し上げ」もソ連に由来する）。まもなく攻撃対象を劉・鄧にまで及ぼし、毛沢東の「造反有理」（反乱には道理がある）によって正当化された。それは北京から全国各都市に波及し、六七年一月に上海では文革支持者同士数十万が武力衝突し、内乱状態に至ると、毛沢東も人民解放軍を出動させて抑えざるを得なくなった。

中国の外から見ていた人々に文革はどう映ったのか。当時この国は「情報鎖国」状態で、日本の新聞社の香港経由報道くらいしかなかった。党・国家官僚の上層が特権を享受し、革命の精神を失いかけていたこと、社会主義と言いながら不平等や「単位」（企業などが労働者を丸抱えする）の縛りがあったことは事実であり、批判も頷ける。しかし、批判が毛沢東その人には向けられず個人崇拝が強まったことは、外部から見て不可思議であり、文革はやはり毛による権力闘争ではないのかという見方も多かった。

文革は中国に大きな被害と損害をもたらした。文革派と守旧派、文革派同士の武闘で百万人以上が死傷したという。一九六七年の農業・鉱工業の総生産額は六六年より一〇％近く低下し、六八年にはさらに四・二％減少した。六七年の石炭生産量は前年比一八・三％、鉄鋼生産量に至っては三二・八％の減少だった。そこには省庁と国営企業の幹部、技術者に対する「吊し上げ」や生産・業務妨害、労働規律の弛緩が大きく影響した。

それでも中国はソ連との戦争に備えて重工業、軍需工業はとくに強化せざるを得ず、六七年に水爆実験、七〇年には人工衛星打ち上げに成功したから、それだけ国民は生活水準が低いまま我慢を強いられたのである（調整期から文革終結期に至る時期に、農村の人々が政策に振り回される様子は一九八七年になって映画『芙蓉鎮』に描かれた）。

†米中・日中関係

中国の外交は、文革期前は「中間地帯」論をとり、米ソ超大国の間にある西欧や日本、アジア・アフリカ諸国をアメリカに対抗する側に引きつけるという政策だった。スカルノの率いるインドネシアとの友好関係を進めたが、共産党を強力にしたことが仇になり、反共軍部クーデタを招いた（一九六五年）。国交のない日本との経済関係を進めるために、一九六二年にLT貿易（廖承志・高碕達之助が調印した準政府間貿易）が開始された。六四年にはフランスと国交を結び、反米外交の国家同士が手を握った。

しかし、ベトナム戦争の激化や文革の進展に伴い、「反米統一戦線」は国家間関係だけではなく、党関係や解放勢力にも及び、中国は「世界革命の中心」だと自負するようになった。「革命外交」とは、中国の外交的孤立に伴う、イデオロギー工作の推進に他ならなかった。中ソ対立も絡んでアルバニア労働党が親中派となり、日本共産党は中国共産党と対立するようになった（日中友好協会は分裂）。ベトナムは抗米戦争がある以上、ソ中からの援助が不可欠で、ソ連、中国とは「等距離」の位置に立った。

中国外交の劇的な転換は一九七二年のニクソン訪中だった。中国は六九年にソ連と国境で衝突事件が生じ、核攻撃を受ける恐れを抱くほど対ソ関係が悪化し、アメリカはベトナム戦争で国力を消耗し、ソ中両国との対決を続けることが不可能だと思われたからである。

3 日韓条約から沖縄返還へ

†日韓条約の締結

日本と韓国は、朝鮮戦争の最中からアメリカの同盟国同士として国交を正常化すべく、外務省高官レベルの会談を続けてきた（日米安保条約は一九五一年、米韓相互防衛条約は五三年締結）。しかし、植民地支配の評価をめぐって、日本側は鉄道・道路・港湾などインフラ整備に尽くしてきたと主張して韓国の激しい反発を受け、漁業紛争（李ライン）もあって国交は正常化されなかった。李承晩の独裁政権が一九六〇年四月の「学生革命」で打倒され（図19）、民主的な政権が誕生したが、翌六一年五月軍部クーデタにより、朴正熙《パクチョンヒ》率いる独裁政権が誕生した（二年後に大統領）。

当時韓国と共和国の経済力は、鉱工業資源に恵まれ、計画経済をとる共和国の方が優位に立っていた。コメ以外にまともな輸出品を持たない韓国は、引き続きアメリカから経済援助に頼るとともに、高度成長の日本からの商品・資本輸出に期待をかけていた。朴（満洲国軍官学校出身のため親日的）はクーデタ直後に「昔のことは水に流して国交正常化をする」と発言した。「経済開発五カ年計画」を作成中であり、北朝鮮がソ連、中国と友好協力相互援助条約を相次いで締結したことも、中断していた日韓会談を急がせた事情である。

第六次日韓会談は一九六一年一〇月に開始された。一一月に金鍾泌《キムジョンピル》（中央情報部長）と朴が相次いで訪日し、日本政府首脳と会談した。朴は池田首相と会談して「対日請求権は賠償的なものではない」「五カ年計画に応じた経済協力を韓国に有利な条件で供与する」点で一致した。翌六二年一一月来日した金と大平の外相会談では、大平が「過去を問わないなら相当額の有償・無償の経済協力を行なう」と言うと、金は合計八億ドルという総額を示し、大平は「了解事項」としてメモに残した。

図19　韓国4.19学生革命

その後の折衝では韓国側が「請求権込み」にこだわり、「永住権」の範囲（年限）は狭く、漁業水域を広く取ろうとするなど対立が続き、韓国国内の批判の高まりで第六次会談はいったん中止に追い込まれた（六四年四月）。アメリカは一月の中仏国交、八月のトンキン湾事件、北爆開始により、日韓会談再開を両国に促した。日本では東京五輪閉会翌日に池田首相が病気で辞意を表明し、一一月初めに佐藤栄作が首相となった。

一九六五年二月椎名悦三郎外相が訪韓し、「両国間の長い歴史の中に不幸な期間があったことはまことに遺憾」と表明した。しかし帰国すると国会で、併合条約は一九四八年の韓国独立に伴い「無効になった」と述べ、併合自体を無効とする韓国との決定的違いを露わにした。その後も「請求権」という言葉を入れるか否か、「永住許可」の範囲、日本の漁獲量制限と漁業協力資金額で詰めの交渉が行なわれ、六月に条約と付属協定が両国間で調印された。両国で、とくに韓国で国会批准反対闘争が高まったが、朴政権に弾圧された。

基本条約では（史料8）、日本は併合条約が「もはや無効」だという主張を通したが、韓国政府が「朝鮮の唯一の合法的政府」であることを認めた。「請求権、経済協力に関する協定」では、「両国の」請求権は消滅したとされたが、個人の請求権には言及されなかった。日本の経済協力は無償三億ドル、政府借款二億ドルが一〇年間、他に民間商業借款が三億ドル以上とされた。「在日韓国人の法的地位等に関する協定」では永住許可者が定められ、一定の待遇を与えるとされたが、義務教育、健康保険、生活保護に限定された。

日韓条約は、共和国の「不承認、敵視」を意味し、東アジアにおける米日韓とソ中朝の冷戦構造を長く固定化することになった。韓国との間でも「歴史問題」をめぐる根本的対立を残し、韓国人の日本における差別問題も不十分にしか解決しなかった。反面、朴政権はこの経済協力により、北朝鮮に追い付き、抜き去る高度成長を成し遂げ、「開発独裁」体制を維持することができた。条約締結後に米国の要請で南ベトナムに軍隊を派兵した。

共和国は在日朝鮮人（朝鮮総連系）の要望に応える形で、帰還者と家族を迎え入れた。新潟港から北朝鮮に向かった人々は、一九五八年以降およそ九万に達した（表1）。韓国と居

年	帰国事業による帰国者数（単位：人）			
	計		随伴家族	
		朝鮮人	日本人	中国人
1959	2,942	2,717	225	0
60	49,036	45,094	3,937	5
61	22,801	21,027	1,773	1
62	3,497	3,311	186	0
63	2,567	2,402	165	0
64	1,822	1,722	99	1
65	2,255	2,159	96	0
66	1,860	1,807	53	0
67	1,831	1,723	108	0
68	中断			
69	中断			
70	中断			
71	1,318	1,260	58	0
72	1,003	981	22	0
73	704			
74	479			
75	379			
76	256			
77	180			
78	150			
79	126			
80	40	38	2	0
81	38	34	4	0
82	26	24	2	0
83	0	0	0	0
84	30			
累計	93,340		6,730	

表1　北朝鮮への帰国者

留民団は反対したが、日本政府は「厄介者払い」になると実施に協力した。技術者と日本の親族からの送金が帰還目的だったといわれるが、帰還者は「地上の楽園」というプロパガンダとは裏腹に、日本とは異なる差別と一層の貧困に苦しめられた。

†革新政党の動向

経済の高度成長によって、政権党の自民党は支持基盤を拡大し、社会党は、高度成長の中で「中流意識」を持つようになった人々にアピールする「新たな社会主義」像を打ち出せるかが課題となった。安保闘争をリードして刺殺された左派の浅沼稲次郎委員長のあと、右派の江田三郎は書記長に就いて党の改革に乗り出した。一九六二年に「江田ビジョン」を打ち出し、日本の目標を「米国の豊かな生活水準」「ソ連の高度な社会保障」「英国の議会制民主主義」「日本の平和憲法」の四点セットに置いた。

ところが「江田ビジョン」は最左派（中国派）の佐々木更三等から激しい批判を浴び、いぜんとして「階級闘争」観と「資本主義没落」論に囚われていた左派にも嫌われて、数カ月のうちに江田は書記長を辞任することになった。同じく高度成長の中にあった西ドイツで、社会民主党が一九五九年の大会で「階級政党から国民政党へ」の転換を打ち出し、マルクス主義を放棄したのとは対照的だった。

六〇年代には、自社共のほか民社党（民主社会党、安保闘争中の一月に社会党最右派が結成）や公明党（六四年結成）があり、「野党の多党化」の中で政権を独占し続ける自民党に対して「社公民」路線か「社共」路線かが争われた。総じて、社共「革新政党」の力は国政レベルでは弱まっていった（地方自治体レベルの話は第七講）。社共・総評は日韓闘争、ベトナム反戦運動、沖縄闘争では政党・団体協力の枠組みとして機能し、一〇月二一日「国際反戦デー」はメーデーと並ぶ共闘デーだった。

対照的に「ベトナムに平和を！　市民連合」（ベ平連、小田実《まこと》代表、一九六五年結成）は政党・労組系列外の人々に自発的な行動の場を提供しただけではなく、「内なるベトナム」のような斬新なスローガンを打ち出した。ベトナム人民に同情して声援を送るばかりではなく、基地を提供して米軍機に北爆を許している日本国民は「侵略の加担者」ではないのかと問いかけ、そこから朝霞基地闘争、王子野戦病院闘争、新宿米軍燃料輸送阻止闘争、さらに沖縄基地撤去闘争との連帯も生まれるようになった。

†沖縄返還の実現

沖縄では、アメリカが施政権を持ち、住民から土地を収容して基地を設置・拡大し、日米安保条約の適用外であるため、これを自由に使用してきた。住民の多くはサービス業等により基地に依存した生活を余儀なくされ、米軍将兵が住民に犯罪を加えても「治外法権」により処罰できなかった。それでも、住民は土地収容反対、米兵の女性暴行糾弾を中心とする運動に起ち上がり、社会大衆党（沖縄の社会党）や人民党（沖縄の共産党）、労働組合を中心に「平和憲法の日本へ」＝祖国復帰運動を展開してきた。

一九六五年八月（戦後二〇年）に沖縄を訪問した佐藤首相は「沖縄の祖国復帰が実現しない限り、我が国にとっての『戦後』は終わってない」と言明した。しかし、ベトナムでは北爆がなされており、嘉手納《かでな》空軍基地はその出撃基地だった。六八年二月にはB52戦略爆撃機が常駐するようになり、一一月には同機が離陸寸前に爆発して民家に大きな被害を与えた。琉球政府主席が公選制となり、祖国復帰派の屋良朝苗《やらちょうびょう》が当選した。沖縄の反戦・復帰運動の高揚を前に、六九年二月佐藤首相は国会で「核抜き・本土並み」返還を実現すると表明し、一一月に訪米してニクソン大統領と会談し、日米共同声明に明記させた。

しかし、共同声明には秘密の合意議事録があった。核兵器の「一時的持ち込み」は事前協議の対象ではないとされたのだが、これはベトナム戦争を遂行している米軍の強い要求に基づいていた。佐藤首相は六七年国会で「非核三原則」（核兵器を持たず、作らず、持ち込ませず）を表明していたのに、である。のちに、米海軍退役少将が米国議会で「米艦船は日本などに寄港の際、核を外すことはない」と証言したことが（戦略爆撃機も含めて）「一時的持ち込み」をしていたことの告白に他ならない。もう一つの密約は、財政難のアメリカのために日本が基地移転費などを肩代わりする内容だった。

さらに注意すべきは「韓国条項」である。佐藤首相はナショナル・プレス・クラブでの演説で、韓国に対する武力攻撃が発生して、米軍が日本国内の施設等を戦闘作戦行動の発進基地として使用する場合は「事前協議に対し前向きにかつ速やかに態度を決定する」と言明した。日米安保条約の交換公文に記された事前協議の対象となる場合だが、申し入れて協議してもゴー・サインを出すとしか読めない。

(出典)『沖縄年鑑 昭和48・49年合併版』沖縄タイムス社より作成

図20 沖縄の米軍基地

「本土並み」について言えば、返還の結果、それでも日本全体の〇・六%に過ぎない面積の沖縄に、在日米軍基地の約四分の三に当たる基地、在日米軍の約三分の二に当たる兵員が集中していたから、「本土並み」では決してなかったのである。沖縄の変わらぬ基地依存と米軍の存在に、人々は「基地を押しつけている本土」への不信を抱き、以前からの「沖縄自立」論が繰り返し登場している（図20）。

《史料8》日韓基本条約と付属協定（一部要約）

〈日韓基本条約〉

第一条　両締約国間に、外交及び領事関係が開設される。両締約国は、大使の資格を有する外交使節を遅滞なく交換するものとする。また、両締約国は、両国政府により合意される場所に領事館を設置する。

第二条　一九一〇年八月二二日以前に大日本帝国と大韓帝国との間で締結されたすべての条約及び協定は、もはや無効であることが確認される。

第三条　大韓民国政府は、国際連合総会決議第一九五号（三）に明らかに示されているとおり、朝鮮にある唯一の合法的な政府であることが確認される。（以下略）

〈日韓請求権並びに経済協力協定〉

・日本は無償経済協力三億ドル、政府借款二億ドル（金利三・五％、七年据置、二〇年償還）を一〇年間にわたり、原則として毎年均等割りして供与する。

・本協定によって両国の請求権は消滅する。

・民間商業借款は三億ドル以上とする。

〈在日韓国人の法的地位等に関する協定〉

・戦前から継続して日本に居住している韓国国民、その直系卑属にして終戦後から本協定発行日まで五年までの間に日本で生まれ、継続的に日本に居住する者、および以上の者の子として本協定発効のあと五年後に生まれた者に対して永住を許可する。

・永住者の日本からの強制退去理由は、日本国で内乱罪、外患罪、国交に関する罪を犯した者、麻薬類の取り締まりに関する法令に違反して無期又は三年以上の懲役又は禁錮に処せられた者など、四項目に限る。

・永住権者には義務教育、健康保険、生活保護に関する一定の待遇を与える。

参考文献

①松岡完『ベトナム戦争——誤算と誤解の戦場』中公新書、二〇〇一年

②唐亜明『ビートルズを知らなかった紅衛兵——中国革命のなかの一家の記録』岩波同時代ライブラリー、一九九〇年

③高崎宗司『検証　日韓会談』岩波新書、一九九六年

④菊池嘉晃『北朝鮮帰国事業——「壮大な拉致」か「追放」か』中公新書、二〇〇九年

⑤原彬久『戦後史のなかの日本社会党——その理想主義とは何であったのか』中公新書、二〇〇〇年

⑥西山太吉『沖縄密約——「情報犯罪」と日米同盟—』岩波新書、二〇〇七年

コラム6 報道とジャーナリスト志望

一九六三年一一月二二日ケネディ大統領がテキサス州ダラスで凶弾に倒れた。事件もショッキングだったが、暗殺の瞬間の映像をテレビで目の当たりにしたことも忘れられない。ケネディは開発途上国への「平和部隊」提唱や「公民権法」準備で評価される一方、キューバ政権転覆工作やベトナム派兵では批判された、評価の分かれる大統領だった。犯行はオズワルド単独犯説、過激黒人差別団体説、ソ連もしくはキューバの情報機関エージェント説、果てはジョンソン副大統領説まであって、今日でもなお不明である。

その翌年の一〇月は東京オリンピックだった。浪人中の筆者は、一〇日土曜の開会式を予備校の授業で観ることができなかったが、総じてあまり記憶にないのは、会期中に世界を驚かす大事件があったからだろう。日記によれば、一六日自宅への帰路に、京急金沢文庫駅で受け取った新聞号外が「中国核実験成功」「フルシチョフ辞任」の表裏同時掲載で、これから世界はどうなるのかと不安になったものである。

ベトナム戦争のテレビ報道の役割には触れたが、ジャーナリストによる従軍取材記も重要だった。一九六五年に筆者が大学に入学してすぐ読んだ岡村昭彦『南ヴェトナム戦争従軍記』、開高健《かいこうけん》の『ベトナム戦記』、本多勝一の『戦場の村』が思い出される。これらは優れたルポであり、六〇年代後半の日本の反戦運動の教材だった。筆者は一時ジャーナリスト志望だった。

第7講 高度成長の矛盾と石油危機

		世界	日本
1965	3	南ベトナム・ダナンに米海兵隊上陸	山陽特殊製鋼が倒産
	6	日韓基本条約、地位協定など調印	
	7	沖縄から米軍機が北ベトナム爆撃	
	9	インドネシア軍部クーデタ（9.30事件）	
1966	5	中国「文化大革命」始まる	
	7	フランス、NATO軍事機構脱退	
	8	北京天安門広場で紅衛兵100万人集会	原発の営業用発電開始
	12	西ドイツで大連立政権成立	
1967	1	劉少奇国家主席、大衆集会で吊し上げ	
	2	米軍ベトナムで「枯葉作戦」開始	初の建国記念日
	4	ニューヨークで40万人反戦デモ	都知事に美濃部当選
	6	第3次中東（六日間）戦争	
	7	ヨーロッパ共同体（EC）発足	
	8	東南アジア諸国連合（ASEAN）結成	公害対策基本法公布
	10	ゲバラ、ボリビアで射殺さる	佐藤首相、南ベトナム訪問（羽田闘争）
	12		佐藤首相「非核三原則」表明
1968	1	テト攻勢、プエブロ号事件	米原子力空母エンタープライズ佐世保入港
	2	駐ベトナム米兵50万人を超える	
	3	ソンミ村虐殺事件、スハルト大統領就任	
	4	キング牧師暗殺、コロンビア大学占拠	
	5	パリ「五月革命」	
	6	プラハで「二千語宣言」	
	7	核不拡散条約調印	
	8	ワルシャワ条約機構軍、チェコに侵攻	
	9		古田日大会頭「確認書」署名、佐藤首相の介入で再団交反古に
	10		東大全学無期限スト突入、明治百年式典
	11	拡大パリ和平会談開始、ソ連「制限主権」論	

1　公害問題と革新自治体

†公害問題

経済の高度成長は、大量生産・大量消費を特徴とし、資源は無尽蔵であるかの如く大量に低価格で輸入され、製品のコストを削減して低価格にすることが追求された。石油化学コンビナートは、原燃料輸入が容易な立地に巨大プラントを建て、精製工場でガソリンやナフサを取り出し、ナフサを分解して、その成分＝誘導品を使用してポリエチレンなど各種製品を作り出す一貫した工程から成り、そこから生ずる排水・排気は垂れ流しされた。

このような有害・有毒物を含む排水・排気による公衆衛生への害は、当初「公害」と呼ばれた。一九六〇年代後半に行なわれた「四大公害訴訟」（表2）の公害がそれである。熊本水俣病の場合、不知火海《しらぬい》に垂れ流されたチッソ（株）の有機水銀を含む汚染水で魚類が死に、それを食した猫や人間が奇妙な病状を呈しても、会社はひた隠しにし、労組さえ加担して企業ぐるみで責任逃れをしたため、地元の医師原田正純の研究や作家石牟礼《いしむれ》道子の訴えにもかかわらず、広く知られるには時間がかかった。他の事件も同様で、裁判の結果

	熊本水俣病	四日市ぜんそく	イタイイタイ病	新潟水俣病
症　状	有機水銀中毒による神経障害	ぜんそくなどの呼吸器疾患	腎臓障害と骨がもろくなる症状	有機水銀中毒による神経障害や内臓疾患
原　因	新日本窒素水俣工場からの排水	四日市の石油コンピナートを中心とする工場群からの排煙中の硫黄酸化物など	三井金属鉱業神岡鉱業所から流出したカドミウム	昭和電工鹿瀬工場からの排水
提訴日	1969.6.14	1967.9.1	1968.3.9	1967.6.12
判決日	1973.3.20	1972.7.24	1972.8.9	1971.9.29
原告人数	138	12	33	76
被　告	新日本窒素	三菱油化など6社	三井金属鉱業	昭和電工
裁判所	熊本地裁	津地裁	名古屋高裁	新潟地裁
判　決	患者側全面勝訴			
賠償金	9億3730万円	8821万円	1億4820万円	2億7779万円

表2　四大公害訴訟

ようやく企業の責任と補償が認められたのである。

これにより、右訴訟の提訴とほぼ同時に「公害対策基本法」が制定され、それが「経済発展との調和」事項を含んでいたため批判され、一九七〇年に全面的に改正された。大気汚染・水質汚濁・土壌汚染・騒音・振動・地盤沈下・悪臭の七公害に対する施策と公害防止事業の費用負担が定められた。翌七一年には環境庁が監督官庁として設立された。やがて産業の廃棄物ばかりではなく、モータリゼーションに伴う自動車の排気ガスや、家庭の「使い捨て」プラスチック製品などの生活ゴミも含めて「公害」は「環境破壊」と呼び改められるようになった。一九七〇年は、アメリカの環境保護運動から「アース・デー」が世界的なイベントになった年だった。やがて「エコロジー（生態系）」保護という言葉が普及していく。

†革新自治体

高度成長はたしかに、生活水準を引き上げ、人々に「豊かさ」を実感させ、福祉国家が実現するかに思われたが、格差や不平等も存在し続けた。「社会的弱者」と総称された母子家庭、障害者、高齢者は、高度成長から置き去りにされた（国の福祉を補完した企業福祉の恩恵にも与れなかった）。自民党政権は、国民皆保険制度の実現、年金制度の整備など、社会福祉の基礎となる制度を整え、一九七三年は「福祉元年」と呼ばれた。しかし「日本的福祉社会」の考え方は、日本伝統の家族制度（と近隣扶助）をできるだけ活用せよというものだった――家族制度が崩壊しつつある時代に。病院や福祉施設の充実には国の経費がかかるので、介護や世話は主婦がやれと押しつけたわけである。

こうした自民党政権の経済成長優先政策に「福祉の充実」を、官庁主導の行政に「住民参加」を対置して登場したのが「革新自治体」である。「革新」は「保守」と対の言葉で、この時代は社会党、共産党を意味していた。一九五〇年に社会党から当選し、しだいに共産党寄りになった蜷川《にながわ》虎三京都府知事（七期二八年）は別として、六三年に社会党議員から転身した飛鳥田《あすかた》一雄《いちお》横浜市長が先陣を切った。六七年には、大学教授（経済学）から転身した美濃部亮吉（かの「天皇機関説事件」の憲法学者達吉の子息）が東京都知事に当選した。これに大阪、沖縄、神奈川などが続き、京都を含めて最大一〇人の革新知事が誕生した。一九七三年に革新市長は一三一名に達し、その都市人口は三四四〇万人余りで、都市人口の四三・五％を占めるに至ったという。

美濃部の選挙スローガンが「ストップ・ザ・サトウ」だったことは、国政を独占し続ける自民党政権への批判であり、せめて東京では福祉を充実してほしいという願いを取り込んだものと言える。実際に、美濃部知事は老人医療の無償化、交通機関（都営）無料パスを実施し、病院や福祉施設を増設し、職員を増員した。また、飛鳥田にならって都民との対話集会を行ない、民主主義が都議会だけのものではないことを実感させた。東京都は、他の道府県に比べて法人税収入も多く、公債も発行したので福祉支出を賄えたが、革新自治体につきものの労働組合による賃金引き上げの結果＝人件費増大に対応しきれなくなって、三期一二年で辞任することになった。

革新自治体にとって、全盛期が一九七三年石油ショック（第一次）後の不況と重なったことも不運だった。七六年の総選挙で民社・公明両党が自民党寄りに舵を切り、国政では保守・中道・革新の構図ができた。第二次ショック＝七九年の統一地方選挙では、革新自治体は「赤字財政」「バラマキ福祉」と保守・中道に攻撃され、大きく後退してしまった。革新政党は、当初「地方から中央を包囲する」と息巻いていたが、国政での保革逆転の夢はついに叶わなかった。

2 若者文化と社会運動

†若者文化の変容

経済の高度成長が人々の生活を大きく変容させたことはすでに述べた。ここでは大衆社会の中での若者文化の変容に注目する。若者は世界の情報に敏感で、いち早く時代の変化に対応したからである。

第一に、高度成長が進んで企業を中心とする社会が安定してくると、若者はお決まりの「人生コース」に疑問を抱くようになった。「良い大学に進んで、良い企業に入って、家庭を持って、出世して……」というコースに、である。大人は「サラリーマンは気楽な稼業ときたもんだ」（クレージーキャッツ）と、時に自虐的な憂さ晴らしをしたが、若者はそうはいかなかった。

第二に、大衆社会は「孤独な群衆」を生み出したが、反面、管理社会に巧妙に再編成された。企業は階層的秩序であって、社内（工場内）に民主主義はなく、異論は減給、降格、左遷、果ては解雇にさらされた。企業は、それをカバーする上昇幻想とソフトな労務管理、「企業共同体」意識で秩序を維持し続けたのである。若者はその胡散臭《うさんくさ》さに気づき始め、ドロップ・アウトの気分が少なからず広まった。

第三に、マス・メディアのもたらす大衆文化に対するアンチの気分が、若者の間に広がり始めた。一九六六年にビートルズが来日したとき、若者は熱狂した。ロックという新しい音楽ジャンルと強烈なメッセージ（愛と平和）にである。ボブ・ディランらのフォーク・ソングも反戦運動と相携えて広まった。その舞台はコンサート・ホールや公会堂ではなく、街頭であり（新宿駅西口広場）、野外であった（ウッドストックや嬬恋《つまごい》村）。他方で、演劇などでは「アンダー・グラウンド（アングラ）文化」が見られた。むろん、ロックもフォークも商業的興行によって普及したのだが、長髪やジーンズというファッションとともに、時代の「反体制的な」気分を醸し出した。「カウンター・カルチャー（対抗文化）」である。

これが一九六〇年代後半の先進工業諸国におけるベトナム反戦運動の高揚、同時多発的な「スチューデント・パワー」爆発の背景である。

†新しい社会運動

学生運動はまずアメリカから、黒人差別撤廃とベトナム反戦のテーマを一体として展開された。大学では教員・学生のティーチ・イン（公開討論）から、当局による弾圧で急進化して、一九六八年三月以降コロンビア大学などの大学キャンパス占拠に至った（映画『いちご白書』）。フランスでは、ド・ゴール大統領の大学管理強化に反対してソルボンヌ大学などの学生がパリ中心街を占拠し、一部労働者もストライキで合流する「五月革命」が起こった。「コンテスタシオン（異議申し立て）」が合言葉だった。異議申し立ては東側のチェコスロヴァキアにも波及し、「プラハの春」と呼ばれた。知識人、学生が言論の自由等と共産党の改革を求めた運動だったが、八月にソ連・ワルシャワ条約機構軍が鎮圧した。ここでも密かに出回ったビートルズの歌が口ずさまれた。

同じ頃日本でも、ベトナム反戦運動（六七年一〇月八日の佐藤首相ベトナム訪問阻止羽田闘争における京大生・山崎博昭の死亡以降）をベースに、大学闘争が高揚した。日本大学では古田会頭による経費使い込みに対して、体育会の暴力に抗しながら激しい糾弾闘争が展開され、一時は「大衆団交」の末に会頭の謝罪にまで至った（佐藤首相の介入で「確認書」破棄、図21）。東京大学では、医学部学生の不当な処分（教官暴行の廉《かど》で退学処分を受けた学生に、現場にいなか

図21　日大古田会頭との団交

った者まで含まれていた）に対する抗議から、大学当局の管理・運営のみならず、教育・研究のあり方を批判する闘争にまで発展した（六九年一月の安田講堂攻防戦で一区切り）。こうした大学闘争は六八―六九年に燎原の火の如く全国に広がり、一部では校則に抵抗する高校闘争も起こった。

この学生運動は、高度成長期ゆえ、もはや学費値上げ反対といった経済的要求に発するものではなく、大学管理体制からの自由、大衆社会の「人間疎外」からの解放を求める「脱物質主義」を特徴とした。「大学解体」のスローガンまで現れたが、それは先述したライフ・コースへの、企業予備軍製造の場でしかない大学に対する批判の表現だった。「自己否定」は、そのような自分の現在と将来（企業の歯車）をも根本的に考え直す意思の表明だった。反戦運動における「内なるベトナム」と同じ発想である（敵は外だけではなく、自分の中にもいる）。

また、社会党、共産党といった既成政党からはむろん、新左翼諸党派からも自由な、ほとんど個人主義的＝アナーキスト的な主張と行動も特徴とした。運動の初期にサルトルらの実存主義が受け入れられ、マルクス主義でも、ロシア革命後に「体制の教義」となった硬直化した理論（ソ連、中国等のイデオロギー）は忌避された。暴力は、現にベトナム民族解放戦争やゲバラの武装闘争がある限り支持され、毛沢東の「政権は銃口から生まれる」に共鳴した者もいることはいた。しかし、それよりも急進派学生の心を捉えたのは「想像力が権力を奪う」というソルボンヌ大学の壁に書かれ、指導者コーン＝バンディがサルトルとの共著のタイトルにした言葉だった（ジョン・レノンの一九七一年の歌「イマジン」は、その彼流の表現だったのかも知れない）。

この学生運動がまた、既成の政党が無視ないし軽視してきたテーマ、課題に取り組んだことも重要である。まずはマイノリティの問題で、アメリカの黒人差別撤廃運動は長い歴史を持つ。日本では被差別部落民、在日韓国・朝鮮人、在日中国人、沖縄出身者などで、その歴史と現状の学習、運動への参加は主として、大学闘争後のことだった。もはや、警察により秩序が回復された大学キャンパスではなく、それぞれの当事者の生活に近い場で進められた地味な運動である。

女性はマイノリティとは言えず、歴史的にそう扱われてきたのだが、大学闘争期に「ウーマン・リブ」運動が始まった。最初の課題は「中絶禁止法に反対し、ピル解禁を要求する」もので、この団体（中ピ連）のメンバーがピンクのヘルメットを被って注目を集めた。大学闘争中に女性がバリケードの中で「メシ炊き」など、伝統的な役割を求められたことに対する反発から、ジェンダー（社会的性差＝性別役割分業）問題が少しずつ自覚されるようになった（この言葉が登場するのは、ほぼ一〇年後のフェミニズム以降）。

環境保護運動は、先にも述べたように一九七〇年の「アース・デー」で世界的潮流となった。日本でも、東大闘争後に宇井純によって自主講座「公害原論」が生まれ、そこで学んだ学生が水俣の現地でボランティアとして活動した。やがて市民の間でリサイクル運動が産まれる。フランスや西ドイツでは、大学闘争の経験者が環境保護運動などに参加して「緑の党《ディー・グリューネン》」等の環境保護政党を立ち上げ（石油危機後の原子力発電所増設にも反対し）、自国議会はもとよりEU議会にまで進出するようになる。

このような一九六〇年代後半から七〇年代にかけて生まれた社会運動は、脱物質主義・政党系列外・マイノリティー復権の特徴から、経済（物取り）主義・政党系列下・多数派（労働者階級）の社会運動と区別して「新しい社会運動」と呼ばれた（フランスの社会学者トゥレーヌが命名）。

3 石油危機と危機対応

†石油危機

欧米・日本の高度成長は中東その他の安価な原油に依存していた。そのことを白日の下に晒《さら》したのは一九七三年の石油ショックだった。アラブ石油輸出国機構（OAPEC）の加盟国が原油価格を大幅に引き上げたため（価格は一年間で四倍に）、先進諸国の製品価格が高騰し、日本ではトイレット・ペーパー等の買いだめが社会現象になったことを言う。

直接のきっかけは第四次中東戦争であり、イスラエルを支援する米欧諸国に打撃を与えるためだった。アラブ産油国は欧米資本（メジャー）に採掘利権を与えていた（利権料を得ていた）が、メジャーの言いなりになっていたわけではなく、一部の加盟国は石油国有化を進めていた。価格はメジャーと協議して決定することになっていたが、七三年はOAPECが協議抜きに決定した。

こうした「資源ナショナリズム」は、先進諸国がアジア、アフリカを植民地化し、資源を略奪し、独立後も安く買い叩いてきたことに対する反発に根差していた。他の資源産出国もOPEC（石油輸出国機構）のような国際カルテルを結成し、先進諸国に圧力を加えるようになった。すでに一九六四年の第一回国連貿易開発会議（UNCTAD）以降、発展途上諸国は特恵関税や開発援助を要求し、南北問題の解決は東西対立と並ぶ国際的重要課題となりつつあったが、資源価格引上げのような実力行使は初めてのことだった。それは同時に、南の世界が資源保有国と非保有国、産業中進国と最貧国（アフリカに多い）とに分裂する結果をも伴った。

†先進国低成長時代へ

欧米・日本の先進諸国では、石油価格引上げが製品コストに転嫁され、猛烈な物価高＝インフレーションを招いた。生産が低下しても、物価は外部要因により高止まりしたままになる、つまり、低成長な

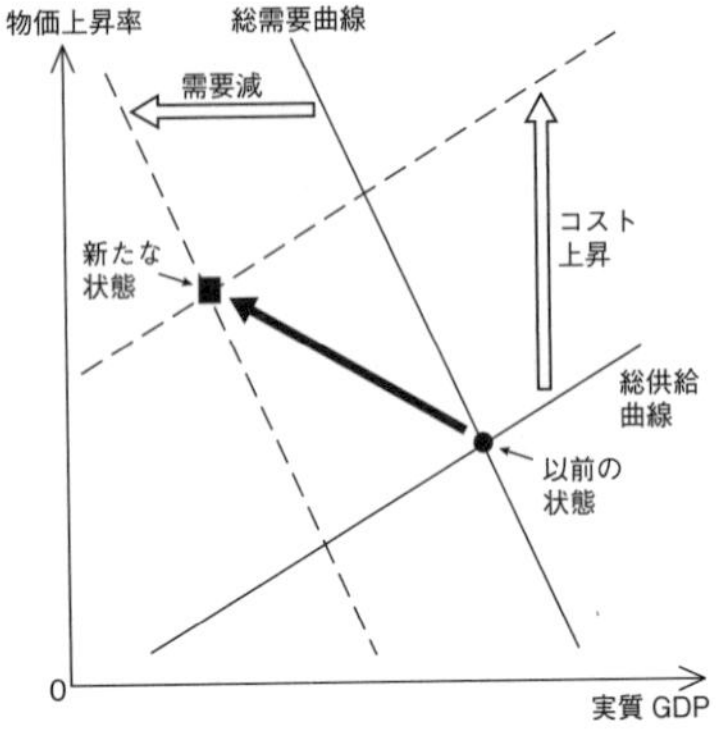

図22　スタグフレーション

のにインフレになる従来にはなかった現象（英語の造語でスタグフレーション）が生じた（図22）。管理通貨制度のもとで政府が金融・財政政策によって総需要を管理しながら景気を調整するという、高度成長期の経済運営が通用しなくなったのである。

しかし日本の場合、企業が手を拱《こまね》いていたわけでも、通産省が無策だったわけでもない。コスト高を抑えるための省エネルギー対策として代替エネルギー（液化天然ガスなど）の開発が行なわれ、原油でも輸送の効率化が図られた。資源消費量に比して付加価値の高い産

業への転換、つまり、素材部門の巨大装置産業（鉄鋼・石油コンビナート）から加工度の高い電子機器・精密機器産業（半導体、コンピュータ等）への転換である。工作部門にはロボットも導入された（人減らし）。このような企業内重点部門の変更と減量経営、産業構造の転換に対して労働者と労働組合が協力的だったことも大きい。

他方ソ連は、世界第二位の産油国であるため、石油価格引上げで得られた外貨を欧米からの機械・設備類の輸入に充てて満足し、技術革新を怠ったため、一九七〇年に国民所得で米国の三分の二まで追い上げたのに、その後は経済停滞期に入ってしまう。

参考文献

①原田正純『水俣病は終っていない』岩波新書、一九八五年
②岡田一郎『革新自治体――熱狂と挫折に何を学ぶか』中公新書、二〇一六年
③三橋俊明『路上の全共闘　1968』河出ブックス、二〇一〇年
④富田武『歴史としての東大闘争――ぼくたちが闘ったわけ』ちくま新書、二〇一九年
⑤田中宏『在日外国人―法の壁、心の溝―』岩波新書、一九九一年
⑥三橋規宏『先端技術と日本経済』岩波新書、一九九二年

コラム7 新左翼とは何だったのか

「ニュー・レフト」という言葉はイギリスに由来し、スターリン批判後の新たな反体制運動という程度の意味だった。他方、日本では社会党、共産党の「旧左翼」に対する「新左翼」であり、反スターリン主義と急進的な行動（整然と統制された「お焼香デモ」に反対）を特徴とするものとなった。六〇年安保闘争で全学連主流派となった共産主義者同盟（ブント）が典型的で、その後は全学連の主導権争いとマルクス主義の解釈をめぐって四分五裂し、一時は「五流一三派」と言われた。新左翼諸派は、日本共産党＝民主青年同盟（民青）系の「諸要求運動」と議会主義（選挙での勢力拡大）を批判して、ベトナム反戦運動などで尖鋭な街頭行動を行なった。一九六八年の大学闘争でも主導権を取ろうとして、ノンセクト・ラジカル（急進的な無党派）から反発を受けた。

新左翼諸派の転機は、学生運動・反戦運動の急進化の中で「日本帝国主義打倒」、果ては「世界革命」を呼号し、パレスチナ解放運動にならって（重信房子らは直接に参加して）武装闘争を試みたことにある。反スターリン主義を掲げながらレーニン原理主義に陥り、暴力革命論と「真の前衛党」形成、「鉄の規律」に先祖返りしたと言ってもよい。加えて「内ゲバ」（党派同士の、さらに党派内部の暴力）によって、学生はもとより、一時は支援した市民からも見放されるようになった。一九七二年の「あさま山荘事件」は悲劇的結末である。

第8講
七〇年代のヨーロッパ

		世界	日本
1969	1	ニクソン大統領就任式、反戦デモが包囲	東大安田講堂攻防で大学闘争が全国化
	2	PLO 議長にアラファト	
	3	中ソ国境（珍宝島、ダマンスキー島）で警備隊衝突	
	5		初の公害白書、新全国総合開発計画
	8	ビアフラ内戦で死者 200 万人の発表	
	11	佐藤首相訪米、72 年沖縄返還決まる	
1970	1	ニクソン・ドクトリン発表	
	2		成田空港第 1 次強制測量
	3		大阪万博開会（9 月まで）、新日鉄発足
		よど号ハイジャック事件	
	6	日米繊維交渉開始、安保条約自動延長	
	8	ソ連・西独武力不行使条約	
	11	西独・ポーランド条約（国境承認）	三島由紀夫、自衛隊市ヶ谷で自決
1971	3	東パキスタン分離、バングラデシュ独立	
	4	ワシントンで反戦集会 20 万人	
	6	米国防総省「ベトナム秘密報告書」暴露される	
	7	キッシンジャー秘密裏に訪中	
	8	ニクソン、金・ドル交換停止等を発表	
	9	林彪、クーデタに失敗、モンゴルで墜死	
	10	国連総会、中国加盟・台湾追放を決議	
	12	インド・パキスタン戦争が全面化	
1972	1	イギリスなど 4 カ国、EC 加盟	
	2	ニクソン訪中	連合赤軍あさま山荘事件
	5		沖縄復帰
	7	韓国・共和国「南北共同声明」	第 1 次田中内閣発足
	8	田中・ニクソン首脳会談（航空機購入も）	相模原米軍戦車ベトナム輸送阻止闘争
	9	田中訪中、日中共同声明	
	10	米ソ SALT1 で批准書交換	
	12	東西ドイツ基本条約	

1 ドル・石油危機とデタント

†経済危機と欧州安全保障

一九七一年のニクソン大統領によるドル・金の交換停止の措置は、戦後の成長と復興を支えてきた国際金融の枠組みであるＩＭＦ（国際通貨基金）体制を崩す大事件だった。アメリカがベトナム戦争の戦費支出で国際収支を悪化させ、ドルの信用が低下し、金一オンス＝三五米ドルの固定相場が維持できなくなり、順次ドル本位の変動相場制に移行したことを指す。日本の場合一ドル＝三六〇円だったものが、いったん三〇八円になり、その後は為替相場次第となった（一時は一〇〇円台の円高になった。巻頭図Ａ）。

先進諸国としても、ＩＭＦ体制のような変動幅一％までという枠組みがなくなったため、各国財務省・中央銀行が適時に協議して、必要なら介入する必要が生じた。しかも、国連貿易開発会議では発展途上諸国から関税引下げやＧＮＰ一―二％の援助を要求され、石油危機以降は石油などの国際カルテルからの値上げ攻勢もあったため、一九七五年から先進国首脳会議（Group of Seven Meeting: Ｇ７サミット）と財務相・中央銀行総裁会議が毎年開か

兵器の種類	1968年	1973年	1978年	1983年	1988年
〈アメリカ〉					
ICBMs	1014	1054	1054	1053	1043
SLBMs	656	656	656	568	640
Bombers	612	504	450	338	372
合　計	2282	2214	2160	1959	2055
合計弾頭数	7800	8700	12000	12000	13000
〈ソ連〉					
ICBMs	800	1425	1500	1398	1386
SLBMs	100	535	900	950	942
Bombers	160	160	160	160	160
合　計	1060	2120	2560	2508	2488
合計弾頭数	2900	4000	5900	9700	11500

注：ICBMs（大陸間弾道ミサイル），SLBMs（潜水艦発射弾道ミサイル），
Bombers（戦略爆撃機）

表３　米ソの戦略核バランス

れることになった。七カ国はアメリカ、カナダ、イギリス、フランス、西ドイツ、イタリア、日本である。

この経済危機の中でデタント（緊張緩和）が進められた。一九七二年には米ソ間で戦略兵器制限条約（SALT1）が締結された。これは核兵器・運搬手段（ミサイル）の保有上限を定めたもので、新型ミサイルの開発に歯止めがかけられなかった。この意味で軍縮ではなく、実際に開発競争が続いたが、「ないよりはマシ」と言える。この翌年に米ソのミサイル・戦略爆撃機の保有量は、ソ連が米国に追いついてほぼ対等になった（表3）。

こうした流れの中で一九七三年、アメリカ、カナダを含む西欧・東欧諸国三五カ国（アルバニア不参加）が全欧安全保障協力会議（CSCE）をヘルシンキで開催した。七五年に最終議定書が採択さ

れた。その内容は、①信頼醸成措置の導入などの安全保障、②経済・技術協力、③人的交流と人権尊重の促進、からなる。①の措置は、軍隊の移動・軍事演習の事前通告、軍人の交流など、平時から敵国（潜在敵国）に情報を伝え、誤判断による武力衝突を回避するとともに、相互の信頼を高めていく措置のことである。

③について、従来、東側の共産党（名称は国によって異なる）独裁下では「人権」は剝奪、制限されていた。五六年のハンガリー、六八年のチェコでは「言論の自由」「結社の自由」等を求める民主化運動がソ連軍、ワルシャワ条約機構軍によって弾圧された。ヘルシンキ議定書以降は、政権も調印しているではないかと民主化を迫る運動の拠り所になり、実際チェコでは「憲章77」という人権団体が活発になった（名称は七七年結成に由来）。

†デタントと両独接近

一九七〇年はヨーロッパにおけるデタント（緊張緩和）開始の年である。六九年末に成立した西ドイツのブラント政権（社民党と自由民主党の連立）が一連の「東方外交」を展開した。七〇年にソ連と「武力不行使条約」、ついでポーランドと「国交正常化条約」（ブラント一二月に訪問、図23）、七二年に東ドイツと「両独関係基本条約」を締結したことを指す。

西ドイツはソ連とは一九五五年に国交を回復していたが、「ベルリンの壁」構築など東

図23　ワルシャワのゲットーで跪くブラント

西対立の最前線で武力衝突の危険も経験したことから、「不行使」を確認した。ポーランドとは、第二次大戦後にポツダム会談で、同国の西部国境を西に移動してオーデル・ナイセ河とした既成事実を追認したものである。保守のキリスト教民主同盟が主導してきた政権では、ドイツ領土の回復（オーデル・ナイセ河以東の移動分も、旧プロイセン地方も必ず回復する）を唱える主張が強かったが、この「紛争の種」を将来の「統一」まで棚上げにした条約で、社民党主導政権だからこそ実現できた。ブラントが「壁」構築の時に西ベルリン市長だった経験も大きい。

また、保守政権は東ドイツを国家として承認せず、第三国が東ドイツを承認したら国交を断絶するという外交原則を取ってきたが、この基本条約で両国は「事実上の承認」を行ない、西ドイツはその後、チェコスロバキア、ハンガリー、ブルガリア、さらには中国、キューバ等とも国交を結んだ（東ドイツも英仏などと）。

東西ドイツの事実上の相互承認は、同一民族であり、従来から国境を挟んだ親類同士の往来も部分的には認められていた。西に近い東の住民がラジオ・テレビ放送を視聴できた上に、七二年条約で経済・文化交流が進み、外部からの想像以上に両国は接近しつつあった（西独製品の購入やファッションなど。NHKスペシャル『東西国境5000キロの旅』一九八五年）。まだ東ドイツは社会主義統一党の独裁下にあり、シュタージ（国家秘密警察）の監視も厳しく「統一」を公然とは語れなかったが、その下地は少しずつ整えられていたのである。

2 社会民主主義と福祉国家

†社民政権の七〇年代

西ドイツではブラント、シュミットと社民党主導政権が続き、五〇―六〇年代のキリスト教民主同盟主導政権下の経済成長の成果の上に「福祉国家」の充実が図られた。労働者の発言権は企業レベルから産業レベルにまで拡充され、労働組合全国組織は経済政策にも影響を与えられるようになった。社会保険を中心とする社会保障は、年金の加入資格の拡大（自営業者、主婦、障害者、学生）など、充実したものになった。

福祉国家の先行モデルは、スウェーデンとイギリスにあった。スウェーデンでは、早くも一九三二年に社会民主労働党が単独で政権を握り、米国ニューディールのような改革を

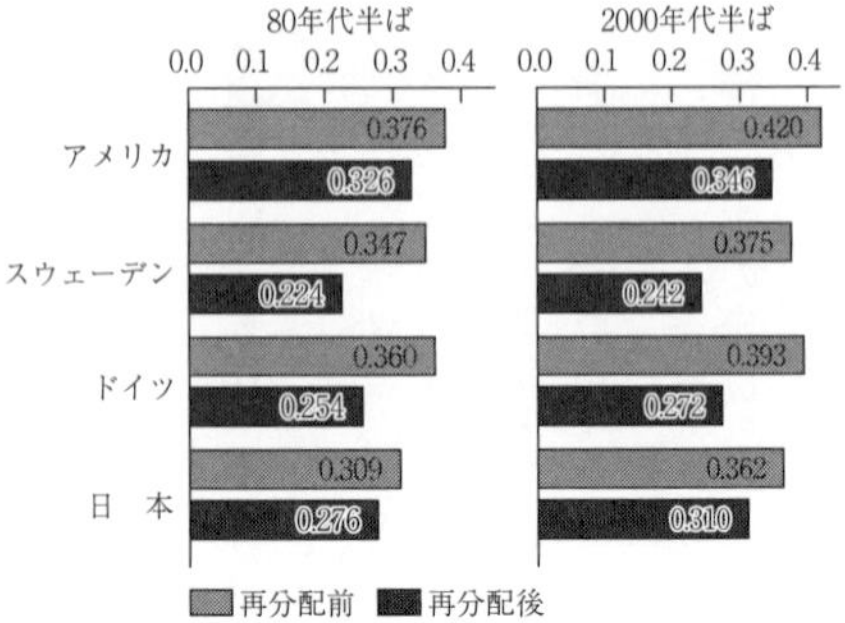

図24　ジニ係数の各国比較（0に近いほど格差は小さい）

進めた。以来一九七五年まで、ほとんど単独で政権を担当し、高度な福祉国家を実現した。GDP（GNPから、原材料その他の中間投入物の価額を引いたもの）に占める社会保障支出の割合は欧州最大となり（一九八〇年）、税制（累進課税）や社会保障制度（保険料は所得に応じて支払うが、受けるサービスは平等）による所得再配分の効果は大きく、国民の間の所得格差は先進国で最も小さかった（図24）。「高福祉・高負担」と言われるように税率は所得の三分の一にも達したが、それは国民が納得してのことだった。

　戦後イギリス最初のアトリー労働党政権も、戦争中の「ベバリッジ報告書」（「揺り籠から墓場まで」がキャッチ・フレーズ）を実現しようと、福祉国家をめざした。経済政策としては、産業公共部門（水道・電気・ガスやエネルギー源の炭鉱）の国有化、完全雇用（失業がほぼない状態）と所得再配分（とくに累進課税と富者課税）を重視した。社会保障では、第一次大戦前に設けられた社会保険の諸制度（医療、失業、年金）を統一し、公的扶助（生活困窮者への給付）を拡大した。住宅政策も、公共アパートを大量に建設して勤労者に提供し、

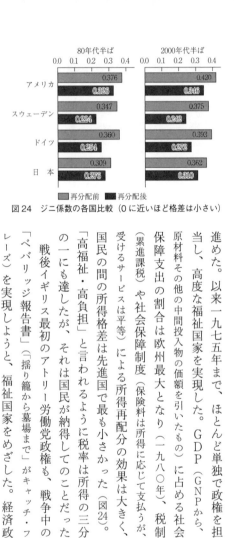

賃貸料や光熱費を低く抑えるものだった。六〇年代後半と七〇年代半ばには、ウィルソン労働党政権がこれを引き継いだが、イギリス経済の低調が制約になった。

こうした社会民主主義の成功は、長らくソ連型社会主義をモデルとしたが、スターリン批判以降、とくに「プラハの春」弾圧によりソ連離れを強めていた西欧の諸共産党にも影響を与えるようになった。そのパイオニアはイタリア共産党で、「議会を通じた平和的な社会主義への移行」路線は書記長トリアッティからベルリンゲルに受け継がれた。この国では保守のキリスト教民主党が一貫して中道諸党を、時には社会党をも抱き込んで連立政権を維持してきたが、第二党の共産党は常に排除されていた。一九七三年にベルリンゲルは「歴史的妥協」、共産党を中心に中道諸党と連立政権をつくり、キリスト教民主党の穏健派を引き入れようとする構想を打ち出した。これには左右両翼からの反発が大きく、キリスト教民主党の元首相モロが七八年「赤い旅団」に殺害される事件も起こった。

このイタリア共産党の政策転換のきっかけは、一九七三年九月のチリにおける軍部クーデタ、社共連立政権の打倒だった。七〇年に社会党のアジェンデが大統領選に勝利して成立した共産党との連立政権は、銅山の国有化などの政策への反発、これに乗ずる米国資本、CIAの工作によって改革を妨げられた上に、ピノチェットの率いる軍部のクーデタに打倒され、独裁政権に取って代わられた（映画『サンチャゴに雨が降る』）。この事件は、イタリア共産党に遅れてソ連離れしたフランス共産党、スペイン共産党も含めた「ユーロ・コミュニズム」の潮流を生み出す背景ともなった。

ちなみに、日本共産党もこの流れに与し、七〇年代に入って「人民的議会主義」を標榜《ひょうぼう》するようになった。一九五五年に五年間に及んだ武装闘争を反省したのち、スターリン批判をめぐってブント（共産主義者同盟）、ついで伊共支持派が、部分核停条約をめぐってソ共支持派が、文革をめぐって中共支持派が離党するか、除名されるという経緯ののち、「プラハの春」弾圧を批判して「自主独立」路線を明確にした。

南欧の遅れた民主化

ところで、一九七四年は、ポルトガルで独裁政権を三〇年代以来維持してきたサラザール体制が「リスボンの春」（「カーネーション革命」）によって打倒された年でもあった。それはポルトガル植民地のアンゴラ、モザンビーク、ギニア・ビサウ、カボ・ベルデ、サントメ・プリンシペの独立運動の勝利でもあり、実際に本国の若手の国軍将校が連携していた。こうして「最後の植民地」が清算されるとともに、若干の混乱期を経て本国議会選挙が行なわれ、ここでも社会党が第一党になった。

隣国のスペインでも、三〇年代内戦終結以来の独裁者フランコが一九七五年に死去すると、中道政権が、復活したリベラルな国王の支持のもと「上からの改革」に着手した。長らく亡命を余儀なくされていた共産党などが復権し、言論・出版・結社等の自由が実現された。労働組合も、分離志向のバスクなどの民族運動も活発になった。七七年にはスペイン共産党が伊・仏共産党指導者をマドリードに迎えて会談し、「ユーロ・コミュニズム」の結束を内外に示した。七八年には民主的な憲法が制定された。イタリアと同じくカトリックが強いこの国で、やがて離婚法が成立した（一九八一年）。八二年のフランコ死後三回目の総選挙では、社会労働党が圧勝し、政権の座についた。

最後にフランスでは、五八年の第五共和制（大統領主導議院内閣制）発足以降、七〇年代末までド・ゴール、ポンピドーの保守政権、ジスカールデスタンの中道右派政権が続いた。これらの政権は仏独協力（ECの中心国）と対米自立外交を進めた。野党第一党は長らく共産党が占めていたが、一九七一年以降社会党でミッテランが書記長になり、改革を進めて共産党を上回る勢力になった。ついに一九八一年の大統領選挙でミッテランは共産党、急進左派と組み、勝利した。注意したいのは、フランスは戦後復興期から一部産業を国有化し、保守系の政権でも経済に対する一定の規制（官僚統制）を容認してきたので、ミッテラン政権が国有化企業を増やしても、さほど警戒されなかったことである。

西欧では、共産党が強かった国（イタリア、フランス、スペイン）もあり、反対に西ドイツのように東独との関係で共産党が禁止されていた国もあったが、総じて一九六〇—七〇年代には社会民主主義政党が政権を握るか、近づくかして「福祉国家」の充実に貢献した(日本共産党は、革新自治体レベルで)。

3 西欧統合と民族・移民問題

†ECの統合進展

西欧諸国の戦後復興は、米国の援助＝マーシャル・プランと西欧内部の経済協力、双方の結果だった。一九五〇年のフランス外相シューマンのプランに基づき、翌年発足したヨーロッパ石炭鉄鋼共同体(ECSC)がそれである。五八年には、これがヨーロッパ経済共同体(EEC)とヨーロッパ原子力共同体(EURATOM)に発展した。構成国はフランス、西ドイツ、イタリア、オランダ、ベルギー、ルクセンブルクの六カ国であるが、石炭、鉄鉱石の産地と重工業地帯をカバーしていた。イギリスは一九六三年に加盟申請をしたが、アメリカの「トロイの木馬」(手先)とみなされて拒否された。

六〇年代のEECは、加盟各国が工業面で協力しながら、西ドイツを先頭に順調な経済成長を示した（表4）。農業面では、近代化の程度や国ごとの農産物の違いから「共通農業政策」がとられた。農産物の価格維持や補助金に関する政策であり、並行して関税同盟も進展した（六八年に共通関税を達成した）。六七年には右三「共同体」共通の管理機構＝ヨーロッパ共同体（EC）が発足した。

年	西ドイツ	フランス	イタリア	オランダ	英　国
1955	58.0	55.0	31.4	10.8	69.3
1956	62.2	58.3	32.9	11.3	70.7
1957	65.7	61.7	34.7	11.6	72.2
1958	68.2	63.5	36.4	11.5	72.8
1959	73.2	65.4	38.8	12.1	75.5
1960	84.6	70.1	41.2	13.1	79.1
1961	89.2	73.9	44.7	13.6	81.8
1962	92.8	78.9	47.5	14.1	82.8
1963	96.0	83.4	50.0	14.6	86.3
1964	102.4	89.0	51.5	15.9	90.9
1965	108.1	93.1	53.3	16.8	93.1
1966	111.3	98.3	56.5	17.2	95.3
1967	111.0	103.2	60.3	18.2	97.3
1968	119.1	108.4	64.2	19.4	100.3
1969	128.8	116.8	67.9	20.8	102.5
1970	136.3	123.6	71.2	22.0	104.7

（注）1963 年価格，単位　10 億 Eur。Eur は「欧州共同体計算単位」で，1971 年のドル切下げ以前の 1 米ドルに相当.

表 4　EC 諸国の経済成長（GNP の推移）

ECは七三年にイギリス、アイルランド、デンマークの加盟を認め、拡大ECと呼ばれた。その直後に石油危機に見舞われ、スタグフレーションに苦しむことになった。それでも途上国の要求に応えねばならず、七五年アフリカ、カリブ海、太平洋の四六カ国と通商、工業協力、資金・技術援助に関するロメ協定を結んだ（ロメは会議開催地トーゴの首都、その後第二・三次協定が続いた）。七八年には、ECは共通通貨の導入で合意に達した。しかも、七五年に欧州議会の直接普通選挙制が決定され、七九年には第一回選挙が行なわれた。不況の中でも、ECは経済統合を進め、政治統合への第一歩を踏み出したのである。

欧州議会の直接選挙は、各国民の意識に変化をもたらすきっかけとなった。例えばフランス人は、フランス国民であると同時に「欧州市民」でもあると意識するようになった。欧州議会の会派は、キリスト教系、社会民主主義系、環境保護系などにグループ分けされた。とくに環境保護のような国境を越える問題に関する取り組みが進んだ。

のちにEC域内の移動の自由（ビザなし）が実現されると、フランスで働くドイツ人、ドイツで働くフランス人は当たり前になり、それだけ「国民意識」が薄れていった。それ以前でも、欧州議会の存在するストラスブールは、普仏戦争以来この都市を含むアルザス・ロレーヌ地方が独仏いずれかの国に帰属したが（ドーデの短篇「最後の授業」——普仏戦争敗北でドイツ領になるのでフランス語の授業は今日で最後という話）、もはや国籍（第二次大戦後はフランス）にこだわらない「ストラスブール住民で欧州市民」の意識が生まれつつあった。

†西欧の民族・移民問題

西欧諸国はいち早く近代国家となったが、国民に加えられた少数民族の問題が消えたわけではない。最もよく知られているのはアイルランドで、一七世紀のクロムウェルによる征服以来、カトリック教徒の農民であるアイルランド人はイギリスに搾取・抑圧されてきた。独立運動の結果一九一六年にできた「アイルランド自由国」は島の北部をイギリスに残したままの独立で、完全独立を求める運動の過激グループは第二次大戦後「アイルランド共和国軍」(ＩＲＡ)と名乗ってイギリス政府要人や残留したプロテスタント系住民に対するテロを盛んに行なった。

同様に、バスク(フランス・スペインにまたがって暮らす、宗教的にはカトリック)独立運動は、フランコ体制下から活発であり、一九五九年に結成された「バスク・祖国と自由」(ＥＴＡ)もスペイン政府要人に対するテロを繰り返してきた。「独立」を掲げないまでも「自治」運動を行なっていたのが、イギリスのスコットランド地方、スペインのカタロニア地方などである。

こうした「旧住民」とは別に「新住民」の問題も一九七〇年代末頃から登場した。西欧で六〇年代の経済成長を支えた外国人移民である。トルコ人は、西ドイツの下層の肉体労働者として経済成長を支えた。彼らは「出稼ぎ労働者」(ドイツ語でガスト・アルバイター/英語ではゲスト・ワーカー)でしかなく、国籍取得の条件が「血縁主義」(少なくとも両親の一人がドイツ人であること)だったため、定着は困難だった(八〇年代以降に緩和された)。それでも、外国人は六〇年代で人口比約六%に達した。

フランスでは「出生地主義」のため、移民二世は容易に国籍が取得でき、独立したばかりのアルジェリア、旧仏領モロッコなどから大量の移民が入国して、各地に定住した。彼らはイスラム教徒ゆえ、その生活習慣を持ち込み、旧来のフランス住民とトラブルが生じた。最も有名なのが「スカーフ（ヴェール）」論争で、公立学校に女子生徒がスカーフをつけて登校すると、フランス人教師から「政教分離の公教育の場」に宗教を持ち込むものと非難された。女生徒と父母は、これは生活習慣の問題だと反論した。フランスに民族主義的な右翼政党「国民戦線」が登場するのは一九七二年、彼らが移民排斥運動に乗り出したのは七八年である。

参考文献

①山本健『ヨーロッパ冷戦史』ちくま新書、二〇二一年
②庄司克宏『欧州連合―当地の論理とゆくえ―』岩波新書、二〇〇七年
③三島憲一『戦後ドイツ―その知的歴史―』岩波新書、一九九一年
④河合信晴『物語　東ドイツの歴史――分断国家の挑戦と挫折』中公新書、二〇二〇年
⑤武田龍夫『福祉国家の闘い――スウェーデンからの教訓』中公新書、二〇〇一年
⑥渡邊啓貴『フランス現代史――英雄の時代から保革共存へ』中公新書、一九九八年
⑦若松隆『スペイン現代史』岩波新書、一九九二年
⑧武井彩佳『歴史修正主義――ヒトラー賛美、ホロコースト否定論から法規制まで』中公新書、二〇二一年

コラム8　ドイツの「過去の克服」

ブラント首相はワルシャワ訪問の際に、ゲットー（ユダヤ人居住地）の犠牲者慰霊碑の前で跪《ひざまず》いて世界を驚かせた（前出図23）。彼はヒトラー政権成立とともに北欧に亡命した反ナチの左翼闘士であり、敗戦後ドイツに戻ってジャーナリストとしてニュルンベルク裁判を取材した経歴をもつ。一九六一年春にアイヒマン（元ナチ親衛隊将校、国外逃亡の末に逮捕）に対する裁判がイスラエルで始まり、西ドイツでもユダヤ人大量殺戮に対する反省の気運が高まり始めた。

一九六〇年代の後半は「怒れる若者」がベトナム反戦に起ち上がったが、西ドイツでは父親世代のナチズム加担に対する批判も、若者の運動の両輪の一つだった。加えて大連合政権（キリスト教民主同盟と社会民主党との連立、六六―六九年）首相のキージンガーがナチ党員で外務省の中堅幹部だったことが暴露された。ブラントの右の行動もハプニング的なものではなかったのである。後任のシュミット首相も一九七七年、アウシュヴィッツの絶滅収容所跡地を訪れ、犠牲者に哀悼の意を表明した。七二―七六年には西ドイツ・ポーランド間で歴史教育をめぐる対話が進んだ。

たしかに「過去の克服」は容易ではなかった。一九七三年の第四次中東戦争は、イスラエル批判が左翼の中でも反シオニズムの色合いを帯びた。七八年のアメリカTV映画『ホロコースト』が西ドイツでも放映され、二〇〇〇万人以上が視聴して、深い反省のきっかけとなった。

第9講

七〇年代のアジアと日本

		世界	日本
1973	1	パリでベトナム和平協定	老人（70歳以上）医療無料化
	3		熊本地裁、チッソの過失責任を認定
	4	鄧小平復活（副首相）	
	6	ブレジネフ訪米、SALT2締結	
	8	批林批孔運動	金大中拉致事件
	9	チリで軍部クーデタ（社共政権転覆）	
	10	伊共「歴史的妥協」路線へ	田中訪ソ、領土問題で主張
		第4次中東戦争、OAPEC原油減産で対抗→価格暴騰	トイレ用紙等買占め騒動
	12		田中内閣の中東政策、アラブ寄りに
1974	1	田中、ASEAN諸国歴訪、ジャカルタで反日デモに遭う	
	4	ポルトガル革命	
	6	エチオピア革命開始（9月皇帝退位）	
	8	ニクソン大統領、ウォーターゲート事件で辞任	
	10		立花隆『文藝春秋』論文→11 田中首相辞任
1975	1	国連「国際婦人年」、周恩来「四つの近代化」	
	4	プノンペン、サイゴン相次いで陥落	
	6	ボート・ピープル初めて日本に漂着	
	7	ヘルシンキで全欧安保協力会議（35カ国）	
	11	アンゴラがポルトガルから独立	スト権奪還スト（国鉄12.4まで8日間）
1976	1	ベネズエラ、石油国有化	
	4	第1次天安門事件（1月周総理死去を偲び）	
	5	脱出カンボジア人がポル・ポトの虐殺を証言	資本の自由化（農林水産など4業種以外）
	6		自民党から河野ら6人離党、新自由クラブ結成
	7	ベトナム社会主義共和国（南北統一）	田中、ロッキード事件で逮捕さる
	9	毛沢東死去	
	10	「四人組」逮捕、華国鋒首相が党主席兼務	
	11	第1回先進国首脳会議（サミット）	

1　米中和解と中国・朝鮮

†和解の両国への影響

前講で「ニクソン・ショック」＝ドル危機を取り上げたが、少し前の「朝鮮半島危機」から始める。

一九六八年一月に青瓦台襲撃事件、プエブロ号事件が相次いで起こった。前者は、北朝鮮武装遊撃隊による韓国大統領官邸襲撃（未遂）であり、後者は米艦プエブロ号を北朝鮮海軍が拿捕したもので、朝鮮半島の緊張が一気に高まった。北朝鮮は、中ソ対立では同調していた中国とは文化大革命を機に距離をとり、自主独立と金日成絶対化のために「主体《チュチェ》思想」を掲げ、「遊撃隊革命」（満洲での金グループの経験の絶対化）を呼号し、ベトナムにおける解放戦線側の攻勢に刺激されたからである（この直後にテト攻勢があった）。

アメリカはベトナムでの敗勢から、六九年一月に就任したニクソン大統領が補佐官キッシンジャーと慎重な準備を進め（フランス等中国と外交関係をもつ国々のルートで対中打診を重ねて）、まずはキッシンジャーを秘密裡に訪中させ、周恩来と会談させた（七一年七月）。まもなく中華人民共和国の国連復帰、中華民国の国連追放が実現し、ニクソンが七二年二月に訪中して、上海声明が発表された。米国は「中国は一つであり、台湾は中国の一部である」ことを認めた。中国は「ソ連の脅威」の緩和が主目的であるため、米台条約にも日米安保条約にも言及しなかった。

ニクソンの外交・軍事戦略は主敵をソ連に絞り、東アジアの防衛における日本その他の貢献を増して米国の負担を減ずるというものだった。北朝鮮があわてて中国との関係を修復し、韓国が、米国内で高まりつつあった在韓米軍撤退論を警戒するようになったのも当然である。七二年七月四日の「南北共同声明」は、大国に左右されまいとする一点での共同行動だったが、謳われたことは、統一の原則「平和・自主・大同団結」といった当たり障りのないものだった。

しかも、韓国では、統一のためには国内体制を固める必要があると称して、朴正熙が非常戒厳令を敷き、国会の解散、政党の禁止などに乗り出した。七一年選挙で野党金大中《キムデジュン》候補に苦戦した経験から、大統領の公選制を廃して議会選出に変える憲法を、国民投票で成立させた(七二年一二月)。七三年八月には東京滞在中の金大中を、KCIA(韓国版中央情報部)が白昼拉致する事件まで起こした。

他方、北朝鮮でも金日成の独裁体制が固められ、国家主席が設けられ、「首領」金は朝鮮労働党総書記、国防委員長のまま就任した。息子の金正日《キムジョンイル》が後継者の地位を確立した。七七年一月には対外特務機関が日本人女性（中学生の横田めぐみ）を拉致する事件を起こし、その後も拉致被害者が数多く生まれた。

†鄧小平の復権と改革・開放

ところで対米和解を実現した中国は、鄧小平が一九七四年、国連総会で「三つの世界」論を打ち上げ、第三世界のリーダーであることをアピールした。旧「中間地帯」論とは異なって、主要な敵が米国からソ連に変わっているが、国連や国際社会における発展途上国の発言力増大に対応したものである。対米・対日緊張が減じた分だけ、中国は文革後の経済建て直しに集中できるようになった。七一年の林彪《リンピャオ》事件後、しばらくは「四人組」が毛沢東の庇護《ひご》の下なお権勢を振るっていたが、七六年に周恩来、毛沢東が相次いで死去すると、鄧小平が再復活して実権を握り、経済政策の転換と文革の清算に乗り出した。

まずは、七八年一二月の一一期三中全会（第一一回党大会第三回中央委員会総会）における「改革・開放」路線の確定である。周恩来が唱えた「四つの近代化」（農業・工業・国防・科学技術の近代化）をスローガンに、農業における請負制の復活、郷鎮（農村）企業の発達と人民公社の解体、深圳《しんせん》など経済特区への外資導入（表5）など、約一〇年後のソ連とは異

年	1980	1982	1985	1990	1992	1995	1998
深　圳	0.18	0.25	13.06	157.01	235.76	387.69	452.74
珠　海	0.19	0.37	1.45	6.48	15.26	38.03	59.17
仙　頭	2.51	2.55	2.57	8.39	11.35	26.01	66.10
廈　門	1.42	1.47	4.44	11.53	28.42	60.33	76.14
全　国	381.4	416.1	696.0	1154.4	1655.3	2808.6	3239.5
特区の対全国比(%)	1.18	1.23	3.21	16.69	18.59	19.04	20.78

表５　経済特区の貿易額（単位：億ドル）

なる社会主義計画経済への市場経済導入の路線が成功裡に進む出発点となった。かつて中国革命は「農村から都市を包囲する」ものと性格づけられたが、「改革・開放」路線は「農村と沿岸特区から都市を包囲する」ものと言ってよいかもしれない。

一九八一年六月、中国共産党は結党六〇周年に当たり（一一期六中全会で）「歴史問題に関する決議」を発表した。文化大革命は、党と国家と人民に「建国以来最大の挫折と損失」をもたらした。建国以来の社会主義建設は全体としては大きな成果を挙げたが、「階級闘争拡大化」「経済建設における急躁・冒進」「文化大革命」は誤りだった。「毛沢東同志は偉大なマルクス主義者であった。文革において重大な誤りは犯したが、功績の方が誤りよりも大きい」という趣旨である。鄧小平としては「建国の父」の名誉は守り、共産党の権威を傷つけなければ、あとはイデオロギーに拘泥せず「実事求是」＝実践の中で理論や政策の正しさを検証すればよいという意味に他ならない。

2　田中の外交と内政

田中角栄は一九七二年、沖縄復帰を果たして引退した佐藤栄作の後任の首相となった。任期二年半も経たず「信濃川河川敷土地転がし」問題で辞任を余儀なくされたが、功罪相半ばする首相だった。

†訪中・訪ソの意義

日米間は安保条約で結ばれているから首脳同士も緊密だと思うのは誤りで、ニクソン訪中の発表は佐藤首相にとって「寝耳に水」だった。通産相だった田中は直後の国会答弁で「中国には大変迷惑をかけた、心からお詫びする」との心情を吐露したことが、中国側にとって国交回復へのシグナルとなった。首相に就任すると、訪中した公明党の竹入義勝委員長から周恩来の国交正常化への見解を伝えられた。関係国に対し、ニクソン大統領には、国交正常化を行なうが、台湾との関係は切ると伝え、台湾政府には椎名悦三郎自民党副総裁を派遣して、何とか宥《なだ》めようとした。こうした周到な下準備の上で、七二年九月に訪中した。

田中首相は周恩来首相と会談し、「復交三原則」で合意した。(1)中華人民共和国が中国唯一の合法政府である、(2)台湾は中華人民共和国の領土の不可分の一部である、(3)日華平和条約は不法であり、破棄されねばならない、である。会談で周首相は「日本に賠償は求めない」「日米関係はそのまま続けてよい」とも語った。共同声明では、中国側が「日本軍国主義」を入れようと主張したが、「過去において日本国が戦争を通じて中国国民に重大な損害を与えたことについての責任を痛感し、深く反省する」という表現に落ち着いた。「戦争状態の終了」も間接的な表現になり、中国側が譲歩したと言える。反対に「他国の覇権への試みに反対する」条項は、ソ連を恐れる中国側への配慮である（史料9）。

日中国交正常化に気を良くした田中首相は、七三年九月から一〇月にかけてフランス、イギリス、西ドイツに続いてソ連を訪問し、日ソ首脳会談で領土問題を持ち出した。五六年の日ソ共同宣言に謳《うた》われた色丹、歯舞の引渡しが六〇年新安保条約調印によって反故にされ、ソ連は一貫して「領土問題は存在しない」という立場をとり続けたからである。

日ソ共同声明（一〇月一〇日）は、(1)平和条約、(2)経済協力（漁業、科学技術、文化、エネルギー開発を含む）、(3)国際関係からなるが、総じて抽象的な内容だった。(1)は交渉したものの進展はなく、「七四年の適当な時期に」交渉を継続すると記すに留まった（ブレジネフは「未解決問題とは四島のことか」と問われて、田中に「ダー（そうだ）」と答えたという）。(2)のエネルギー開発は、石油ショックが同月の二三日に発生するとは誰も想像もしていなかったため、同じく抽象的だった。なぜか、この項の最後に「未帰還邦人の日本への帰国及び従来から実施されている日本人墓地への遺族の墓参」に関する田中首相の要請に関して、ソ連側は「然るべき注意をもって検討する用意がある」と記されている。

この「未帰還邦人云々」は、最近公開されたソ連側会談議事録によれば、サハリン残留の邦人のみならず、朝鮮人についても田中は一五〇〇人と数字を挙げ、「彼らの運命については日本政府も一定の責任がある」と明言したのである（それが戦前の強制連行を指すのか、戦後の国籍剝奪のことを指すのかは不明）。この発言は「金大中事件」後の日韓関係の修復も念頭に置いてのものと思われる。しかし、北朝鮮と国交を結ぶソ連が「サハリン残留朝鮮人は共和国に帰るべきだ」の立場から消極的であり、北朝鮮を刺激したくないために共同声明では「未帰還邦人」という表現にしたものと推察される（結局、一九九〇年の韓ソ国交まで持ち越された）。

†内政の成功と失敗

田中が首相就任直前に、腹案をブレーンと官僚に書かせた『日本列島改造論』は、九〇万部も売れた。それは、これまで「陽の当たらなかった」地域（農村部や日本海側）にも、経済成長の恩恵を及ぼそうという政策論だった。公共投資を集中してインフラを整備し、重工業企業を誘致して「新産業都市」を興し、関連産業を活発にし、周辺の農漁業も近代化すれば、地方自治体の財政も豊かになり、地域全体の生活水準も上がるという良いことづくしの計画で、一時は歓迎された。しかし、従来の重工業中心の経済開発の延長でしかなく、大企業は利益を増やしても、地場産業は顧みられず、農漁業は人手を奪われて衰退し続ける結果になった。そこへ石油ショックによるコスト高＝「狂乱物価」、輸出不振が追い討ちをかけた。田中首相はライバルの福田赳夫を蔵相に据えざるを得ず、財政引き締め＝公共事業の繰延べ方針となり、ここに「日本列島改造」政策は短期間で頓挫した。

この意味で田中の経済政策は失敗したが、社会政策では評価された。一九七三年＝高度成長の最終年は「福祉元年」と呼ばれた。美濃部都政の後追いではあったが、七〇歳以上の老人医療の無料化が実現された。他には、健康保険の被扶養者の給付率引上げ、高額療養費制度の創設、年金の物価スライド制導入などである。義務教育の教員の給与引上げも挙げられる。これを評して「社会民主主義的」と言う論者もいた。同じ時期の西欧の社民党政権による福祉重視には及ばないが、従来の自民党の「利益誘導・還元政治」を完成させ、補助金等を利用して地方自治体と業界団体を引きつけ、それを通じて利益配分を広く社会党支持層にまで及ぼすという点では当たっているかもしれない（まもなく七五年一一月のスト権ストが、官公労働者のスト権を奪還できなかったばかりか、八日間の交通ストップが世論の反感を買い、総評が労働運動の主導権を失うきっかけになった)。

実は「日本列島改造論」は別の形で延命した。一九七四年に田中内閣の下で成立した「電源三法」である。石油ショックの教訓として、火力発電依存は危うい、エネルギー資源の多角化を図るべきだ、それには原子力発電所を大量に増設する必要があるという理屈から、電気料金を引上げ、その分を、新規発電所を立地する自治体への交付金にするという仕組みだった。他ならぬ田中の地元、柏崎刈羽原発(東京電力)への「電源三法」の適用は一九七八年、二〇一九年まで約一六三三億円に達し、原発建設ラッシュが続いた(表6)。

構成比(%)

年度	石油	石炭	天然ガス	原子力	水力	地熱	新エネルギー等
1955	17.6	47.2	0.4	—	27.2	—	7.6
1960	37.6	41.2	0.9	—	15.7	—	4.6
1965	59.6	27.0	1.2	0.0	10.6	—	1.5
1973	77.4	15.5	1.5	0.6	4.3	0.0	0.9
1980	66.1	17.0	6.1	4.7	5.2	0.1	1.0
1985	56.3	19.4	9.4	8.9	4.7	0.1	1.2
1990	58.3	16.6	10.1	9.4	4.2	0.1	1.3
1999	50.0	17.4	12.7	13.0	3.6	0.2	1.1

表6 エネルギー供給と原子力

†ロッキード汚職と田中院政

この事件は、アメリカ航空会社間の日本に対する旅客機売り込み競争の中で、ロッキード社が田中首相と運輸相、運輸次官等への贈賄を行なったというものである。それが明るみにされたのは一九七六年二月、つまり田中首相辞任一年半後の米国上院外交委員会多国籍企業小委員会の公聴会での証言だった。アメリカが、独自の資源外交（フランスから濃縮ウランを購入する等）を進めようとし、ソ連首脳と「北方領土」問題を話し合った田中の米国離れに、遅れて釘を刺したものという解釈もある。

田中は、首相辞任後も自派だけで衆議院議員を一三〇名以上（自民党議員の過半数）かかえ、巨額の資金にモノを言わせて、三木武夫、福田赳夫、大平正芳、中曽根康弘といった派閥ボスを首相に据える「キング・メーカー」として権勢を振るった。田中支配は、彼が東京地裁で収賄罪の廉で有罪判決を受ける（八三年一〇月）まで続いたのである。

なお、日中平和友好条約は福田政権下の一九七八年に調印され、これを機に「満洲残留孤児・婦人」の肉親捜しが始まったことも忘れてはならない（NHKドラマ『大地の子』一九九五年）。中国には多額のODA（政府開発援助）が投入され（事実上の賠償）、七〇—八〇年代は「日中蜜月時代」と評された。

3　中ソの対外戦争と権威失墜

†中越戦争とインドシナ難民

一九七五年四月にベトナム戦争は、南ベトナムの首都サイゴンが陥落して終結した。対米解放戦争で勢力を強めたベトナム労働党は、社会主義化を急いだ。七六年六月の南北統一国会は「ベトナム社会主義共和国」を宣言し、一二月に労働党は大会で「ベトナム共産党」と改称するとともに、全土の社会主義建設に着手した。

この社会主義建設は、長期の対米戦争中に形成された「民主共和国」の国家による統制及び丸抱えシステム（配給制など）に基づく「貧しさを分かち合う社会主義」の延長・拡大に他ならなかった。それが戦争から解放され、ソ連や中国の援助も少なくなったベトナムで通用するはずがなかったのに、共産党は変えようとしなかった。市場経済の下で生きてきた南の人々はむろん、北の人々も我慢できなくなってきた。七八年末までにベトナムから脱出してタイに流入した難民は、海路だけでも一〇万人を超えた。

隣国のカンボジアでは、七六年四月に反米解放勢力の「クメール・ルージュ（赤色クメール）」軍が首都プノンペンに入城した。ポル・ポト政権は成立すると直ちに、旧政権幹部を殺害し、市民を農村に強制移住させた。「資本主義的都市は不浄」として農村部に合作社（カンボジア版人民公社）を設立したが、実際には強制労働収容所にすぎず、数十万の人々が殺害された（図25）。反ポル・ポト派はベトナムに逃れ、これを押し立ててベトナム軍が七八年末にカンボジアに侵攻し、プノンペンにヘン・サムリン政権を樹立した。直ちに親カンボジアの中国が「懲罰」と称してベトナム北部に軍を侵攻させた。この年、ベトナムからタイへの難民は二〇万人を超え、小舟で南シナ海に乗り出す「ボートピープル」も激増し、日本の九州沿岸にも漂着した。

一九六〇年代にベトナム・インドシナの反米民族解放戦争に希望を抱き、支援してきた世界の人々は失望した。社会主義国家間の初の大規模な戦争＝中越戦争に左翼は愕然《がくぜん》とした。もはや、ソ連から始まってベトナムに至る「社会主義のモデル探し」は終わりを告げた。戦争の終結と難民問題の解決の目処《めど》が立つのに十数年を要することになった。インドシナ三国からのタイ流入難民は、一九七五—九〇年に累計約一三五万人超であった。

図25　ポル・ポトの虐殺

†ソ連のアフリカ進出とアフガン侵攻

一九七〇年代後半は、インドシナにおけるアメリカの後退に乗ずるかのようなソ連の第三世界進出が顕著だった。ソ連はベトナムのカムラン湾に軍事基地を置いた。アフリカでは七四年四月のポルトガル本国政変に続く植民地の独立、九月のエチオピア皇帝退位＝軍部政権成立を機に進出した。アンゴラでは独立勢力のうちの親ソ派をキューバ軍が支援した。エチオピアでは政権が親ソ的だったため経済援助を行ない、ソ連式の社会主義化を試みた。ソ連はまた「アフリカの角」地域全体を影響下に置こうとしたが、エリトリアの分離運動や隣国ソマリアとの領土紛争を抱え込んで困難に直面した。

ソ連はまた、戦略的・地勢的に重要なアフガニスタンに強い関心を抱いていた。隣国のイランがパーレビ国王のもとでアメリカの援助で近代化を進めていたのに対し、アフガニスタンで王政を倒したダウド政権は、ソ連の援助により近代化を進めようと考え、ソ連も「非資本主義的な発展」という漸進的な移行を了解していた。ところが、ダウドはイランやパキスタンなど周辺諸国との関係を改善し、次第にソ連離れしていった。かつてのエジプトが示したように、途上国の民族主義的な政権が、米ソの援助競争を自国に都合よく利用した一例である。共産主義者（「アフガニスタン人民民主党」）とイスラム主義者の双方から圧力を受けたダウド政権は、まず人民民主党の弾圧に乗り出した（七七年）。同党がクーデタで政権を倒し、さらにソ連派が強まった内部での抗争とクーデタの結果、アフガニスタン国家の統治が危うくなったと判断したソ連は七九年一二月末に軍事介入したのである。

以後十年余りソ連は、イスラム勢力を中心とする反ソ運動に苦しめられ、アメリカの失敗＝「ベトナムの轍」を踏むことになる。

《史料9》日中共同声明

日中両国は、一衣帯水の間にある隣国であり、長い伝統的友好の歴史を有する。両国国民は、両国間にこれまで存在していた不正常な状態に終止符を打つことを切望している。戦争状態の終結と日中国交の正常化という両国国民の願望の実現は、両国関係の歴史に新たな一頁を開くこととなろう。

日本側は、過去において日本国が戦争を通じて中国国民に重大な損害を与えたことについての責任を痛感し、深く反省する。また、日本側は、中華人民共和国政府が提起した「復交三原則」を十分理解する立場に立って国交正常化の実現をはかるという見解を再確認する。中国側は、これを歓迎するものである。（以下略）

一　日本国と中華人民共和国との間のこれまでの不正常な状態は、この共同声明が発出される日に終了する。

二　日本国政府は、中華人民共和国政府が中国の唯一の合法政府であることを承認する。

三　中華人民共和国政府は、台湾が中華人民共和国の領土の不可分の一部であることを重ねて表明する。日本国政府は、この中華人民共和国の立場を十分理解し、尊重し、ポツダム宣言第八項に基づく立場を堅持する。

四（略）

五　中華人民共和国政府は、中日両国国民の友好のために、日本国に対する戦争賠償の請求を放棄することを宣言する。

六　日本国政府及び中華人民共和国政府は、主権及び領土保全の相互尊重、相互不可侵、内政に対する相互不干渉、平等及び互恵並びに平和共存の諸原則の基礎の上に両国間の恒久的な平和友好関係を確立することに合意する。（以下略）

七　日中両国間の国交正常化は、第三国に対するものではない。両国のいずれも、アジア・太平洋地域において覇権を求めるべきでなく、このような覇権を確立しようとする他のいかなる国あるいは国の集団による試みにも反対する。（以下略）

参考文献

①矢吹晋『毛沢東と周恩来』講談社現代新書、一九九一年

②坪井善明『ヴェトナム――「豊かさ」への夜明け』岩波新書、一九九四年

③古田元夫『ベトナムの現在』講談社現代新書、一九九六年

④熊岡路矢『カンボジア最前線』岩波新書、一九九三年

⑤早野透『田中角栄――戦後日本の悲しき自画像』中公新書、二〇一二年

⑥渡辺光一『アフガニスタン　戦乱の現代史』岩波新書、二〇〇三年

コラム9 田中角栄という政治家

田中には渾名《あだな》がいくつもある。「いま太閤」——小学校だけの学歴で首相になった人物は「維新の元勲」を除けば一人もおらず、百姓の倅《せがれ》から太閤（関白を退いた者への尊称）にまで上りつめた秀吉にたとえられた。

「コンピュータ付ブルドーザー」——角栄は、東大出身の高級官僚も唸るほど記憶力がよくて計算が速く（蔵相在任時に提出された文書の数値を直させた）、また、官僚の発想を超えるアイディアを出した（自動車税を設けて「道路特定財源」＝高速道路建設経費とする）。「ブルドーザー」は、角栄が新潟県の土木・建設業から政界に入った経歴と猛烈な仕事ぶりを指している。

「闇将軍」「目白のオヤジ」——角栄は代議士当選時から東京に暮らし、目白に豪邸を構えた。派閥の「子分」たちは、年始の挨拶や選挙前に必ず訪れ（「目白詣《もう》で」という）、オヤジから金庫出したての「白封筒」（数百万円入りという）を受け取り、あのダミ声で「まっ、頑張れよ」と言われ、忠誠を誓ったという。首相辞任後は閣務も党務（役職なし）も、次のキング（総裁）の選定相談もここで行なったという。「金大中事件」後に韓国の金鍾泌首相が挨拶に訪れ、詫《わ》びを入れて「手打ちをした」のもここである。新聞記者も熱心に通い、「田中番」と呼ばれた。辣腕《らつわん》の記者が多かったが、筆者の知り合いの中で、田中評伝では早野透がもっとも優れ、いくつかのヒントも得た。

第10講

イスラム勢力の台頭

		世界	日本
1977	1	「憲章77」を西側報道	
	3	伊西仏共産党「ユーロ・コミュニズム」	江田、社会党を離党→社会市民連合
	8	中共大会、文革終了を宣言	
		ナイロビで国連砂漠会議	
1978	1	イランのコムで反政府デモ	
	3	ベトナム南部の社会主義化に着手	
	5	蔣経国、台湾総統に就任	
	8	日中平和友好条約調印（福田首相）	
	9	カーター仲介でサダト・ベギン会談	
	11	オーストリア、国民投票で原発拒否	
	12	ベトナム、カンボジアに軍事介入→ポル・ポト政権崩壊	
1979	1	米中国交・米台断交、イラン革命	
	2	ホメイニ帰国、中国、ベトナムに侵攻	
	3	米スリーマイル島原発事故	
	4		元号法案可決
	5	サッチャー、欧州初の女性首相	
	6	米ソ首脳会談（ウィーン）、SALT2調印	
		ASEANなどベトナム難民受入れで国際会議	
		第5回サミット（東京）	
	10	朴正熙暗殺	
	11	テヘラン米大使館占拠（人質52人81.1解放）	
	12	NATO二重決定、ソ連アフガンに軍事介入	
1980	5	韓国政府、非常戒厳令→光州事件	
	7	ミクロネシア、非核憲法採択	
	8	グダンスクで自主管理労組「連帯」結成	
	9	イラン・イラク戦争	
	12		当年の自動車生産台数1000万＝世界一

革命後(1994年度版)
小学1年国語教科書

革命前(1974年度版)
小学1年国語教科書

図26　イスラム革命と教室風景の変化

1　イラン・イスラム革命

†イスラム国家の成立

イランで親米国家として近代化を進めてきた国王パーレビ二世は、一九七九年一月反対運動の結果出国し、パリに亡命していたシーア派最高指導者ホメイニが歓呼のうちに帰国した。トルコに追放されてから一五年目のことである(図26)。

四月には「イラン・イスラム共和国」が宣言され、一二月には同国憲法が制定された。第四条には、すべての法律と規則が「イスラムの規準」に基づかねばならないと書かれている。第五条は「第一二代イマームのお隠れ中、イラン・イスラム共和国においては国の統治権ならびに指導権は、公正かつ敬虔で、時代認識をもち、勇気、管理能力を備えたイスラム法学者が責任を負う……」とある。シーア派のイマームとは、預言者（開祖）ムハンマドの血縁の後継者アリーを初代とし、その第一二代目がこの世に現れないうちは、法学者（イスラム法の解釈者）が代わって統治に当たるとされるのだが、ホメイニはその最高位にあり、大アヤトラと呼ばれた。

イスラム法は、聖典コーラン（神アラーが預言者に与えた啓示）に、預言者の言行（スンナ＝伝承）を加えたものを主として形成された。「六信五行」（信ずべきもの＝アラー、天使、預言者、コーラン、来世、運命、行なうべきこと＝信仰告白、礼拝、断食、喜捨、巡礼）から、日常生活の義務や禁忌《タブー》に至るまでを定めている。犯罪に対する処罰は、西欧起源の刑法とは異なり、盗みを働いた者は手を切り落とされる、姦通を行なった女性は公衆の前で石打ちにされるというように、古代の応報刑を残している。

政治制度は、高位の法学者が協議して最終決定を行ない、ファトゥーと呼ばれる解釈書を出す以外は、西欧起源の制度である大統領と国会が統治に当たるものと憲法に規定されている。しかし、大統領は初代を除く歴代に、法学者が選出されて執務してきたし、一院制議会はイスラム共和党のみが議席を占めた。最高指導者ホメイニは軍最高司令官であり、急進的青年から成る革命防衛隊も直属にしていた。ここでは西欧流の「政教分離」「権力の分立」はとられない。

対外関係では、アメリカを敵視し、革命防衛隊員がテヘランの米国大使館を、人質をとって長期間占拠する事件を起こした。ソ連は「無神論国家」である上に、革命直前にアフガニスタンに侵攻したので、米国＝大サタン（悪魔）に次ぐ小サタン呼ばわりされた。アフガニスタンには大量の義勇兵が「聖戦」（ジハード）の戦士として参加した。九月にはスンニー派の多い隣国イラクとの戦争に入り、一〇年も続けることになる（戦争は宗派の違いが主因ではなく、地域覇権争い）。

†白色革命への反動

イランの民衆は「近代化」そのものというよりは、その過程での貧富の格差拡大、伝統的生活と宗教的習慣の破壊に憤った。パーレビ二世が一九六三年に開始した近代化＝「白色革命」は、農地改革、国営工業の民営化、婦人参政権、識字部隊の創設など一二項目からなり、どの国でもやりそうなことだった。だが農地改革は、私有財産を認めるコーランに反するものと反発を買い、それを強行したことがとくに非難された。しかも不徹底で、土地なし農民は含まれず、小農には不利だった。並行する都市開発が離農を促し、移住者は貧困地区やスラム街の住民とならざるを得なかった。産油ブームがインフレを招き、貧困層を苦しめた。

しかし、貧困層は下級聖職者にも支援されて、イスラムの伝統である相互扶助のネットワークをバザールを中心に築き、何とか生活を維持した。「喜捨」には救貧税と自発的な献金や奉仕があるが、貧困層でも後者ならできるからである。生活に追われる女性にとって婦人参政権は縁遠いものであり、しかもイスラム法に抵触する（外出して人前に姿を見せるから）と聖職者に説かれた。反国王運動のデモに参加する女性で、チャドル（全身を覆う）を着用する者が増えたという。「西洋かぶれ」に対する抗議の意思表明だったとも、警察当局に特定されないためだったとも言われる。

2　イスラム復興運動

†イスラム教とは

七世紀にアラビア半島南部でムハンマドが開いた宗教で、唯一神を信仰する点ではユダヤ教、キリスト教の系統に属する（ヤーヴェ＝アラー）。旧約聖書を聖典とする点も共通である（「啓典の民」という）。キリスト教はイエスを「救世主」（人類の原罪を贖《あがな》う神の子）としてユダヤ教から独立した（新約聖書も聖典に）。イスラム教は、イエスを預言者の一人と認めるが、最後にして最大の預言者はムハンマドだとする（コーランも聖典にした）点が異なっている。聖地はユダヤ教、キリスト教はエルサレムだが、イスラム教にとってはメッカ、メディナとエルサレム（ムハンマドが昇天したとされる地）である。

　この三つの宗教が常に争っていたというのは誤解であり、七―八世紀のイスラム大征服のとき、ユダヤ教徒とキリスト教徒は課税されるだけで、改宗を強制されなかった。キリスト教とイスラム教の対立が強調されるのは、一一世紀の聖地エルサレムを奪還する十字軍、イベリア半島のレコンキスタ（国土回復運動）からだった（実はこの頃イスラム世界は、ギリシア・ローマの古典文明を最もよく保存し、それを継承した西欧に「一二世紀ルネサンス」が起きたのである）。パレスチナ問題も、第一次大戦時にイギリスがユダヤ人とアラブ人に同じ「建国の地」を約束した二枚舌外交（バルフォア宣言、フセイン・マクマホン協定）の後始末ができなかったことに起因する。ドイツにナチ政権が誕生し、シオニズム（「シオンの丘」に帰る思想）を奉ずるユダヤ人が大量にパレスチナに流入したことが背景となり、一九四八年にユダヤ人が独立国家イスラエルを樹立し、アラブ側が戦争をしかけたことから生じた。

　もう一つは、ユダヤ人対アラブ人の認識枠組みとユダヤ教対イスラム教の認識枠組みとの混同である。ユダヤ人はユダヤ教徒とほぼ重なるが、アラブ人とイスラム教徒はそうではない。民族・語族的にはユダヤ人もアラブ人も同じセム語族であり、中東地域でイスラム教徒になったのは、アラブ人以外にもトルコ人、イラン（ペルシア）人がいる。

また、スンニー派対シーア派の対立を強調することにも注意したい。先述したように、イラン・イラク戦争は、イランがイラク内のシーア派に反サダム・フセインをけしかけたから起こったわけではない。また、サウジアラビアは親米的でありながら、コーランの教えを厳格に守るワッハーブ派であり、アフガニスタンの対ソ「ジハード」に参加し、後に反米テロリストとして有名になるビン・ラディンの出身国である。

†ムスリム同胞団

一九八一年にエジプトのサダト大統領を暗殺して、一躍有名になったムスリム同胞団は、一九二八年に結成され、四年後にはメンバーが五〇万人を超えるほどに急成長した。彼らは性急な国家権力の獲得ではなく、宗教的に正しい生活を送ってこそ社会の改革ができるという考え方に立っていた。

モスクの建設・運営、医療奉仕活動、教育、学生・女性・労働者の組織化、企業経営、ボーイスカウトやスポーツクラブの設立・運営といった活動である。また、新聞、雑誌、小冊子などの出版活動やラジオ放送を通じた広報・普及活動も熱心に進めた。こうした活動を通じて、人々が「イスラム的なもの」を理解し、自分の信仰を「公正な社会」の実現につなげることが実感できた。活動参加が、就職やクラブ参加に役立つ「現世的利益」と「来世のための善行」になるモチベーションを与えたと言ってよい。

ムスリム同胞団は一九四八年にいったん非合法化されたが、五二年のエジプト革命に際しては指導勢力の自由将校団と連携して合法化された。その将校団の有力者ナセルが大統領になり、世俗主義的、親社会主義的な政策をとると関係が悪化し、さらに独裁化するや再び非合法化された。それでも右のような社会活動を継続、拡大して人々の支持を集めた。しかも「ムスリム同胞団」は中東各国でも結成され（パレスチナのハマスの母体も同胞団）、隠然たる革命勢力に成長するに至ったのである。

3 イスラム世界の広がり

†中東戦争とアラブ結束

第一次中東戦争（一九四八年）から第四次中東戦争（一九七三年）までは、パレスチナ問題はイスラエル対アラブ国家群の枠組みで理解され、イスラエル打倒は「アラブの大義」とさえ言われた。ソ連は、エジプトのナセル政権を皮切りに、イラクやシリアのバース党政権を支持・援助してアラブに親社会主義国家を育てようとし、他方、アメリカは第三次中東戦争からイスラエルに対する経済・軍事援助を強化し、パレスチナ問題は冷戦の一環に組み込まれた（図27）。

戦争はすべてイスラエルの勝利で、イスラエルは第三次中東戦争の結果、シナイ半島、ゴラン高原（シリア）、ヨルダン川西岸とガザという広大な領土を獲得し、合計九〇万人近い難民が生まれた（第一次ではパレスチナ難民は一〇〇万人と言われた）。第四次中東戦争ではOAPECが石油価格の大幅引上げに訴え、戦争には敗れたが、経済的には米欧を大いに苦しめた。アラブの反イスラエル結束がみごとに結実したと言ってよい。

しかし、パレスチナ問題の主役は当事者のパレスチナ人であり、イスラエル（ユダヤ）人である。PLO（パレスチナ解放機構）は一九六四年に結成され、当初はナセルの庇護下にあったが、第三次中東戦争の敗北を機に、アラファトを議長に武装闘争組織として再出発した。イスラエルの占領地ヨルダン川西岸とガザを中心に、ゲリラ闘争を展開した。アラファトはまた外交にも巧みで、七四年一〇月アラブ連盟首脳会議でPLOがパレスチナの代表だと認めさせ、七四年一一月には国連総会で演説して、「パレスチナ人の民族自決

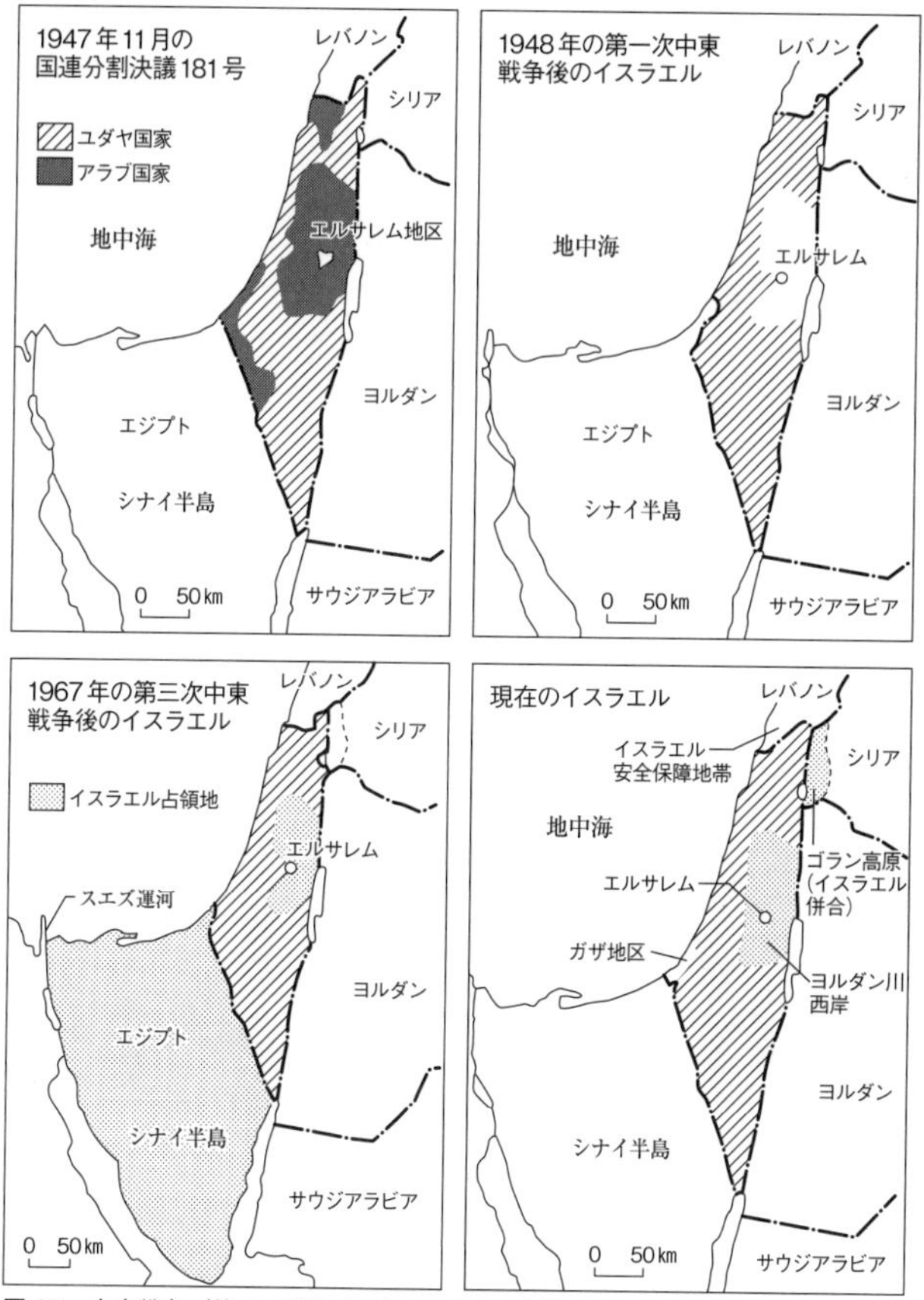

図27　中東戦争（第1-4次）とパレスチナの変遷

権」を総会決議にすることに成功した。

パレスチナ問題のアラブ主導が崩れたのは、七八年の米国カーター大統領仲介によるエジプト・イスラエル単独和平の首脳会談（キャンプ・デヴィッド合意）である。エジプトはイスラエルを承認するのと引換えに占領地を返還してもらったが、シリアのイスラエル占領地はそのままで、「アラブの大義」はアラブの中心国によって放棄されたのである。PLOには何の相談もなかった。サダト大統領は「裏切り者」として過激イスラム主義者に暗殺された。サダトとしては、国土の一部を失ったエジプトの経済を建て直すために、ソ連を見限って、米国に頼ったということであろう。

パレスチナ問題のアラブ主導にとどめを刺したのは、一九九一年の湾岸戦争の際にイラクのサダム・フセインがイスラエルを攻撃してアラブ諸国を味方に引きつけようとした（PLOもフセインを支持した）ことだが、それは先の話である。

なおPLO自体は世俗的な（宗教国家をめざさない）組織で、イスラエルとの共存に合意するほど穏健になったが、その周辺にはイスラム主義団体も結集していた。その中の一つレバノンのシーア派ヒズボラ（神の党）は、アメリカ・フランス軍海兵隊兵舎に自爆攻撃をかけたことで有名になった（一九八三年）。

†イスラム勢力の拡大

イラン・イスラム革命は、中東アラブ地域だけではなく、旧ソ連ムスリム地域（アゼルバイジャン、中央アジア五カ国）、中国（新疆ウイグル自治区）、東南アジア（インドネシア等）にも少なからぬ影響を与えた。

ソ連中央アジアでは一九七〇年代後半から、ウズベキスタン東部やタジキスタン南部に「草の根のイスラム復興運動」が登場した。独ソ戦争中に設立されたムスリム宗務局は、公認の教義維持や法学者の育成、モスクの管理などを行ない、ソ連政府の中東政策に協力してきた。この当局公認の法学者の教説に飽き足りず、コーランやスンナに基づく純粋なイスラムへの回帰を主張する青年グループが生まれた。彼らはとくに、ウズベク・フェルガナ出身の法学者ヒンドゥスタニーの思想に惹かれた。

ヒンドゥスタニーは、中央アジアのムスリムは、長い抑圧を耐え忍んできた結果として得られた今（ペレストロイカ期の自由）を享受すべきであると説き、ムスリム間の無益な殺害――アフガニスタンの戦士たちのような――を容認しなかった。「草の根」団体は社会の中に浸透し、次のような活動を行なった。閉鎖されていたモスクやマドラサ（聖職者養成学校）の再開・修復・創建、児童向けコーラン学校の開設、メッカ巡礼の奨励、イスラム基本文献の頒布などである。モスクは、地域の人々が資金と労力を供出して建設したものが多かった。こうした地道な活動と宗教生活が、ソ連解体と諸共和国の独立後に大きく開花することになる。

中国新疆ウイグル自治区では、イスラム教徒のウイグル人は人口の半数近くを占め（約七〇〇万人）、一九四四年には「東トルキスタン共和国」を宣言して中国国民政府に潰された経験と記憶があった。新中国の民族政策は、ソ連のように名目的とはいえ連邦を構成する共和国さえなく、自治区が少数民族の最大構成単位だった。漢民族が数多く移住し、同化を強いられた中での自治、独立の運動は容易ではなかった。しかし、ウイグル人はカザフスタンに二〇〇万人、キルギスタン、タジキスタン、パキスタンには計一〇〇万人が住んでいた。パキスタンを除くソ連の三つの共和国でパレストロイカが始まると、ウイグルにもイスラム運動が及んでくることになる（トルコには、亡命ウイグル人の「東トルキスタン連帯社会評議会」があって資金を援助した）。

インドネシアは人口の八割がムスリムというイスラム大国で、スカルノ体制ではイスラム団体は国民党、共産党と並ぶ三本柱だったが、スハルト体制では政治から排除されていた。イスラム団体は二〇世紀初めから存在したが、一九八〇年代に中東諸国に留学していた青年が「イスラム同胞団」の思想と活動を持ち帰った。イスラム教の国教化（コーランを憲法とする）と「社会的公正」を求め、イスラム内部の腐敗や堕落を批判して一定の勢力に成長した。イスラム主義運動が活発になるのはアジア通貨危機（一九九七年）とスハルト退陣以降のことだが、それは先の話である。

参考文献

①山内昌之『イスラームと国際政治―歴史から読む―』岩波新書、一九九八年
②板垣雄三編『「対テロ戦争」とイスラム世界』岩波新書、二〇〇二年
③末近浩太『イスラーム主義―もうひとつの近代を構想する―』岩波新書、二〇一八年
④桜井啓子『現代イラン　神の国の変貌』岩波新書、二〇〇一年
⑤酒井啓子『イラク　戦争と占領』岩波新書、二〇〇四年
⑥保坂修司『サウジアラビア―変わりゆく石油王国―』岩波新書、二〇〇五年
⑦渡辺光一『アフガニスタン―戦乱の現代史―』岩波新書、二〇〇三年
⑧桜井啓子『日本のムスリム社会』ちくま新書、二〇〇三年

コラム10 イスラムの宗教と風習

イスラム世界はキリスト教世界と異なる点も少なくない。暦は、ムハンマドのメッカからメディナへの移動（ヒジュラ）の年、キリスト暦六二二年がイスラム暦元年である。これは太陰暦であるため一年は三五四日で、よく知られている断食の九月はラマダーンという。礼拝は日に五回とされ、世界のどこにいてもメッカに向かって行う。断食といっても、日没から日の出までは自由に飲食できる。ジハードに関しては、コーラン（クアルーン）に信仰のために戦って死んだ者＝殉教者は天国に行ける旨が記され、今日の自爆テロの宗教的根拠になっている。

妻を四人まで娶《めと》れるというのもコーランに記述があり、女性は男性の前でヴェールを被る義務があり、礼拝での男女別室等とともに、現代の欧米では女性差別と批判される。しかし、一夫多妻については、イスラム教団創立期に戦死した男性の妻子をも扶養する習慣の名残であり、一種の福祉だとも言われる。むろん、現代ではこうした宗教的制約に囚われないイスラム女性も多い。

生活習慣の分野では、食物のタブーと飲酒禁止が知られている。豚肉を食さないのは創立期の部族的習慣で、ユダヤ教も同じである。現代では、肉類はハラル処理されていれば許される。飲酒は、厳格に禁止されている訳ではなく、地域差もある。筆者のカザフスタン滞在時にはホストも結構飲んでいたが、訪日したカザフ人ムスリムはベジタリアンで、飲酒もしなかった。

第11講

新自由主義と日本の大国化

<table>
<tr><th></th><th></th><th>世界</th><th>日本</th></tr>
<tr><td>1981</td><td>2</td><td>ポーランドでヤルゼルスキ首相就任</td><td></td></tr>
<tr><td></td><td>3</td><td colspan="2">中国残留孤児 47 人が親族探しで初来日　安保条約肯定が 55%（朝日 3.25）</td></tr>
<tr><td></td><td>4</td><td>レーガン大統領、米自動車産業救済策</td><td></td></tr>
<tr><td></td><td>5</td><td>フランスでミッテラン、大統領当選</td><td></td></tr>
<tr><td></td><td>10</td><td>サダト大統領暗殺</td><td></td></tr>
<tr><td></td><td>12</td><td>ポーランドで戒厳令</td><td></td></tr>
<tr><td>1982</td><td>3</td><td>米議会で日本の半導体が米産業の脅威という議論</td><td></td></tr>
<tr><td></td><td>4</td><td>イスラエル、シナイ半島をエジプトに返還</td><td></td></tr>
<tr><td></td><td>4, 5</td><td>英・アルゼンチン間フォークランド戦争</td><td></td></tr>
<tr><td></td><td>6</td><td>ニューヨークの反核デモに 100 万人</td><td></td></tr>
<tr><td></td><td>7</td><td colspan="2">中・韓紙が日本の検定教科書修正を批判</td></tr>
<tr><td></td><td>9</td><td>パレスチナ難民キャンプで大量虐殺</td><td></td></tr>
<tr><td></td><td>10</td><td>西独でシュミット首相不信任、キリスト教民主同盟のコール首相へ</td><td></td></tr>
<tr><td></td><td>11</td><td>ブレジネフ書記長死去</td><td>第 1 次中曽根内閣成立</td></tr>
<tr><td>1983</td><td>1</td><td colspan="2">中曽根首相、まず訪韓、ついで訪米</td></tr>
<tr><td></td><td>3</td><td>西独議会選挙で「緑の党」初の議席獲得</td><td></td></tr>
<tr><td></td><td>4</td><td>レーガン「スターウォーズ」演説</td><td></td></tr>
<tr><td></td><td>8</td><td>フィリピンのアキノ上院議員暗殺</td><td></td></tr>
<tr><td></td><td>9</td><td>ソ連による大韓航空機撃墜事件</td><td></td></tr>
<tr><td></td><td>10</td><td>西欧各国で反核集会</td><td>ロッキード事件判決、田中懲役 4 年など</td></tr>
<tr><td></td><td>11</td><td colspan="2">レーガン来日</td></tr>
<tr><td>1984</td><td>1</td><td></td><td>中曽根、靖国神社を年頭に参拝</td></tr>
<tr><td></td><td>2</td><td>アンドロポフ死去→チェルネンコ</td><td></td></tr>
<tr><td></td><td>3</td><td colspan="2">中曽根訪中、趙紫陽首相と会談</td></tr>
<tr><td></td><td>5</td><td>金日成主席、訪ソ</td><td></td></tr>
<tr><td></td><td>9</td><td colspan="2">全斗煥大統領、来日</td></tr>
<tr><td></td><td>12</td><td></td><td>電電公社が民営化</td></tr>
</table>

1　英米の新自由主義

†新自由主義とは

資本主義はイギリス産業革命に始まったが、一八世紀のA・スミスが唱えたのは、市場の自由な競争（「見えざる手」による自動的な需給調整）であり、国家は税金をとり、治安と国防につとめていればよいという「夜警国家」観とセットだった（これは実は、一九世紀の社会主義者ラサールが、自由な競争が労働者に対する無制限な搾取しか意味しないとして、国家による保護を求めた批判の言葉）。それは一九二九年に始まる世界大恐慌まで支配的な資本主義観だった。

大恐慌後の資本主義は、アメリカのニューディールのような政府による市場への介入と需要の創出、金本位制から管理通貨制度への移行と中央銀行による金利調整を主柱とするシステムに改革された。イギリスのケインズが理論化し、戦後の欧米・日本の高度成長を可能にしたシステムである。過度な自由競争を制限し、労働者も分配の成果に与《あずか》り、内需を伸ばすとともに、福祉を実現していくものだった。このケインズ政策は一九七三年の石油危機まで続いたが、スタグフレーションに直面して機能不全に陥り、アメリカのフリードマンらが「国家の市場への過度な介入」「大きな政府」を批判し、経済学と経済政策の主流になったのが「新自由主義」である。

もちろん、一八世紀の自由主義に回帰できるはずもなく、国家による為替管理や金利調整は維持されたが、政府による市場規制を減らし、独占禁止法制を緩和して、企業間の競争を活発化しようというものである。

†英サッチャー政権

イギリスでは、一九七九年に保守党のサッチャーが労働党のキャラハンから政権を引き継いだとき「イギリス病」(経済の停滞、EC先進国に対する立ち遅れ)の克服を訴えた。彼女は労働者階級出身で、エリートの仲間入りしたものの、知識人嫌いだった。選挙スローガンは「法と秩序」であり、就任後最初にやったことは軍人と警官の給与引き上げだった。

アトリー、ウィルソン政権以来、国有化は基幹産業(鉄道、炭鉱、電力、鉄鋼)のみならず、電信電話、社会保険、医療部門にまで及んでいた。それが「イギリス病」の原因だと決めつけて私有化(民営化)を進めたのである。まずは政府補助金の削除や人員削減から始め、それにストライキで抵抗する労働組合を力づくで抑え込んで、民営化へと進んだ。この結果、失業者は政権発足時の約一五〇万人から二年間に約三〇〇万人に増えた。他方では減税を実施したが、富裕層も貧困層も同様だったため、労働者の不満を呼んだ。

たしかに、どの政権も当初は経済実績が上がらず（GNPは八〇年、八一年ともマイナス）、支持率は下がるものだが、サッチャーはフォークランド島のアルゼンチンとの間の領有紛争を戦争に訴えることによって一挙に人気を回復した。八四年の保守党大会では「雇用の無策」を公然と批判されたが、翌日IRAのテロ攻撃を間一髪で逃れて、同情を買ったばかりか、テロリズムとの闘いに焦点をずらして人気を回復した。

その後サッチャーは福祉・教育部門でも、病院・福祉施設、学校の職員給与引き下げ、人員削減から民営化へと進んだ。教育に関しては、公立学校の教育が青少年の退廃を招いたとして、就学前の家庭教育、幼児からの宗教教育と躾《しつけ》を強調した。また、アトリー政権以来の公営住宅の安価な供給から、補助金を出しての「持ち家」政策に転換し、労働者の歓心を買おうとした。

こうしてみるとサッチャー政権は、新自由主義的な経済政策と保守主義的な教育・社会・国防政策のミックスをとったと言える。それは、米国のレーガン政権にも該当する。

†米レーガン政権

レーガンは一九八〇年末の選挙に勝利して、翌年大統領に就任した。カーター民主党政

年次	実質成長率（%）	失業率（%）	消費者物価（%）	労働生産性（%）	財政収支（億ドル）	経常収支（億ドル）	貿易収支（億ドル）
1977	4.5	7.1	6.5	1.4	−537	−145	−311
1978	4.8	6.1	7.6	0.7	−592	−154	−339
1979	2.5	5.8	11.3	−1.4	−402	−10	−275
1980	−0.5	7.1	13.5	−0.9	−738	11	−255
1981	1.8	7.6	10.3	0.9	−790	69	−280
1982	−2.2	9.7	6.2	0.1	−1,280	−59	−364
1983	3.9	9.6	3.2	2.4	−2,078	−401	−671
1984	6.2	7.5	4.3	2.1	−1,854	−990	−1,125
1985	3.2	7.2	3.6	0.8	−2,123	−1,223	−1,221
1986	2.9	7.0	1.9	1.9	−2,212	−1,454	−1,451
1987	3.1	6.2	3.6	0.8	−1,498	−1,602	−1,595
1988	3.9	5.5	4.1	0.9	−1,552	−1,262	−1,270
1989	2.5	5.3	4.8	−0.9	−1,535	−1,063	−1,159
1990	1.0	5.5	5.4	−0.1	−2,205	−921	−1,081
1991	−1.2	6.7	4.2	n. a.	−2,695	−83	−667
1992	2.1	7.4	3.0	n. a.	−2,902	−664	−845

表7　アメリカの「双子の赤字」

権がイラン大使館占拠事件の解決に手間取ったこと、ソ連がアフガニスタンに軍事介入したことを挙げ、「強いアメリカ」をアピールしての勝利だった。しかし、経常収支と財政収支の「双子の赤字」解消は難題だった。前政権期には対外投資からの収益受取りが大きく、貿易赤字をカバーしていたが、レーガン政権下では対米投資増に伴う収益受取りの赤字化のため、貿易赤字と合せて経常収支の赤字が膨大になった。しかも財政収支も、軍事支出や社会保障支出のために赤字だった（表7）。

　これに対応する「レーガノミクス」は、新自由主義らしく減税による企業活動の活発化であり、歳入減少に応じた歳出削減である。所得税の累進性は弱められ、相続税も大幅に削減された。反対に、社会保障税は上限額も税率も引き上げられた（日本のような企業単位の労使掛け金積立ではない）。母子家庭への公的扶助も、低所得者向け医療扶助制度に対する補助金も減額された。企業活動に対する政府規制の増大が生産性低下とインフレの隠れた要因と見なされ、反トラスト法的な経済的規制だけではなく、消費者保護や環境保護などの社会的規制も緩和された。

アメリカはたしかに貧富の格差が大きいが、右の減税は中間層をも対象としたもので、共和党の基盤拡大を狙っていた。レーガンが大統領選挙で訴え、動員に成功したのは宗教的右派、プロテスタントの「キリスト教原理主義《ファンダメンタリズム》」グループだった。彼らは、聖書の記述は一字一句まで正しいと信じ、「神がアダムとイヴを創った」のであって、人間は猿が進化したものではないと主張した。一部の州では公立学校で進化論を教えることが立法により禁止されたほどである。このグループはまた、麻薬やエイズの流行を「道徳的腐敗」の結果として断罪したので、中間層を惹きつける点でもレーガンには有用だった。

レーガンは、政権成立直前のＮＡＴＯの二重決定（ソ連が西欧向けに中距離ミサイルＳＳ20を配備するなら、巡航ミサイルを対抗して配備すること）、ソ連のアフガン侵攻によって悪化していた対ソ関係を、ソ連を「悪の帝国」と呼んで、エスカレートさせた。八三年には「スター・ウォーズ計画」（宇宙空間の人工衛星が飛行中のＩＣＢＭをレーザー光線で撃墜する構想）まで発表したが、天文学的な経費を要するため構想倒れに終わった。

2 日米経済摩擦とナショナリズム

†日米経済戦争

アメリカ経済は、レーガノミクスでも容易には好転しなかった。日本経済は、石油ショックを転機に産業構造の転換と技術革新を進めてきた成果を示すようになった。鉄鋼や自動車など従来から強い部門は、輸出攻勢で世界の市場を席巻した。新日本製鉄はUSスチールを年産で追い抜き、自動車は一九八〇年に生産台数で世界第一位となった。とくに中小型乗用車ではアメリカ市場を制圧し、工場労働者が日本車をハンマーで打ちこわすTVコマーシャルが「日本叩き（ジャパン・バッシング）」を象徴するものとなった。日本としては乗用車の対米輸出を自主規制する他なかった。

他方でアメリカは、農産物輸入で制限を残している日本に全面的開放を迫ってきた。一九八八年にはついに牛肉・オレンジなどの輸入が自由化された。アメリカはさらに、日本の市場が外国企業の参入にも閉鎖的であると批判し、政府による規制の撤廃を求めてきた。

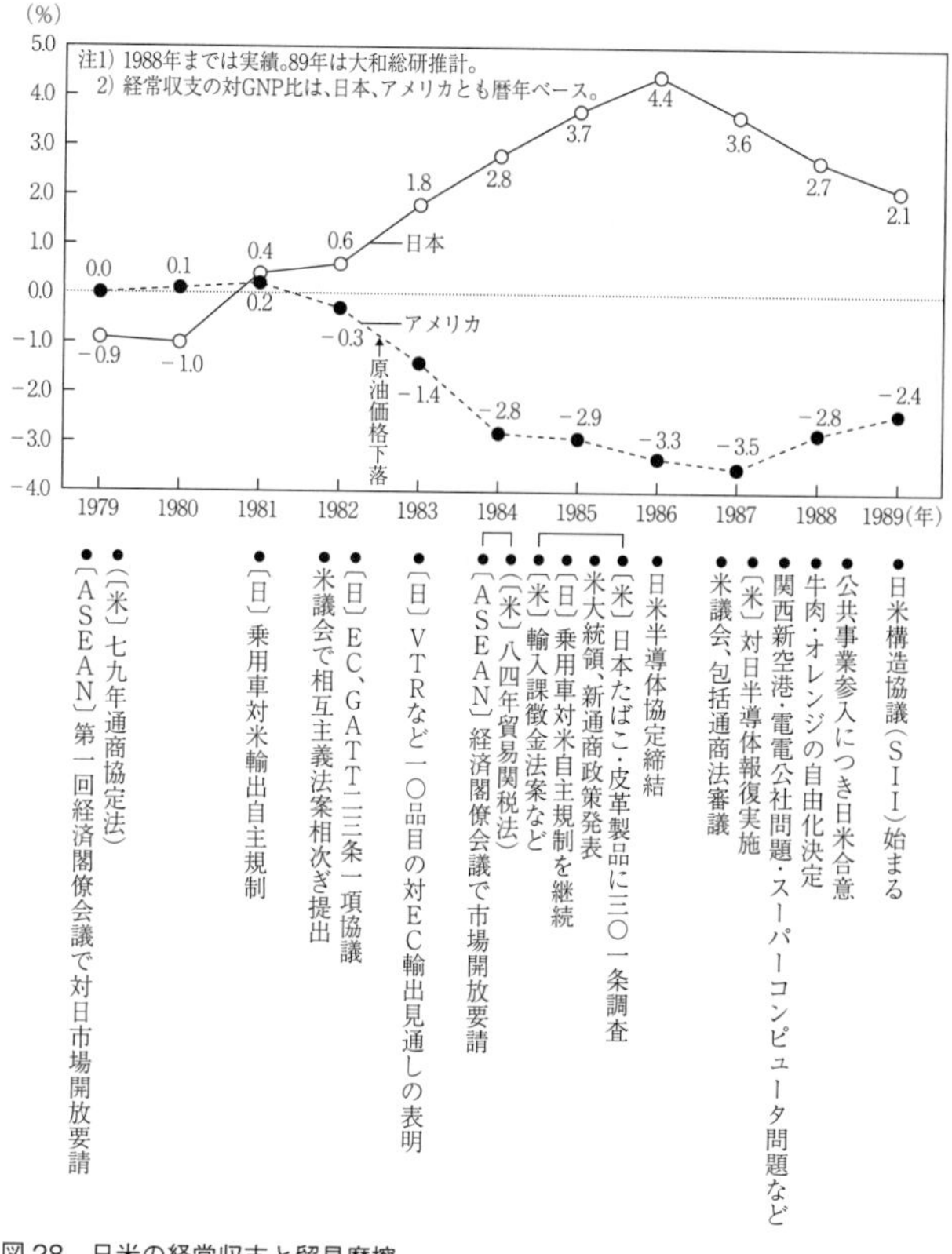

図28　日米の経常収支と貿易摩擦

日本では八六年に「前川レポート」が政府に提出され、内需拡大と市場開放を進めるよう提言した。八七年には、アメリカは半導体搭載のパソコン、カラーテレビ等の輸出に対して一〇〇％の報復関税をかけるに至った。八九年に「日米構造協議」が始まり、銀行・保険（生命保険、自動車保険等）・コンピュータなどの業界への外国資本の参入が順次実現される（図28）。

こうした日米経済摩擦の中で、長らくアメリカに対して従属的な地位を余儀なくされてきた日本の中に、反米的な言説が登場した。自民党右派の石原慎太郎（元は小説家）とソニー会長の盛田昭夫の共著『「NO」と言える日本』（一九九〇年）がそれである。日本を高く評価する議論の先陣を切ったのは実はアメリカの社会学者ヴォーゲルで、彼の言葉〈Japan as No.1〉（一九七九年）は「日本論」ブームの口火となった。

「日本株式会社」は高度成長期には「政府の過度の経済介入」として外国で批判的に語られたが、八〇年代は「日本の強み」として自画自賛的に語られるようになった。「日本的経営」（終身雇用、年功序列制、集団主義）も、アメリカ的な経営（頻繁な転職、実力主義、個人主義）に対する長所として語られたのである。

†バブル経済へ

日本経済の「独り勝ち」とも言える好調の中で、一九八五年九月先進五カ国（米・英・仏・西独・日）財務相・中央銀行総裁会議は、ドル高是正の協調介入を行った（ニューヨークの会場＝プラザ・ホテルの名からプラザ合意）。円高を容認するということで、その翌日から円相場は高騰した（一ドル＝二四〇円台から一四〇円台にまで。巻頭図A）。

この結果、円安でこそ売上げを伸ばせる輸出関連産業は大きな打撃を受け、地場産業に頼る地域では「産業の空洞化」が進み、あるいは、多少とも余力のある企業はコスト引下げのため、海外（中国と東南アジア諸国）に工場を移転した。

他方、バブル景気の後押しを受けて「海外旅行ブーム」が起こった。折しも、敗戦時に二〇歳だった者が六〇歳＝定年に達して、固定相場制（一ドル＝三六〇円）の時代には困難だった海外旅行をできるようになったのである。近場はハワイから、遠くは西欧まで旅行会社のツアーが仕立てた団体旅行で、高級品の土産を買いあさり、時にはマナー違反で顰《ひん》蹙《しゅく》を買いながらの旅行だった。海外旅行にはまだ手が届かない若者は、輸入ブランド品を買い求めた（海外旅行は一九六四年には僅か一三万人だったが、九〇年には一〇〇〇万人となった）。

円高の下で外国人投資家の円買いも進み、日銀も円を増刷・発行し、金利を引下げたので、市場では「過剰流動性」問題が発生した。企業は新規設備投資を含む規模拡大には慎重だから、市場の余分な資金は株式購入や土地への投資に向けられるようになった。この頃の株式相場、土地価格は右肩上がりで上昇し続け、成金は豪勢な住居に住み、高価な絵画や調度品を飾り、高級外車を乗りまわす時期だったが、それは一〇年程度しか続かなかった。こうして実体経済と貨幣・信用市場とがしだいに遊離する「バブル経済」も弾ける。

3　中曽根の外交と内政

中曽根康弘は、五大派閥のボスとしては最後に首相の座が回ってきたが、日本経済が好調だったこと、田中角栄の権勢が落ち始めていたことが幸いして五年間も政権を担当した（一九八二年一一月首相就任、八三年一〇月田中に東京地裁が有罪判決）。

†日米同盟とアジア

中曽根が就任後、八三年一月韓国に続いてアメリカを訪問したのは、日米経済摩擦への対応と、対ソ強硬姿勢のレーガン大統領との会談で日米同盟を強化するためであった。二人の関係は「ロン（ロナルドの愛称）・ヤス」と呼び合う親密さで、レーガンも中曽根の「日本列島は不沈空母だ」という元海軍将校らしい勇ましい表現（実は通訳の意訳だったという）が気に入ったようである。同じワシントン・ポスト紙で、中曽根は「三海峡（宗谷、津軽、対馬）を封鎖してソ連太平洋艦隊を日本海に閉じ込める」とも発言した。五月のウィリアムズバーグ・サミットでは「NATOの二重決定」（先述）を支持した。

九月に「大韓航空機撃墜事件」が起きると、自衛隊が傍受したソ連戦闘機と地上基地との交信記録を米韓両政府に直ちに提供した。中曽根は世論の動向に敏感だったので、世論調査で日米安保条約肯定論が初めて過半数を超えると、安心して安保条約強化論を唱え、日本の原油輸入ルートを含む「シーレーン防衛」構想を打ち出した。自衛隊の強化にも熱心で、防衛関係費の国民総生産に対する割合は、歴代内閣が堅持してきた一％未満を初めて一九八七年に超えるに至った。

中曽根はまた、先述のナショナリズムの波に乗って、周辺諸国の不安を募らせるような政策をとった。一九八二年七月に中国の『人民日報』と韓国の『東亜日報』が、日本の検定による中学校歴史教科書の書き換えを批判した。ある検定済み教科書が、太平洋戦争を「アジア諸国の独立運動を励ますものだった」と書き、「大東亜共栄圏」を肯定するかのような記述だったこと、別の教科書が「侵略」を「進出」に書き換えたことに反発したのである。韓国の教科書は「日帝（日本帝国主義）の侵略戦争」と規定し、「強制徴用」「強制徴兵」を挙げ、資源略奪と民族文化の破壊を批判するものだった。中国の教科書は、日本軍による侵略と占領の実態に触れ、中国人民を苦しめたことを叙述するものだった。

これは、沖縄戦での日本軍による住民虐殺の記述回復を求める沖縄県議会意見書も生み出したが、対中韓の外交問題としては、検定審議会が「アジア諸国との国際理解と協調の見地から配慮を加える」よう答申し、一一月に文部省が検定基準を改定して、決着をみた。ところが、一九八五年八月一五日、中曽根は首相として初めて靖国神社に公式参拝し、またも中韓両国から批判を浴びた。その結果一〇月に中曽根は、秋季例大祭への参加を見送ると表明した。九月には純国内問題と判断してか、文部省が「日の丸」掲揚、「君が代」斉唱を徹底するよう、小中高校に指示した。中曽根のこのような対応に中韓両国が満足しなかったことは、九〇年代に歴史問題が再燃したことからも明らかである。

†行政改革と民営化

中曽根の「戦後政治の総決算」は主として内政の大変革を指すものと理解されてきた。そもそも、この言葉は首相就任時には使われていなかった。所信表明演説のキー・ワードは「逞《たくま》しい文化と福祉の国日本」であった。中曽根はのちに「戦後政治の総決算」は、①「吉田政治の是正」、②「行財政改革の遂行」、③「国際貢献に邁進すること」を意味すると説明した。「吉田政治」とは軽武装経済優先の「一国平和主義」のことだという。このうち①と③は説明済みなので、②を詳述する。

中曽根は、前内閣の時（彼は行政管理庁長官）に設けられた「第二次臨時行政調査会」を最大限に活用した。会長は元経団連会長の土光《どこう》敏夫で、毎朝メザシを食する庶民的な「財界総理」で世間の評判はよかった。財界からは宮崎輝（旭化成社長）、瀬島龍三（伊藤忠相談役、元大本営・関東軍参謀）も加わり、財界主導は明らかだったが、労働界からも総評、同盟から一人ずつ加えた九人構成である（実務面は官僚が助けた）。

中曽根は少数派閥のボスにすぎず、田中派の強い影響下で出発したので（閣僚二〇名中六名）、自民党（田中派）、官僚（省益がバック）、族議員（利益団体がバック）の圧力をかわすためにも、右のような審議会政治を活用することになった。加えて、中曽根は世論対策とマスコミ操作にも長《た》けており（『讀賣』の渡邉恒雄が右腕）、政策実施のキャンペーンに役立てた。

行政改革で実行されたのは、イメージされるような省庁の統廃合や国と自治体の分担見直しではなく、国有企業や公的企業体の英米にならった新自由主義的な民営化であった。対象になったのは日本国有鉄道、電信電話公社、専売公社（タバコとアルコール）である。電電公社は黒字だったが、国鉄と専売公社は赤字で（国鉄は累計二二兆円も借金）、それを政府が国家予算から補塡していた。これを切り離すことが「増税なき財政再建」（臨調と中曽根のキャッチ・フレーズ）の第一歩だった。

最初に手がけ、比較的容易に実現されたのは電電公社だった。総裁が「分割は先送りしても民営化は認めろ」と全電通(労組)委員長を説得した。自民党内では、いずれ郵便・貯金事業も標的になると恐れた郵政族が抵抗したが、腰砕けになった。こうして一九八五年四月に新会社NTT(日本電信電話)が、同日に新会社JT(日本たばこ産業)が発足した(外国製タバコの輸入も自由化)。

難関は、総評最強の国鉄労組と動力車労組があり、自民党の運輸族も少なからぬ力を持つ国鉄の分割民営化だった。七五年のスト権ストで世論の反感を買った労組は、居眠り運転や遅延、各種の事故のたびにマスコミの激しい批判キャンペーンに晒《さら》され、国鉄労使の「親方日の丸」(最後は国が面倒をみてくれると依存する)体質が槍玉に挙げられた。分割民営化法案は八六年三月に国会に上程され、七月の衆参同日選挙で争点の一つにして自民党が大勝し、一一月末に成立させた(JR発足は八七年四月)。

中曽根は当日の日記に「二百三高地はついに落ちた」と、日露戦争を持ち出す元軍人らしいはしゃぎぶりを示した。重要なのは、のちの記述「分割民営化は、国労の崩壊、総評の衰退、社会党の退潮に拍車をかけて、五五年体制を終末に導く大きな役割を果たした」という、自慢めいてはいるが当たっている指摘であろう(実際、八九年に総評は解散し、労使協調的な民間労組が多数を占める日本労働組合総連合=連合に組み込まれた)。

最後に、中曽根政権期の一九八五年に国連女性差別撤廃条約が批准され、国内では関連国内諸法の改正が進められ、「男女雇用機会均等法」が成立したことを指摘したい。日本でもようやく就職差別を改め、「総合職」（「一般職」に対する）にも女性が進出するようになったのは、十数年にわたる上野千鶴子らの研究及びフェミニズム運動の成果と言える。同時に直後に「アグネス論争」（アグネス・チャン対林真理子）が起こり、子連れで働くことの是非や、職場に保育所を設けるか、公的保育所を増設するか等の議論になった。やがて職場等におけるセクシャル・ハラスメント（セクハラ）も社会問題になる。

参考文献

①森嶋通夫『サッチャー時代のイギリス―その政治、経済、教育―』岩波新書、一九八八年
②進藤榮一『アメリカ　黄昏の帝国』岩波新書、一九九四年
③吉見俊哉『ポスト戦後社会　シリーズ日本近現代史⑨』岩波新書、二〇〇九年
④服部龍二『中曽根康弘――「大統領的首相」の軌跡』中公新書、二〇一五年
⑤久米郁男『労働政治――戦後政治のなかの労働組合』中公新書、二〇〇五年

コラム11　円高で海外訪問

筆者が訪れた最初の外国は一九八一年のアメリカで、ワシントンの議会図書館でロシア語文献を読んだ。予備校の世界史講師をしていたので、ボストンなど独立運動の故地を訪ねた。宿舎周辺で朝ジョギングをしていたら、すれ違った黒人青年に「ジャップめ」と吐き捨てるように言われた。

翌年は、母親へのプレゼントとして中国への団体旅行に同行した。北京や西安（洛陽）を巡る旅で、故宮、万里の長城、龍門石窟、始皇帝陵や華清池（楊貴妃が水浴びをしたとされ、のち張学良が蔣介石を監禁した場所）を観光した。北京市内では纏足《てんそく》の老婆がよろよろ歩いているのを見かけた。郊外に出ると、農耕用の牛馬が未舗装の道路で荷車を引いていて、昭和二〇年代の日本の光景が思い浮かんだ（「改革・開放」開始からわずか三年余り）。

一九八六年には、スペイン内戦勃発五〇年を念頭にスペイン各地（＋イタリア＋ギリシャ）を巡った。マドリード、バルセロナ以外に、世界史教師としてはイスラム文化が残るトレド、コルドバ、セビリヤ、グラナダも回った。マドリードでは人民戦線側の防衛の前線だった大学の中の慰霊碑に献花した。ピカソの「ゲルニカ」も初めて見た。バルセロナでも内戦を偲び、またサグラダ・ファミリャも見学した。八月の猛暑だったが、食事とワインには満足した。前年にE・H・カーの『コミンテルンとスペイン内戦』を翻訳した筆者にとって、「巡礼」の旅だった。

第12講 ペレストロイカと冷戦終結

		東欧	ソ連
1985	3		ゴルバチョフ、ソ連共産党書記長就任
	7		ゴルバチョフ、核実験の一方的停止発表
1986	2		党大会、新綱領・規約を採択
	4		チェルノブィリ原発事故
	11		個人営業法
1987	1		党中央委総会、ソヴィエト選挙改革決定
	6		国営企業法
	12		ゴルバチョフ訪米、INF 全廃条約
1988	1	ハンガリーでカダル党第一書記引退	ナゴルノ・カラバフ紛争始まる
	5		アフガン駐留軍撤退開始
	6		党協議会、人民代議員大会設置等を決定
	7	ワルシャワ条約機構首脳会議、ブレジネフ・ドクトリン無効を宣言	
1989	1	ハンガリーで複数政党制	
	4	ポーランドで「連帯」合法化	（グルジア）トビリシ事件
	5	ハンガリー、オーストリア国境開放	
	11	東ベルリンで 100 万人デモ→「壁」崩壊	
	12		米ソ首脳マルタ会談
1990	1		ナゴルノ・カラバフに非常事態宣言
	3		リトアニア独立宣言
			人民代議員大会でゴルバチョフを大統領に選出
	6		ロシア共和国主権宣言
	10	ドイツ統一（連邦共和国への東独吸収）	
	11		「500 日で市場移行」案、斥けられる
1991	1		リトアニアで連邦軍が独立運動弾圧
	6		エリツィン、ロシア大統領に
	8		保守派クーデタ失敗→共産党禁止
	12		3 共和国ミンスク合意→ソ連解体 ロシア、ウクライナ、ベロルシア

1 ペレストロイカの背景

†ポーランドとハンガリーの改革

ソ連軍によってファシズム支配から解放された東欧諸国は、冷戦開始以降一党支配と計画（指令）経済に移行し、コミンフォルム、ワルシャワ条約機構、コメコン（経済相互援助会議）の統制下に置かれていた（例外は、ソ連離れしたユーゴスラヴィアとアルバニア）。

ソ連支配から離脱しようとする運動は、一九五六年にポーランド、ハンガリーで、六八年にチェコスロヴァキアで、八〇年にポーランドで起こったが、ハンガリー、チェコのようにソ連軍、ワルシャワ条約機構軍に弾圧されるか、二度目のポーランドのようにソ連介入の先手を打った国軍に弾圧されるかの結果に終わった。「プラハの春」までは共産党の民主化が主要な目標だったが、ポーランド「連帯」（自主労組）運動は、党支配そのものへの挑戦だった（映画『鉄の男』）。チェコの運動を弾圧した後に出された「ブレジネフ・ドクトリン」は「社会主義共同体の利益は個々の加盟国の利益に優先する」として、軍事介入を正当化し、主権侵害を公然と認めたもので、長らく反ソ民主化運動の足枷《あしかせ》になった。

とはいえ、スターリン批判後にポーランドやハンガリーでは、改革派の学者の間で市場経済の導入と指令経済の分権化が検討され、ハンガリーでは早くも一九六八年以降、市場経済の導入が開始された。ポーランドでは、いったんは非合法化された「連帯」がしだいに復権し、軍事政権にとっても不可欠なパートナーになっていった。どの国でも教会（ポーランド、ハンガリー、チェコではカトリック、東ドイツではルター派）が「相対的な自治」を利用して「憲章77」の人権活動家を匿《かくま》い、反核・環境保護運動の便宜を図るなど、市民社会の弱さを補完した。

†ソ連の経済停滞と老人支配

ソ連では一九七〇年代後半から、体制の「疲労」が目立つようになった。米国との軍備拡張競争と第三世界への進出が重荷になってきた。しかも、既述のように石油危機の対処を誤り、石油をはじめ資源輸出依存型の経済から脱却できず、工業総生産高は一九七五年の対米比八〇％をピークに低下し始めた（これはペレストロイカ期の計算で、当時は知られていなかった。表8）。憂慮する経済学者の間では秘かに現状分析が進められ、八三年に作成され、西側に流出した「ノヴォシビルスク文書」は、驚くほど率直にソ連経済の欠陥を指摘している。経済体制の過度な中央集権、物量指標の経済計算（貨幣＝市場の欠如）、指令の厳格

	1965年	1970年	1975年	1980年	1985年	1986年
1. 国民所得	59	65	67	67	66	66
2. 工業総生産高	62	75強	80強	80強	80強	80強
(1)電力生産高	41	43	49	53	58	59
(2)原油〃	63	74	119	142	136	140
(3)粗鋼〃	75	95	130	142	191	214
(4)化学肥料〃	69	88	131	110	158	162
(5)化学繊維〃	…	28	…	30	38	39
(6)プラスチック・合成樹脂〃	…	17	…	17	19	19
(7)紙〃	…	18	…	18	18	20
(8)セメント〃	111	141	188	180	170	168
(9)綿織物〃	66	98	166	187	226	233
3. 農業総生産高	約75	85〜90	約85	約85	約85	約85
(1)穀物収穫高	…	85	78	76	55	66
(2)綿花〃	…	96	99	102	94	116
(3)食肉〃	…	51	…	56	61	64
(4)ミルク〃	…	156	…	156	152	156
4. 貨物輸送量	85	102	125	127	139	139
5. 投資総額	75	約100	100強	約100	約100	90
6. 工業の労働生産性	45	約53	55強	55強	55強	55強
7. 農業の労働生産性	約25	約20〜25	約20〜25	約20〜25	約20〜25	20弱

表8　米ソ経済力比較（単位：米国を100とするソ連の%）

さと生産現場での手抜き、流通機構の麻痺とヤミ経済などである。

体制の「疲労」は、共産党政治局のメンバーが一九六四年以来ほとんど変わらず、「老人支配」の様相を呈し、ブレジネフは党大会で書記長報告をきちんと読めず、飛行機のタラップでよろけるなど、国民の目にも衰えを感じさせるようになった。加えて、ソ連の貴重な外貨稼ぎの商品であるキャビアをめぐって漁業次官が汚職事件を起こし、ブレジネフの娘婿の内相まで関与していたことも暴露される始末だった。八二年にブレジネフは病没したが、後継のアンドロポフ（KGB議長は情報通で開明的）書記長は期待されながらも、一年余で病没した。その次はパッとしない党官僚のチェルネンコで国民は失望したが、これも一年余で病没した。そこに八五年三月、五四歳のゴルバチョフが新書記長として颯爽《さっそう》と登場し、内外の期待を集めたわけである。

2 改革から体制崩壊・連邦解体へ

ゴルバチョフは「ペレストロイカ」（建て直し）という従来からある概念に、新しい内容を盛り込んだ。(1)情報の公開（グラスノスチ＝声を大にすること）、(2)政治の民主化（形骸化したソヴィエト、硬直化した共産党の改革）、(3)経済の改革（社会主義＝計画経済を前提に効率化し、生産性を上げる）、(4)外交の刷新（両体制間の敵対ではなく、共通の課題に向けた協力）である。

†情報公開から民主化・分権化へ

まずゴルバチョフが優先したのは情報公開である。この国の様々な欠陥や事故を「社会主義にはあり得ない」として隠すのではなく、公表して国民に解決への協力を呼びかけたのである。小は、当時頻繁に起こった家庭用テレビ受像機が火を噴く件から、大は、チェルノブィリ原子力発電所四号炉の爆発に至るまで公表した。ソ連政府は、八六年四月二六日のこの原発事故（約一二万人疎開）につき当初は沈黙していたが、西欧一帯への放射能の拡散を検知したＩＡＥＡ（国際原子力機関）の警告を受け、二日後には事実を認めた（図29）。こうした情報公開は、長らく「モノ言えば唇寒し」という態度だった市民の活発な議論を呼び、まもなく一九一七年ロシア革命の一時期以来の「言論の自由」が復活した。新聞、テレビは読者、視聴者の関心を集める報道に努め、面白い内容になった。

「言論の自由」に続くのはＮＧＯ、ＮＰＯ（当時の用語では「非公式団体」、つまり共産党の指導や援助を受けない団体）の簇生《ぞくせい》である。アラル海の水がかなり干上がって漁業に打撃を与え、塩害も生じたが、それはウズベキスタンの綿花栽培のためアムダリヤ・シルダリヤ両河の水を灌漑用水として濫用した国策に起因していた。そのアラル海の保護運動や、工場排水に汚染された各地河川の浄化運動、カザフスタン・セミパラチンスク核実験場の閉鎖運動、アフガニスタンに派遣された兵士の早期帰還を願い、新兵いじめを告発する母親たちの運動など、枚挙にいとまがない。

図29　チェルノブィリ原発事故（事故直後の４号炉、上空のヘリから）

情報公開はこの国の歴史にも及んだ。一九三〇年代後半にスターリンの恐怖政治があり、数百万の犠牲者が生まれたが、その子どもや孫たち、生き残りが弾圧の真実を求めて運動を開始した（映画『懺悔《バカヤーニエ》』はスターリンの右腕ベリヤを描いたもの）。対独戦争期にドイツとの協力を疑われて中央アジアなどに強制移住させられた民族が「故郷帰還運動」を始めた。また、バルト三国では、一九三九年の独ソ不可侵条約の秘密議定書こそがソ連に併合される根拠だったと捉え、ソ連からの独立を求める運動に発展した（図30）。コーカサス三国も、ロシア革命期に生まれた民族主義政権をボリシェヴィキが打倒し、やがてソ連に併合したという認識から、独立運動を起こすようになった。

(2)の政治の民主化の課題は、こうして自由になった言論を闘わす公的な場としてのソヴィエトの改革だった。従来の最高ソヴィエト（会議、両院制で七五〇名ずつ）は、年に二週間程度の会期で、政府の予算その他の提案を聴いて「満場一致」で承認するだけだったからである。会期は大幅に延長、常設化され、討論は政府批判を含めて自由闊達《かったつ》になされ、欧米・日本の議会が形骸化したのとは対照的に「民主主義の原点」を体現しているかのようだった。まもなく、政府に批判的な議員が「地域間代議員グループ」に結集して、一種の

図30　バルト三国の「人間の鎖」

野党の役割を果たすようになった。そのリーダーの一人が、ソ連のアフガン軍事介入批判を理由にゴーリキー市に流刑され、八六年一二月にモスクワに戻されたサハロフ博士である。

この政治制度改革が結実するのは、ゴルバチョフが、活発な立法機関と並ぶ強力な執行機関として大統領を導入し、憲法第六条「共産党の指導的役割」を削除した一九九〇年二月のことである。大統領は国民の直接選挙が望ましく、執行権も強力になるが、それは無理と判断し、かといって最高会議（各二七一名）選出では正統性に欠けるため四倍規模の人民代議員大会で選出することにし、ゴルバチョフを選出した。なお、大統領制導入に先立って「権威主義体制」の是非をめぐる論争があった（後にプーチンが登場する）ことに留意したい。

ここで注意すべきは、こうした連邦レベルの民主化には、ロシアをはじめ共和国レベルでの民主化がやや遅れて伴い、ゴルバチョフの意図しない分権化がもたらされたことである。ロシア共和国では、ソ連共産党政治局から排除されたエリツィンがゴルバチョフ大統領就任の二カ月後にロシア共和国最高会議議長に選出され、九一年六月には直接選挙でロシア共和国大統領に選出されており（権力基盤が強い）、民主化は連邦の遠心化でもあった。やがて「共和国主権」の範囲が、資源や企業の管理においてどこまで及ぶかが争われ、いわば「連邦の空洞化」、つまりゴルバチョフ権力の弱体化が進むことになる。

†外交革命と対欧米・アジア政策

ゴルバチョフは、従来の共産党にはない「新しい思考」(階級闘争から相互依存へ)に基づいて、体制間の対立から協力へ、何よりも核戦争による共滅を防ぐべく、外交政策を大きく転換した。彼がまずレーガンに呼びかけ、軍縮を進めたのは、ソ連自体が過大な軍備負担で経済が停滞し、民生が軽んじられていたからであり、相手の米国も同じ理由で軍縮に共通の利益を見出したからである。

一九八七年のＩＮＦ(中距離核戦力)全廃条約は、初めて軍備管理ではなく、軍備縮小を実現する画期的なものだった。これにより、ＮＡＴＯの「二重決定」で予定され、実際に配備された双方のミサイルも廃棄されることになった。八九年一二月にはブッシュ、ゴルバチョフ両大統領は、地中海マルタ島における首脳会談で「冷戦の終結」を宣言したのである。九〇年六月には同じく首脳会談でＳＴＡＲＴ(戦略兵器削減交渉、これも軍縮)１に入ることで合意した。

ゴルバチョフはまた「ヨーロッパの共通の家」構想を掲げ、七五年のヘルシンキ宣言でスタートした安全保障面、経済・技術面、文化面の協力を前進させようとした。西欧諸国にとって脅威の通常兵力の削減も発表した。東欧諸国に対しては八七年頃から「ブレジネフ・ドクトリン」を否定する発言をし始めた。それは、ポーランドやハンガリーといった改革先進国を励ましたが、コメコンやワルシャワ条約機構からの離脱に至るとは想定もしていなかった。

ゴルバチョフのアジア政策は、八六年七月のウラジオストク演説で表明された。アジア版ヘルシンキ会議の開催を提案し、中国との関係改善のため、中国側の言う「三大障害」除去にとりかかった。その一つ、アフガニスタンからのソ連軍撤兵は、八八年五月から八九年二月にかけて実施された。中ソの国境問題も河の中央部で折半という原則で処理されることになり、両国が内戦の一方に与したカンボジアの和平への道筋も立ってきた。この結果ゴルバチョフが中国を訪問して、中ソ関係は改善された（訪中時に天安門事件が起こった）。

ソ連にとって厄介な朝鮮半島問題では、韓国大統領の盧泰愚《ノテウ》が八八年のソウル五輪実現のために「北方外交」を展開したことにも助けられて、韓ソ国交が実現された（一九九〇年）。反面、北朝鮮との関係は冷え込み、その国際的孤立化を促してしまった。

日本との関係では、ソ連側に「領土問題は存在しない」という立場からの変化が感じられた。両国外務省レベルでは、幕末日本とロシア帝国の国境線を得撫島《うるっぷ》と択捉島《えとろふ》との間に引いた一八五五年条約がロシア側から指摘され、交渉の基礎になり得ることが示唆された。一九九一年四月に訪日したゴルバチョフは「領土問題は存在する」と明言し、日ソ共同声明では問題の島々（歯舞《はぼまい》、色丹《しこたん》、国後、択捉）の名称も挙げられた。

†民族紛争拡大と経済改革挫折

ペレストロイカは一九八八年くらいから足踏みを始めた。経済改革は八七年に企業の自主管理と独立採算制が決定されたものの、管轄省庁がサボタージュし、企業自身も赤字や人減らしで経営に苦心するよりは、「親方赤旗」に安住する方を選んだ。協同組合や個人営業も奨励されたが、市場経済導入は一部サービス業の範囲に留まった。基幹産業は依然として国有・国営であり、原料・資材不足と技術水準の低さのため、生産性は上がらず、やがて共和国の自立に伴って連邦省庁が管理していた生産・流通が分断されるようになった。九〇年末の「市場化計画」をめぐっては連邦とロシア共和国が対立し、シャターリンの野心的な五〇〇日移行案も水泡に帰した。深刻なモノ不足と資金不足を解消するために、欧米からの資金援助は避けられなくなった。

他方、民族紛争は大別して、(1)隣接共和国の国境沿いの住民同士の紛争、(2)共和国を跨って暮らす住民をめぐる隣接共和国同士の紛争、(3)共和国（タイトル民族）と連邦中央との紛争で、共和国内部の言語的多数派（タイトル民族）と少数派との争いとリンクする、(4)自治共和国ないし自治州と所属共和国との紛争で、連邦中央が前者を支援する紛争、に分類できる。(1)の例には、キルギスのオシ州の村とタジクのレニナバード州の村との水利をめぐる争い、(2)の例にはアゼルバイジャン内部にアルメニア人のナゴルノ・カラバフ自治州があり、両共和国の対立は戦争にまで発展した。(3)の例には、バルト三共和国と連邦中央との紛争があり、三共和国におけるエストニア人、ラトヴィア人、リトアニア人と少数派ロシア人との紛争とリンクした。(4)の例には、グルジアのアブハジア自治共和国、南オセチア自治州がある。

これらは、紛争の大小は別にして、ペレストロイカがうまく行っていないという印象を世界に与えた。このうち連邦を揺るがし、国際的にも大きな反響を呼んだのは、バルト三共和国と連邦中央との、少数派ロシア人も絡んだ紛争であり、ことに一九九一年一月のリトアニアへの連邦軍の介入（血の日曜日事件）である。それはリトアニアと他の二国の独立運動に拍車をかけ、低下していたゴルバチョフの威信を傷つけ、何とか経済支援を続けてきた欧米諸国にも衝撃を与えた。しかも、「市場移行五〇〇日計画」が放棄された直後だった。

ゴルバチョフはやや後退して、連邦制改革案を練り直した。四月の党中央委員会総会で

図31　保守派のクーデタ失敗

ゴルバチョフは保守派を抑えて、社会民主主義的な福祉国家（西ドイツ、スウェーデンがモデル）の構想を示した。連邦を「主権国家連合」に変え、徴税権さえ手放す新連邦条約（主権ある共和国間の条約）案は八月一五日に各紙に発表された。これに「連邦解体」を見てとった保守派は、ゴルバチョフ夏季休暇を好機と見て一九日に決起した。クーデタは、エリツィンとモスクワ市民の反撃で、文字通りの「三日天下」に終わった（図31）。ゴルバチョフは脇役になり、わずかに共産党の書記長を辞任して解散を勧告しただけである。

　バルト三共和国は九月に、ついに独立を宣言した。主役になったエリツィンは、一二月八日クラフチュク（ウクライナ大統領）、シュシュケヴィチ（ベラルーシ最高会議議長）と会談し、「独立国家共同体（ＣＩＳ）」設立を決定し、残る共和国も参加を表明した。一二月二五日ゴルバチョフは、ソ連大統領辞任演説を行なった。なお、独立した旧共和国、とくに中央アジアでは、共産主義から民族主義に看板をつけ替えただけで、共産党第一書記が大統領に横滑りする権威主義体制も少なからずあったことに注意したい。

3　東欧革命とドイツ統一

†東欧革命の進展

東欧諸国では、ペレストロイカを追い風にして政治改革が急速に進み、共産党一党支配が次々と崩壊していった。ポーランドでは、一九八九年二月から四月にかけて「円卓会議」が開催された。政権党の統一労働者党、「連帯」、その他の政治勢力が一堂に会して政治・経済改革を話し合い、「連帯」の労組としての合法化、大統領制の導入などを決めた。ハンガリーでは二月に西側への旅行が自由化され、三月に「民主フォーラム」呼びかけの円卓会議が開催された。七月にブッシュ米大統領が両国を訪問し、改革支援の姿勢を示した。このころ東ドイツ市民がハンガリー経由で西ドイツに入国し、その数は月を追うごとに増えてきた。九月には東ドイツでも「新フォーラム」が結成され、ライプチヒを皮切りに大規模なデモが起こり、ホーネッカーが国家と党のトップから解任された。ハンガリーではすでに六月に、一九五六年の改革指導者で処刑された元首相ナジの名誉回復が行なわれ、一〇月には労働者党が社会党と改称した。チェコスロヴァキアでも、遅ればせながら

図32　ベルリンの「壁」崩壊

ハヴェル率いる「憲章77」を中心とする「市民フォーラム」が円卓会議を政権側に開かせた。

†「壁」崩壊とドイツ統一

八九年一一月九日のベルリンの「壁」崩壊は、東ドイツ市民の急速に盛り上がった「自由」を求める運動の結果であり、「一つのドイツ」への願いの爆発だった(図32)。たしかに「新フォーラム」の一部には、拝金(マルク)主義に屈し「社会主義のそれなりの長所」を捨てることに対する警告もあったが、三月の人民議会選挙が西ドイツの与党キリスト教民主同盟などの介入の下になされて以降、コール首相の「早期統一」論が優勢になった。東ドイツの新政権は「西ドイツ(ドイツ連邦)への加盟」の方式を容認するに至った(対等合併ではなく)。

統一による「強大なドイツ」の出現をイギリスやフランスは警戒した。ソ連は、第二次大戦の結果は不動だとする立場から反対した。アメリカはすでに前年末から、統一は支持するが、NATO残留とEC統合強化を条件とする方針だった。これでドイツは抑えられると英仏は支持に回ったが、ソ連がNATO残留に抵抗した。しかし、九〇年七月半ばのコールとの会談でゴルバチョフは、五〇億マルクもの経済援助と引き換えに「早期統一」に同意した。ドイツ統一は一〇月三日に、ついに実現した。

参考文献

①南塚信吾・宮島直機編『'89東欧改革――何がどう変わったか』講談社現代新書、一九九〇年
②和田春樹『ペレストロイカ　成果と危機』岩波新書、一九九〇年
③同右『ロシアの革命―1991―』岩波ブックレット、一九九一年
④秋野豊『ゴルバチョフの2500日』講談社現代新書、一九九二年
⑤岩下明裕『北方領土問題――4でも0でも、2でもなく』中公新書、二〇〇五年
⑥塩川伸明『民族とネイション―ナショナリズムという難問―』岩波新書、二〇〇八年
⑦坪郷實『統一ドイツのゆくえ』岩波新書、一九九一年
⑧上野千鶴子・田中美由紀・前みち子『ドイツの見えない壁―女が問い直す統一―』岩波新書、一九九三年
⑨A・レダー『ドイツ統一』岩波新書、二〇二〇年

コラム12　ペレストロイカとアウシュヴィッツ

筆者は一九八八年にモスクワに出かけた。「ズナーニエ（知識普及協会）」による日本の学者招待である。「モスクワ最新鋭の」電機製品工場で、ヘア・ドライヤーの製造ラインを見たときには驚愕した。ベルト・コンベアの流れ作業の速度が遅く、女性労働者の作業ののんびり加減に、である。たしか小学校高学年の社会見学で見た（高度成長初期の）日本の同種の工場を思い出し、スプートニクを打ち上げた国がこの程度かと、がっかりした。

国営レストランではウェイターが注文も取りに来ず、待たされて出てきた料理は美味しくなかった。誰かの発案で協同組合レストランに行ってプロフ（ウズベキスタンの民族料理でピラフ）を食したら、これは美味しかった。「ズナーニエ」主宰の送別晩餐会で、筆者は前の席の男性に「私はインターナショナルをロシア語で歌えますよ」と言ったら「フン」という表情だった。知識人の一部はロシア革命や社会主義にもうウンザリしているのだなと思った。

一九九〇年夏にイギリスでソ連・東欧関連の国際学会があった帰りに、国外研修中の友人をワルシャワに訪ねた。彼の家を根城にグダンスク、オシフィエンチム（アウシュヴィッツ）、東ベルリンに出かけた。グダンスクは「連帯」本拠地のレーニン造船所である。アウシュヴィッツ収容所博物館では、広島の原爆資料館を経験済みだったが、さすがに夕食が喉を通らなかった。東ベルリンでは「壁」崩壊跡を目の当たりにして感無量だった。

第13講 中国の改革・開放と東アジア

		米国・東アジア	日本
1985	4		日本たばこ産業、日本電信電話が設立
	5		男女雇用機会均等法成立
	8		中曽根靖国参拝、日航ジャンボ機墜落
	12	北朝鮮、NPT（核不拡散条約）加盟	
1986	1		中曽根「戦後政治の総決算」を再強調
	2	フィリピン人民革命、アキノ大統領	
	4		日米経済摩擦解決へ「前川リポート」
	9		社会党委員長に土井たか子
	11	中曽根訪中、胡耀邦総書記と会談	
1987	4	日米首脳会談で中曽根「制裁」解除要求	国鉄分割・民営化、JR社開業
	6	盧泰愚（大統領候補）民主化宣言	
	7	台湾、戒厳令解除	
	12	盧泰愚、直接選挙で大統領当選	
1988	4	盧泰愚政権、光州事件を謝罪	国連総会、日本の南ア輸出禁止を要望
	5	ソ連軍アフガン撤兵開始（～89.2）	
	6	米国産牛肉・オレンジの輸入自由化交渉が結着	
	9	ソウル五輪	
1989	1		昭和天皇死去
	5	ゴルバチョフ訪中	
	6	第2次天安門事件	
	9	日米経済構造協議が開始	
1990	9	韓国・共和国首相会談　韓ソ国交	
1991	1	第1回日朝交渉	
	9	南北同時国連加盟	
	12	南北非核化共同宣言	
1992	8	韓中国交	
	12	金泳三大統領に当選	

1　中国の「社会主義市場経済」

一九八〇―九〇年代の中国経済は、日本の高度成長にも匹敵する十数％のGDP増加率で発展した。二〇一〇年には日本を追い抜き、米国に次ぐ世界第二位の経済大国になった。

†市場経済化の実態

こうした成功の要因は、何よりも経済改革を優先したことである。鄧小平は七〇年代に欧米諸国から人権問題を批判されたとき「十億以上の民を食わせることが先決で、権利だの民主主義だのは先の課題だ」と言い放ったが、その通りに実行した。一九七六年に周恩来追悼をきっかけに民主化運動が起こったが、それを弾圧し（第一次天安門事件）、二年後には「改革・開放」路線を打ち出した。八九年の胡耀邦《フーヤオパン》追悼の民主化運動も弾圧したが（第二次天安門事件）、三年後に「経済特区」を視察して経済改革を促進した（南巡講話）。正確に言えば、政治改革の必要は認めて保守＝文革派を抑えながら、その行き過ぎはソ連・東欧のように社会主義を崩壊させるとして弾圧したのである。

第二に、経済改革を進めながらの巧みなイデオロギー修正が挙げられる。「社会主義市

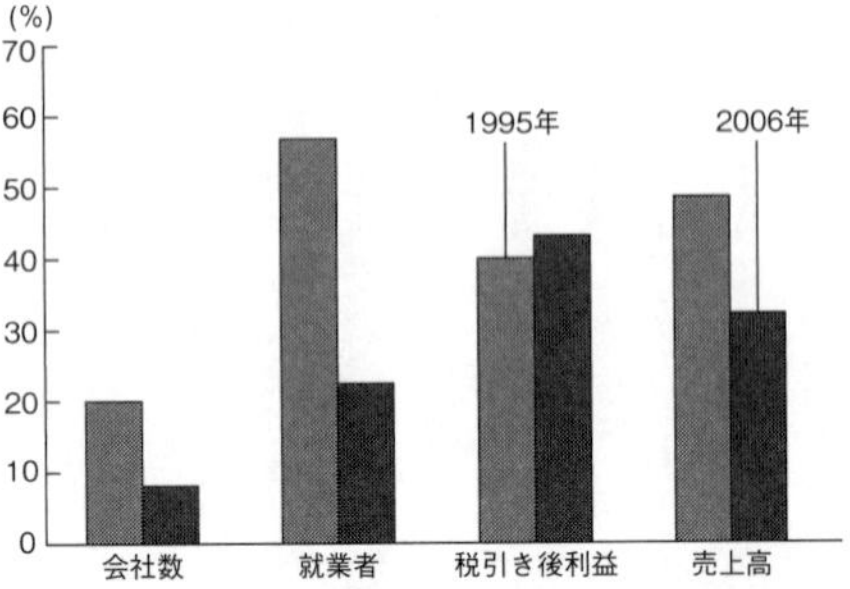

図33　国営企業の民営化（中国経済における国有企業のシェア）

場経済」は曖昧な、同時に融通無碍《ゆうづうむげ》な概念である。八〇年代に民営化されたのは中小企業で、市場経済はあくまで補助的だった。ところが、鄧小平は右の「南巡講話」で「市場経済も計画経済も手段に過ぎず、資本主義と社会主義を分ける基準ではない」（かつての「白猫・黒猫」論と同じ論法）とまで言い切って市場経済拡大を進めた。七八年から九四年までに国有企業の占める割合は、雇用者数で約八割から六割に、鉱工業生産高で約八割から四割弱へと低下した（図33）。二〇〇〇年には江沢民《チャンツェーミン》が「三つの代表」を唱えた。共産党は労働者、農民の利益ばかりではなく、新興企業家の利益も代表するよう入党させるという、欧米的な表現では「階級政党」から「国民政党」への脱皮を図ったものである。

ただし、市場経済化と言っても、郷鎮企業と経済特区を除けば、党・国家官僚層が上から推進したもので、彼らが企業を保護して利権や献金を得たり、「天下り」したりという実態で、市場の「自由な競争」には程遠かった。かつては人民公社が丸抱えしていた農村の労働力は過剰となり、都市に流れ込んで季節工などの不安定労働者になった。国有企業の民営化に伴って失業者も大量に生まれた。かつては抑えられていた労働者のストライキも頻発するようになった。農村と都市との格差、正規雇用者と非正規雇用者との格差、新興中産層の登場により、貧富の格差が目立ち、胡錦濤《フーチンタオ》は「和諧社会」（調和のある社会）をスローガンにせざるを得なくなった（二〇〇二年）。

†追いつき的近代化

この中国の「脱社会主義」は、ソ連のように政治改革を先行させて共産党を弱体化させ、連邦の崩壊を招いたのと比較して、経済改革を先行させて安定を優先した点が優れているとする論者がいる。しかし、九〇年代半ばの民営化は、ロシアがバウチャー（株式購入券）方式を取ったのに対し、中国が株式を直接売却しただけの違いで、特権的支配層が買い占めた点では共通し、中国の学者が言う「官製資本主義」だったのである。翻ってみれば、後発国の資本主義化は、日本の明治期の「官業払い下げ」という先例があるように、最も手っ取り早い方法だったと言えよう（天皇制下で帝国主義の道を歩んだことに留意）。

とはいえ、中国の「高度成長」が国際的地位を押し上げたことは確かである（表9）。この過程も日本とよく似ていて、輸出主導と国内開発・インフラ整備のリードが高度成長を

	国民総生産(GNP)		一人当たり GNP	
	億元	億米ドル	元	米ドル
1978 年	3,624.1	2,152.6	379	225
80	4,517.8	3,015.1	460	307
85	8,989.1	3,061.0	855	291
86	10,201.4	2,954.5	956	277
87	11,954.5	3,211.8	1,103	296
88	14,922.3	4,009.1	1,355	364
89	16,917.8	4,492.4	1,512	401
90	18,598.4	3,887.8	1,638	342
91	21,662.5	4,069.8	1,882	354
92	26,651.9	4,832.7	2,288	415
93	34,560.5	5,998.1	2,933	509
94	46,670.0	5,415.0	3,916	454
95	57,494.9	6,885.0	4,772	571
96	67,559.7	8,125.8	5,520	664

表９　国民総生産の推移

もたらした。台湾や韓国、日本の進出工場が生産した電気機械製品等の輸出により、まもなく外貨準備高は世界第一位となった。やがて中国資本が米国、日本等に進出するようになり、ＩＴ部門ではかなりのシェアを占めるようになる（ファーウェイ等）。

中国はまた、周辺諸国との関係を安定させる外交を進めた。一九九六年に設立された「上海ファイブ」（中国、ロシア、カザフスタン、キルギスタン、タジキスタン、のち上海協力機構）は、国境の信頼醸成措置形成に発したものだが、イスラム急進派の台頭に対する協力を約束したものである。中国は巨大経済圏構築を狙って、ＡＳＥＡＮ諸国、韓国、日本との「東アジア共同体」を模索したが、韓国、日本との主導権争いや、ＡＳＥＡＮ諸国による中国の海洋進出に対する警戒もあって頓挫した。その後中国は、発展途上諸国への援助を積み重ねながら、さらに大規模な「一路一帯」構想（シルクロード、海の道の現代版）を打ち上げる。

2　開発独裁から民主化へ

一九八〇―九〇年代は、冷戦下で発展途上諸国に少なからず見られた「開発独裁」体制が崩壊し、民主化が進んだ時期である。「開発独裁」とは、発展（開発）途上諸国で経済開発を最優先し、そのために政治権力を集中した体制のことである。

†アジア諸国の開発独裁

「開発独裁」は一九六〇―七〇年代に広く見られたが、ラテン・アメリカでは、クーデタの結果生まれた軍部主導の独裁体制は「権威主義体制」と呼ばれるのが普通だった。旧宗主国だったスペインやポルトガルの体制（フランコ、サラザール）に似て、地主勢力と一部資本家を基盤とし、カトリック教会に支えられた伝統的な支配の様相を色濃く残していた。「開発独裁」体制は、アメリカ仕込みの「近代化」論をベースに工業化を目標として掲げ、軍部ないし一党主導の独裁体制を、米国留学経験のある官僚エリートが支え、米国の援助や外資導入を受けた体制である。民主主義を一概には否定せず、経済発展が一定水準に達するまでは「贅沢だ、我慢せよ」とするものであった。

アジアの開発独裁体制としては、韓国、台湾、シンガポール、マレーシア、フィリピン、インドネシアが挙げられるが、成立順では、インドネシア（一九六五年、スハルト大統領）、シンガポール（一九六八年、リー・クアンユー首相）、フィリピン（同、マルコス大統領）、韓国（一九七二年、朴正熙大統領）、台湾（一九七三年、蔣経国《チャンチンクオ》総統）、マレーシア（一九八一年、マハティール首相）である（挙げた役職就任は数年後のケースもある）。成立の転機としては、インドネシアは九月の軍部クーデタによるスカルノ大統領の追放、シンガポールは人民行動党による国会議席の独占、フィリピンでは戒厳令の発令が挙げられる。韓国では戒厳令の発令と「維新体制」の成立だが、経済発展の転機としては同じ朴大統領下の一九六五年日韓条約締結を挙げることも可能である。台湾は一九四九年以来国民党の独裁が続き、「大陸反攻」を掲げていたのが、一九七二年の米中国交正常化により独力で経済発展を進める他なくなり、七三年に蔣経国が「十大建設計画」を打ち出したことが転機だった。マレーシアはマハティール首相就任と「ルック・イースト（日韓にならえ）」政策である。

ここで六カ国すべてを説明することは紙幅の都合上できないので、韓国、台湾の開発独裁と民主化だけに留める。六カ国の民主化の先陣を切ったのはフィリピンの「人民革命」だったこと、独裁が最も長期間に及んだのはインドネシア（九七年のアジア通貨危機後にスハルト退陣）だったことは指摘しておく。鄧小平が、華僑の多いシンガポールの経済開発を称揚し、アメリカによる「欧米的価値観」の押し付けに反発していたことも付加したい。

台湾と韓国の民主化

さて、台湾は右の「十大建設計画」に基づいて、「輸入代替型」（外国から輸入していた工業製品を自国で生産し、製造業を振興する）から「輸出志向型」（工業製品を海外市場に輸出して成長を達成する）の工業化に着手した。電気製品などは賃金コストが低いので日本よりも安価に生産し、日本、米国、東南アジア諸国に輸出した。この結果、外貨準備高は日本、西ドイツを抜いて世界第一位となった（一九八七年）。日本との「下請け」的関係から自立するために、ハイテク（半導体関連）産業が日本から移転され、その生産・輸出でも世界有数の地位を占めるに至った。また、八七年頃から中国との香港経由の貿易も大きく伸び、台湾はここでも大幅な輸出超過だった。また、中国が広東省、福建省に「経済特区」を設けると（両省は華僑が強く、協力した）、福建省との間に「両岸経済」と呼ばれる自由貿易・投資ゾーンが生まれ、中国、台湾双方の経済発展を促した（ただし、九二年時点では一人当たりGNPは中国三八〇ドル、台湾一万二〇〇〇ドルという圧倒的格差だった）。

こうした経済発展は人々の政治的自覚を促し、民主化の動きを生み出した。一九八六年に民主進歩党が誕生して国民党一党支配が崩れ始め、八七年には四九年以来の一党支配の手段＝戒厳令が廃止された。そして翌年に蔣経国が死去し、李登輝《リートンホイ》が本省人（台湾出身者）としては初めて総統の座に就いた。民進党は「台湾独立」ではなく「住民自決」を掲げたのだが、国民党保守派からは「台独派」と攻撃された。その国民党も外省人（中国大陸から逃れて来た人々）は三五％に過ぎず（全人口中ではさらに小さく一四％）、「統一派」は減少していると思われる。とくに、返還された香港における「一国両制」（資本主義と社会主義の共存）の実態を見れば、よけい「統一」に躊躇するであろう。

李登輝が「国際社会で孤立しない」「中国政府・中共政権とは対立しない」という立場をとったのも、この現実に対するバランス感覚の所産であろう。なお、一九九二年に立法院選挙が台湾史上初めて実施され、獲得議席は国民党一〇三、民進党五二だった。国民党の敗北とも言えるが、李登輝体制が国民に信任されたこともたしかである。

次に韓国の「輸出志向型」工業化は着実に成果を挙げ、高度成長ぶりは「漢江《ハンガン》の奇跡」と呼ばれた。一人当たりＧＤＰは一九七九年に北朝鮮の三倍になり、前年からＯＥＣＤは韓国を「新興工業国」の一員と数えるようになった。重化学工業団地の形成、高速道路網の整備、「現代《ヒュンダイ》」自動車の国民車生産、ソウルなど大都市の再開発を中心とする政策は、あたかも東京五輪前の「首都改造」と田中政権の「列島改造」を合わせたような政策だっ

図34　光州事件

た。それは都市中間層を受益者にする一方、大都市と中小都市、都市と農村、韓国伝統の「道」ごとの格差が大きく、国民の不満も蓄積されつつあった。

朴正熙大統領は政権内の派閥抗争から一九七九年一〇月に暗殺され、これを機に労働者、学生、市民の運動が盛り上がり、野党勢力も活発になり「ソウルの春」と呼ばれたが、それはまたも軍部による非常戒厳令で抑え込まれた。八〇年五月には光州《クワンジュ》で学生・市民のデモが戒厳軍部隊によって鎮圧され、多くの犠牲者を出すに至った（光州事件、図34）。

八一年九月、戒厳令の実行責任者だった軍人出身の全斗煥《チヨンドフアン》が大統領に就任した（改憲で間接選挙に）。全の経済開発路線は基本的に朴のそれを継承したものであるが、新自由主義の時代に入っただけに、レーガン政権やIMFの求める構造調整を行なわざるを得なかった。緊縮財政、賃金切下げ、為替レート引下げのほか、金融改革、貿易・投資の自由化などである。この結果、経済成長率は八六年に驚異的な約一三%を記録し、国際収支の黒字も四六億ドルに達した。それが八八年のソウル五輪実現の経済的背景だったが、反政府勢力に対する「宥和《ゆうわ》」策も必要になった。

韓国の社会運動はこの「宥和」もあって「光州事件」の痛手からしだいに回復し、学生、労働者、女性などの全国組織も誕生した。八五年の総選挙では、金永三《キムヨンサム》率いる新韓民主党が与党に対して善戦した。八七年六月の大規模な大統領直選＝憲法改正要求のデモは全政権を追い詰め、ついに「六・二九民主化宣言」を、全に次期大統領候補と指名された盟友の盧泰愚《ノテウ》が発表した（盧は一〇月の改憲を経て、野党で候補を一本化できなかった金大中、金永三を破って大統領選に勝利した）。

3　北朝鮮の孤立と国際社会

†経済破綻と難民流出

北朝鮮はソ韓国交（一九九〇年）、中韓国交（九二年）で後ろ盾を失い、国際的に孤立した。生き残りの道は、韓国の協力も得て、常態化した食糧不足と経済危機を凌ぐことであり、米国との直接交渉のパイプを維持して朝鮮戦争の平和協定締結へ前進することだった。

北朝鮮は原子力発電所を有し、そこからプルトニウムを抽出して核爆弾を製造する能力があった。しかし、核不拡散条約（NPT）には加盟しており（一九八五年）、九一年には韓国とともに「朝鮮半島非核共同宣言」に合意し、IAEAによる査察を受け入れる協定にも調印した。しかし、九三年北朝鮮は査察を拒否した上に、NPTを脱退してしまった。軍最高司令官の金正日は準戦時体制を宣言し、中距離弾道ミサイル「ノドン」の発射実験を行なった。戦争の危機という観測が世界に流れ、米国参謀本部は作戦会議まで開いたが、元大統領カーターが平壌を訪問して金日成主席と会談し、何とか回避された（九四年六月、その三週間後に金日成は死去）。一〇月には「米朝枠組み合意」が成り、核開発凍結と引換えに軽水炉二基と重油を提供することになった。

一九九五、九六年の夏には連続して大水害が起こり（原因は「チュチェ農法」の失敗）、従来も不足がちで中国の支援を受けていた北朝鮮は、韓国、日本、米国などから大規模な食糧援助を受けた。北朝鮮発表では、九五年の浸水農地四〇万ヘクタール、穀物被害一九〇万トン、被害総額一五〇億ドル、九六年は被災者三二七万人、喪失農地二九万ヘクタール、被害総額一七億ドルであった。死者は米国の研究者によれば、六〇―一〇〇万人だったという。その後も慢性的な飢餓状態が続いたことは、ジャーナリスト石丸次郎らの中朝国境からの潜入ルポ・映像によっても明らかである。飢えた人々は中朝国境から脱出するほかなく、脱北者は九五年から二〇〇二年までに、石丸の推測では延べ百万人に上るという。

†対日・対韓関係

しかし、金正日はこうした国民の惨状をよそに、ただでさえ「兵営国家」（常時準戦時状態の国家）であるのに、さらに軍事を優先し、軍人だけは優遇する「先軍政治」を唱えた（一九九九年）。九八年には中距離ミサイル「テポドン」の発射実験を行ない、ミサイルは日本列島を横断して三陸沖に落下し、日本国民の「北朝鮮の脅威」観を刺激し、日米安保と自衛隊の強化を促す結果になった。こうした北朝鮮の「瀬戸際外交」は米日からの譲歩を引き出そうとして、かえって対抗的軍備増強を招き、かつ日本国民の反感を強めたに過ぎない。九〇年に自民党・社会党代表団訪朝で始まった日朝間の交渉は、植民地時代の清算や「拉致」問題の解決も含めて難航し、「拉致」問題は二〇〇二年の小泉純一郎首相の電撃的訪朝で解決の第一歩が記されたにすぎない。

経済改革では、国連の豆満江開発計画（ソ中も参加）も羅津経済特区も日の目を見ず、核開発により国際的な経済制裁を受け、中国からの経済援助と中朝国境地帯を通じたヤミ経済の浸透に頼るほかなかった。ようやく金大中が大統領になって「太陽政策」を掲げ、金正日との首脳会談が実現したのは二〇〇〇年のことである。

†北朝鮮は社会主義か

よくマスコミでは「金王朝三代の支配」という表現を見かける。君主制ならいざ知らず、共和制であり、しかも階級（その前衛党）の支配を建て前とする北朝鮮には相応しくないが、むろん一定の根拠がある。スターリンは、卓越した指導者としてロシア語では「ヴォシチ」（その朝鮮語訳が「首領」）と呼ばれたが、書記長では共産党を、大元帥ではソ連軍を代表するに過ぎなかったから、この呼称が使われた。マルクス主義では、労働者階級が社会の主人公であり、共産党はその前衛であり、書記長は党中央委員会によって選ばれることを建て前としていたが、共産党が権力の座に就き、しかも一党で独占し、個人崇拝が進むと、この関係は逆転した。書記長スターリンが共産党を指導し、労働者階級と全人民の首領となった。

北朝鮮の特徴は、首領と人民との間に位置する党（朝鮮労働党）に「社会政治的生命体」なる位置づけを与え、「脳髄」としての首領の命令を「生命体」たる人民に伝える「神経」及び「血管」と見る点にある。ソ連の党と人民をつなぐ「伝導ベルト」の有機体論的言い換えにすぎない（金日成は抗日パルチザン敗北後ソ連に逃れて教育されたから当然）。この有機体論的社会観は儒学に由来するもので、マルクス主義の唯物論（生産力と生産関係との矛盾で社会と歴史を説明）とは矛盾し、この意味で北朝鮮の公式イデオロギーは、マルクス主義と儒教的社会観とのアマルガム、体制は社会主義の変種と言ってよい（鐸木昌之『北朝鮮　首領制の形成と変容』に教示され、ソ連研究者としての修正を施した）。

参考文献

①高原明生・前田宏子『開発主義の時代へ1972―2014　シリーズ中国近現代史⑤』岩波新書、二〇一四年
②国分良成編『中国は、いま』岩波新書、二〇一一年
③伊藤潔『台湾――四百年の歴史と展望』中公新書、一九九三年
④岩崎育夫『アジア政治を見る眼――開発独裁から市民社会へ』中公新書、二〇〇一年
⑤谷口誠『東アジア共同体―経済統合のゆくえと日本―』岩波新書、二〇〇四年
⑥池東旭『韓国大統領列伝――権力者の栄華と転落』中公新書、二〇〇二年
⑦木宮正史『日韓関係史』岩波新書、二〇二一年
⑧石丸次郎『北朝鮮難民』講談社現代新書、二〇〇二年

コラム13　天安門事件と拉致問題

筆者が「改革・開放」初期の中国を訪問したことは、コラム11で触れた。その後は北京大学国際関係学院と成蹊大学法学部との学術交流に基づいて、三度ばかり訪中した。一九九六年の時は「中ソ蜜月期」にソ連に留学した先生方が健在で、中国語のできない筆者は彼らとロシア語で会話した。三度目は二〇〇三年で、若手にアメリカ留学組が増えたので、彼らとは英語で話した。ある日、若手の准教授と一緒に天安門広場を歩いていたとき、筆者が「インターナショナル」を歌えるよと言って「起来……」と拙《つたな》い中国語でやると、「先生、僕たちは一九八九年ここで、人民解放軍の戦車に立ち向かって歌いました」と語った。深い共感を覚えたことを忘れない。

筆者は若い頃、北朝鮮のことをほとんど知らなかった。ただ一九六二年、高二の時の出来事は忘れ難い。筆者の山岳部の三年後輩（六年一貫校）のS君が突然「ボク学校を辞めます」と言うので、訊ねると「朝鮮学校に転校して共和国に帰る」と答えた。筆者は一九五九年に「北朝鮮帰還事業」が始まったことさえ知らなかったので、それ以上は訊《き》かず、「元気でな」と言うほかなかった（別れの挨拶に来た時に本名を名乗ってくれた）。彼が家族と共に帰国したのか、北朝鮮で死んだのか、または何らかの事情で帰国を止めたのかは分からないが、消息は気にしてきた。脱北者の中に「帰国者」もいると知って一層気がかりだったが、依然として分からない。

第14講

ポスト冷戦の日本

<table>
<tr><th></th><th></th><th>世界</th><th>日本</th></tr>
<tr><td>1991</td><td>1</td><td>湾岸戦争</td><td>90億ドルの追加支援決定</td></tr>
<tr><td></td><td>4</td><td></td><td>ペルシャ湾への掃海艇派遣決定</td></tr>
<tr><td></td><td></td><td></td><td>ゴルバチョフ来日、領土問題の存在確認</td></tr>
<tr><td></td><td>11</td><td></td><td>宮澤内閣発足</td></tr>
<tr><td></td><td>12</td><td>元「慰安婦」らが日本政府の補償請求で東京地裁に提訴</td><td></td></tr>
<tr><td>1992</td><td>1</td><td colspan="2">宮澤首相が訪韓、日本軍関与を謝罪</td></tr>
<tr><td></td><td>6</td><td></td><td>PKO協力法成立</td></tr>
<tr><td></td><td>9</td><td colspan="2">自衛隊、カンボジアPKOに出発</td></tr>
<tr><td>1993</td><td>3</td><td>北朝鮮、NPT脱退</td><td></td></tr>
<tr><td></td><td>7</td><td></td><td>総選挙で自民党敗北</td></tr>
<tr><td></td><td>8</td><td colspan="2">慰安婦問題に関する河野談話</td></tr>
<tr><td></td><td></td><td></td><td>細川8党連立・非自民内閣成立</td></tr>
<tr><td></td><td>12</td><td colspan="2">「コメ自由化」実施</td></tr>
<tr><td>1994</td><td>3</td><td></td><td>新選挙法、政党助成法成立</td></tr>
<tr><td></td><td>6</td><td>カーター元大統領訪朝、戦争回避</td><td>村山、自社さ連立内閣の首相に就任</td></tr>
<tr><td></td><td>7</td><td>金日成主席死去</td><td></td></tr>
<tr><td></td><td>12</td><td>ジュネーヴで米朝枠組み合意</td><td></td></tr>
<tr><td>1995</td><td>1</td><td></td><td>阪神淡路大震災</td></tr>
<tr><td></td><td>3</td><td></td><td>地下鉄サリン事件</td></tr>
<tr><td></td><td>7</td><td colspan="2">アジア女性基金設立、8村山首相「戦後50年」談話</td></tr>
<tr><td></td><td>9</td><td></td><td>沖縄少女暴行事件</td></tr>
<tr><td>1996</td><td>1</td><td></td><td>橋本3党連立（自民主導）内閣成立</td></tr>
<tr><td></td><td>4</td><td>日米、普天間基地返還を発表</td><td>クリントン・橋本が安保再定義</td></tr>
<tr><td>1997</td><td>7</td><td>アジア通貨危機</td><td></td></tr>
<tr><td></td><td>9</td><td colspan="2">日米、97ガイドラインに合意</td></tr>
<tr><td></td><td>10</td><td>金正日、労働党総書記に就任</td><td></td></tr>
<tr><td></td><td>12</td><td>金大中、大統領に当選</td><td></td></tr>
</table>

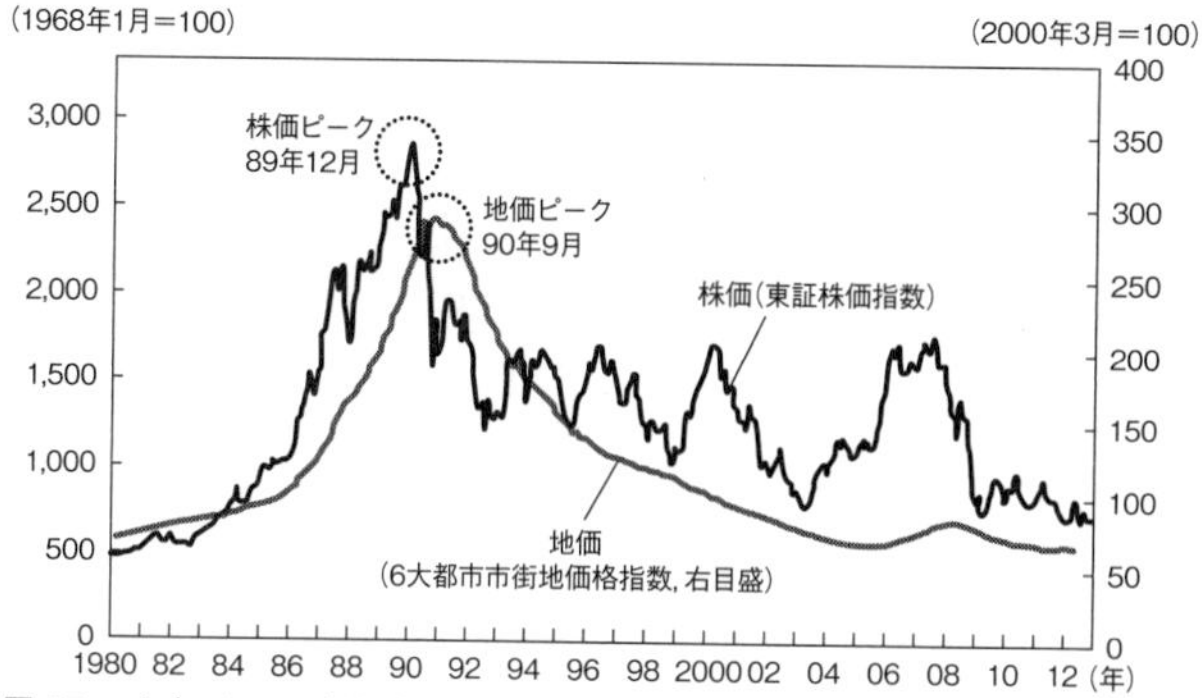

図35　バブルとその崩壊（株価と地価）

1　経済グローバル化と日本

†長期的・構造的不況

一九八九年一二月二九日に三万八九一五円の史上最高値を記録した日経平均株価は、以後急落して九〇年一〇月には二万二二一円にまで下がり、いったん持ち直したものの九一年六月には一万六九二一円にまで落ちた。バブルがはじけたのだが、それは公定歩合が八九年五月から九〇年八月にかけて二・五％から六％へと急激に引上げられたからである（図35）。

その結果、個人消費も設備投資も冷え込み、GDP成長率も九〇年の五％から九三年にはゼロ％近くにまで低下した（巻頭図B）。バブル期に住宅建設ブームで貸付過剰になった住宅金融専門会社（住専）は、回収不能の焦げ付き債権によって倒産した。中規模の銀行、証券会社も資金繰りができずに倒産した。この不況はいったんは九六年に回復したものの、九七年に落ち込み、今度は山一証券や北海道拓殖銀行といった大手の倒産を招いた。マスコミはこれを「失われた十年」と呼んだ（日本のGDP成長率は平均一・四%、アメリカは三・四%）。佐川急便事件、自民党政権の終焉という政治的激変で適切・適時な不況対策がとれなかったことも見逃せない。

†グローバル化圧力

当時は、八〇年代に始まる経済グローバル化が進行していた。ソ連・東欧圏が崩壊し、中国も「改革・開放」により資本主義世界市場に組み込まれたことが一つの現象である。しかし何と言っても、新自由主義下でモノ、カネ、ヒトと情報が迅速に動くようになったこと、中でもIT（インフォメーション・テクノロジー）革命によって情報流通の速度が上がり、電子取引さえ始まったことが大きい。アメリカは早くから株式・証券以外の金融商品（医療保険、生命保険など）を開発していたが、それを含む金融商品を世界市場に乗せて、巨大IT企業が提供するネットワークで電子取引が行なわれるようになった。

このIT革命には、集団主義的でボトム・アップ方式の日本的経営は不適切で、迅速に意思決定と執行ができるアメリカ的経営の方が相応しいとされた。日本でも、会社経営に

CEO（最高経営責任者）とトップ・ダウン方式が導入された。情報の収集・分析と管理、商品の管理・開発、マーケット・リサーチなどはコンピュータで、決定はオンライン会議で行なわれるようになり始めた。コンピュータが苦手な社員は、しだいに「窓際族」になっていった。日本の企業は、こうした「グローバル化圧力」にさらされ、会社の組織・運営面に限らない変革を余儀なくされた。

その一つが人件費の削減であり、退職者の不補充、定年前の退職勧奨によって、正社員を減らして非正規（嘱託、パートなど）を増やした。もう一つは「福利厚生」の切り捨てである。比較的大きな企業は、社員寮や社宅、さらには「海の家」等の保養施設を売却し、中小企業は社会保険から脱退し、従来の保険料や掛け金を従業員と折半して医療サービスや年金が受けられる仕組みを奪ってきた。

†格差社会化

不況下では失業者が増大するが、一九九二、九三年に完全失業率は二％で（六〇―七四年は一％）、有効求人倍率は一・四〇倍だった（学生の「就職氷河期」！）。ここでいう完全失業率は雇用形態を問わないので、雇用形態別に見ると、非正規は雇用者の二〇％を占めた（図36。女性は三八％に達したという数字もある）。所定内賃金は、正規男性は非正規女性の約二

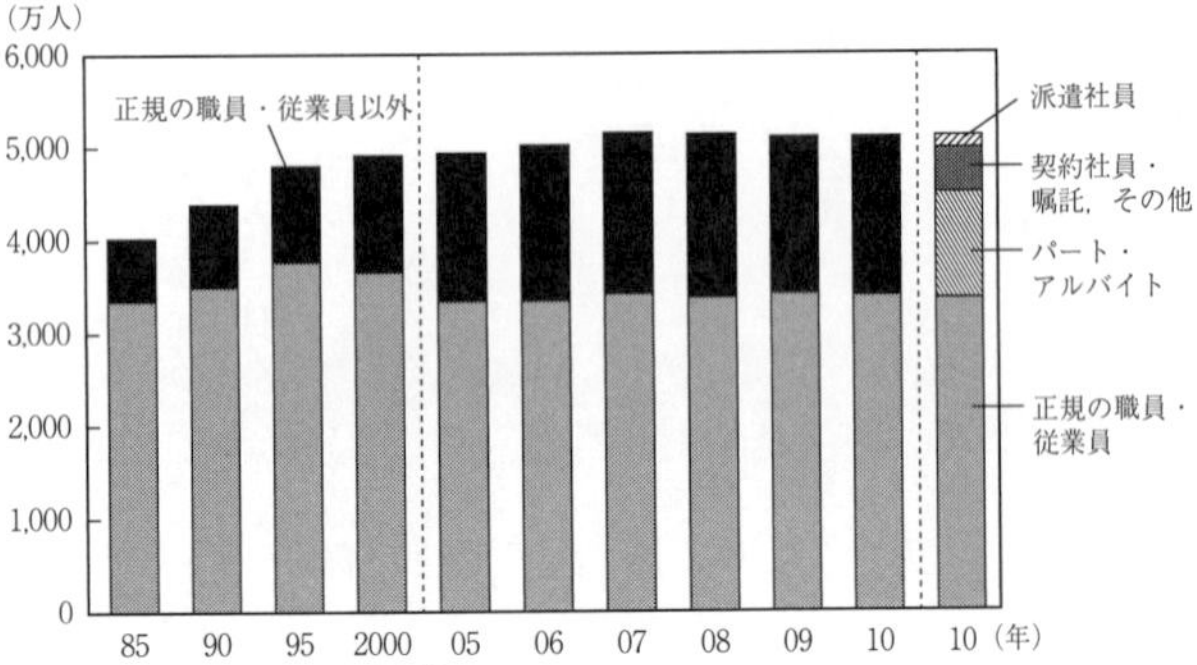

図36　雇用形態別の雇用者数

倍であり、しかも、非正規は男女とも年齢によらずほぼ同水準である（図37）。ニート（Not in Employment, Education, or Training　就業中でも、在学中でも、職業訓練中でもない人）は九三年に四〇万人に達し、その後も増え続けている。

この結果「ホームレス」や「ワーキング・プア」が大量に生まれ、非正規雇用者では結婚もできない、正規雇用者でも子どもを産み、育てられない（保育所不足もあって）、女性が離婚し、あるいはシングル・マザーの場合は生活苦に陥るといった現象が広く見られるようになった。「失われた十年」が貧富の格差を広げ、それを新自由主義の名の下に正当化したことは明らかである。高度成長期の「総中流」意識はもはや失われた。ある社会学者の山田昌弘は、若者が将来に希望を持てる人と絶望している人とに分裂する「希望格差社会」になりつつあると指摘した。

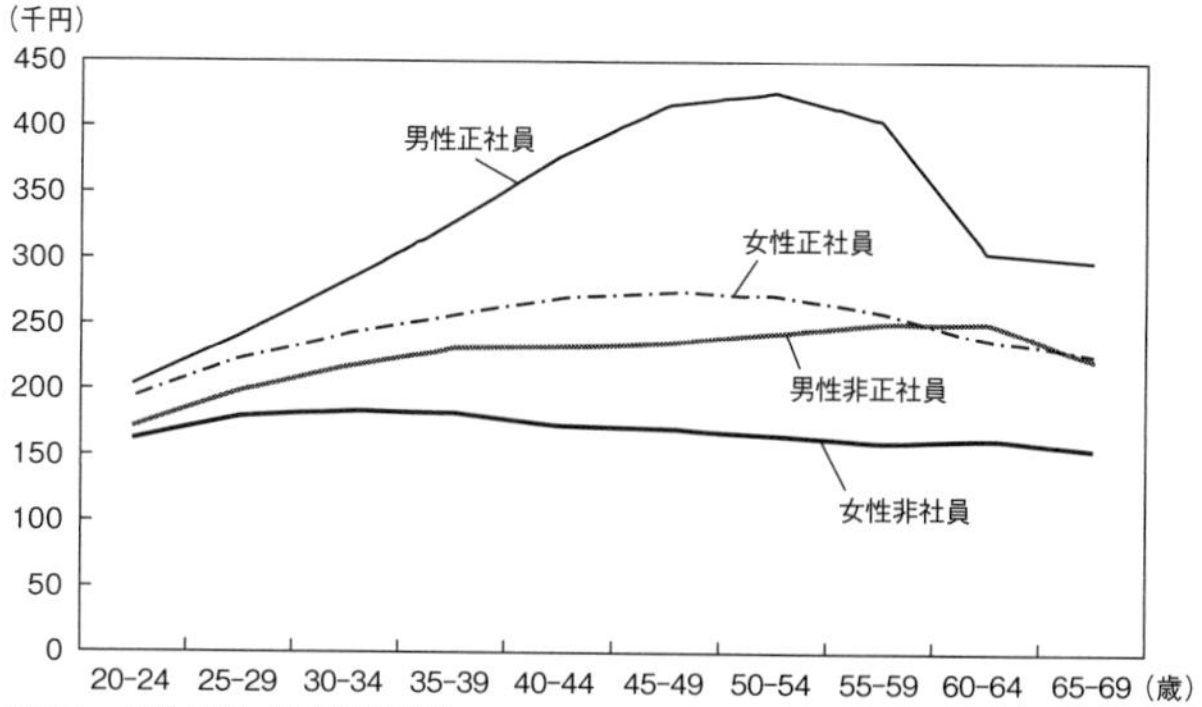

図 37　賃金格差（年齢階級別）

2　五五年体制崩壊と政界再編

†五五年体制の崩壊

一九五五年以来続いた日本の自民党一党支配は、八八年のリクルート（未公開株売却）事件、九二年の佐川急便（ヤミ献金）事件で国民の信を失った。それは田中政権を頂点とする「利益誘導・還元政治」の終わりの始まりでもあった。

八九年には自民党が「政治改革大綱」を党議決定し、衆議院の中選挙区制を小選挙区制に改め、中選挙区制が生んだ派閥の弊害をなくし、小選挙区制に不可欠の強力な執行部をもつ近代的な組織政党に変えていく方針を定めた。小沢一郎も同じく小選挙区制への移行を主張したが、より説得力があった。かつての小選挙区導入論が「改憲のための議員数の三分の二」確保だったのとは異なり、小選挙区制なら野党の健闘により「健全な二大政党制」が生まれやすいし、そうすべきだと論じたのである。政権党が強いリーダーシップを発揮し、野党も従来の「国対政治」（国会対策委員会での与野党談合＝馴れ合い）を脱却すべきだと説いたわけである。

九一年八月に海部《かいふ》俊樹内閣が小選挙区比例代表並立制案を、九三年一月に宮澤喜一内閣が単純小選挙区制案を提案したが、野党は小選挙区比例代表併用制（比例代表制に近いドイツのそれにならった）案のため、通らなかった。ところが、野党の提出した宮澤内閣不信任案が小沢・羽田《は》孜《たつとむ》グループの賛成で可決されたため、解散・総選挙となり、自民党は過半数を割り（巻頭図B）、第一党の社会党、第三党の新生党（小沢・羽田グループ）、第四党の公明党、第五党の日本新党ら八党の連立政権が成立し、日本新党の細川護熙《もりひろ》が首相になった。

選挙制度改革は細川内閣の課題として引き継がれたが、二大政党制になり易い小選挙区制か、穏健多党制をもたらし易い比例代表制かの原則的対立は、容易には解消されなかった。しかも、そこに自民党による穏健多党制支持の日本新党及び「さきがけ」に対する抱きこみ工作、自民党に残った（まもなく「さきがけ」に入党する）武村正義の二大政党論、小沢と武村の個人的確執、小沢による細川引きつけ工作がからみ、参議院で相当数の議席をもつ社会党の反対もあって、複雑な経緯を辿った。結論から言えば「小選挙区比例代表並立制」を基本とし、各選挙制のウエイトをどうするかが争点となった。最終的には九四年一月の細川・河野洋平（自民党総裁）の会談で、小選挙区三〇〇、比例区二〇〇（全国一一ブロック）に落ち着き、即日衆参両院で可決された。

新制度での最初の総選挙は一九九六年一〇月に行なわれた。細川内閣、羽田内閣が短命で倒れたあと、自民党、さきがけ、社会党の連立政権が成立したが、その首相となった社会党・村山富市に次ぐ自民党・橋本龍太郎の下であった。結果は自民党二三九、新進党（旧新生党＋公明党の一部）一五六で、二大政党制に近づいたかに見えたが、新進党は三年余りで解散した（小沢は自由党を結成、公明党は全国政党として復活。巻頭図C参照）。

†社会党の凋落

五五年体制を自民党とともに担った社会党は、長期低落傾向にあり、九〇年の総選挙では「土井（たか子、おたかさん）ブーム」で一三六議席まで戻し、労組依存から市民政党への脱皮が期待されたが、党機関を抑える左派のために果たせなかった。村山富市は党内左派に属しながら、小沢嫌いもあってか、羽田退陣に際し「非自民」連立より「自社さ」連立を選んだ。九四年六月末、村山は衆議院で首相に選出され、七月の本会議の演説で党是を覆す内容を発表した。①日米安保体制は「不可欠」である、②自衛隊は「憲法の認めるもの」である、③日の丸が国旗、君が代が国歌であるという国民の認識は尊重する、④（翌日の参議院本会議では加えて）党是の「非武装中立」は「その政策的役割を終えた」と。

さらに九五年五月の社会党大会で発表された「新しい基本価値と政策目標」は、自衛隊を「合憲」と認め、日米安保条約は「堅持」する、社会党は「階級政党」ではなく「市民政党」である、「市場経済」や「公正な自由貿易」を認めるというもので、「社会民主主義」宣言に他ならない。「平和と護憲の社会党」支持者の失望は、七月の参議院選挙に直ちに現れた（改選四一議席のうち当選したのは一六）。これに先立つ一月の「阪神・淡路大震災」、三月の「地下鉄サリン事件」（オウム真理教団によるテロ）も、政権の責任ではないとはいえ、その評判を落とすことになった。

むろん、村山首相ならでは、の成果もあった。八月一五日に発表した「戦後五〇年にあたっての首相談話」（閣議決定）は、「戦前の植民地支配と侵略」に対する反省とお詫びを表明し、「唯一の被爆国」（戦争被爆国とすべき）として核廃絶と軍縮を訴え、従来の「終戦談話」から大きく前進したものと評価される（史料10）。元「従軍慰安婦」に対する補償は「国家賠償」ではなく「アジア女性基金」を通じた官民共同の資金提供であることを批判する向きもあったが、一歩前進ではあった。

一九九六年一月村山首相は退陣し、社会党は大会で「社会民主党」に改称したが、九月に民主党が結成されると（鳩山由紀夫・菅直人共同代表）、社会党議員の多くはこれに合流した。一〇月の橋本首相の下での総選挙で、社民党はわずか一五議席に転落した。

†小選挙区制と政界再編

小選挙区制導入は二大政党制には直結せず、数年間に議員一桁のミニ政党を含めて離合集散を繰り返し、一九九六年、二〇〇〇年の総選挙を経て、ようやく自民党（＋公明党）と民主党との二大政党（ブロック）制に近づいた。

しかし、この間に新自由主義的な改革も、政権に返り咲いた自民党を中心に進められた。橋本政権による行政改革、即ち中央省庁の統廃合と各種法人・補助金の整理であり、二代後の小泉純一郎政権による地方行財政改革である。地方行財政改革では地方交付税が削減され、自前の財源が少ない地方自治体を赤字に追い込み、「地方の衰退」に拍車をかけた。

小泉政権が郵政民営化を「守旧派と既得権」の打破として、解散・総選挙までして（参議院での否決なのに衆議院解散は憲法違反ではないか）強行したとき、民主党は何ら対抗できなかった。それは「劇場型政治」とポピュリズムの極致とも言うべき選挙だった。それでも、小泉政権五年余りの格差社会化に対して、民主党は「（社会的）公正」を掲げて対抗した。もはや、五五年体制下の「保守対革新」は通用せず、むしろ「改革」＝新自由主義的政策と闘うマニフェストが求められた。とくに年金制度改革を取り上げ、二〇〇七年に「宙に浮いた年金記録問題」で安倍晋三政権を追及し、七月の参議院選挙で大勝し、参院第一党になったことが、翌々年の政権交代に繋がった。

3 安保強化とネオ・ナショナリズム

†湾岸戦争以後の安保強化

一九九〇年のイラクのクウェート侵攻に対する九一年一月の湾岸戦争で、日本は「金は出すが、血は流さない」との批判を浴び、「国際貢献」を強く求められた（多国籍軍に一〇億ドル＋追加支援三〇億ドル＋開戦後九〇億ドル）。忘れられがちだが、アメリカ第七艦隊の艦船（横須賀）や沖縄の海兵隊などが参戦し、イラク爆撃にイージス艦やトマホーク・ミサイルが使用された。戦後ではあるが、海部政権は自衛隊の掃海艇をペルシア湾に派遣し、機雷等の除去に当たらせた。戦闘行動はしないし、シーレーンの安全確保のためだという理由だった。

さらに宮澤政権下の九二年、国連の枠組みでの自衛隊派遣を容認する「ＰＫＯ（Peace

Keeping Operations）協力法」が成立した（その後カンボジアやティモールの紛争地域に派遣）。海部総裁の幹事長だった小沢が『日本改造計画』（九三年）で、日本が「普通の国」になるために、憲法の枠内で国連に自衛隊を提供し、海外で活動させることは可能だと正当化した。

細川政権から村山政権まで日本の安保・対米政策はあまり動かず、米国は村山には就任後の国会演説にもかかわらず不安を抱いていた。駐米日本大使は「冷戦が終わったのに、なぜ安保条約が必要なのか」という日米両国民の疑問に答える必要を感じていた。そこで、九六年四月にクリントン大統領と橋本首相は「日米安全保障共同宣言」を発表し、日米の「堅固な同盟関係」の重要性を指摘し、七八年の安保ガイドラインを見直すことを明らかにした。九七年九月に合意されたガイドラインは、①平素の協力、②日本有事、③周辺事態からなるが、「周辺事態」では「日本有事」以外でも、日本は米軍基地等の提供のほか、物資の輸送や補給の「後方支援」を行なうことになった。

多数の米軍基地を抱える沖縄では、九五年九月に米兵による少女暴行事件があり、大田昌秀県知事を先頭に、日米地位協定の改定と米軍基地の整理・縮小を求める運動が高まった（図38）。アメリカ側が右の首脳会談で、普天間基地の返還を示唆したが、代替基地の問題で交渉は大きく長引くことになった。

次の小渕恵三政権下では、九九年五月ガイドライン関連法として「周辺事態法」等が成立した。九八年八月の「テポドン・ショック」に後押しされた形である。国会審議は難航したが、「周辺」は地理的な概念ではなく、事態の性質を表すものだとか、やはり地理的制約はあり、中東やインドは想定されていないとか、政府は説明した。

　日米安保条約はかつて「極東」の範囲をめぐる論争を呼び起こしたが、今や自衛隊派遣は米軍の出動範囲「周辺」と拡大解釈されるようになった（その後インド洋、イラクに派遣された）。「後方支援」も水や食糧の供給、インフラ修理のみならず、米軍機に対する給油も含まれるようになった（これは戦闘への参加である）。

図38　少女暴行抗議の沖縄県民大会

†対外摩擦の表面化

　一九九〇年代には、冷戦下で抑えられ、自重していた中国と南北朝鮮の日本による侵略と植民地支配に対する批判が表面化した。教科書問題が再燃し、閣僚の靖国神社参拝が批判され、とくに慰安婦問題と補償要求が大きくクローズ・アップされた。二〇〇〇年代に入ると、韓国との間に竹島（独島）、中国との間に尖閣（釣魚台）列島の帰属をめぐる紛争が生ずるが、これらはサンフランシスコ平和条約の「置き土産」であるとともに、中国、韓国の経済的追い上げと日本の長期的・構造的不況に根ざす日本の「自信喪失」の現れでもある。それを熟慮しない、排外的主張の「新しい歴史教科書をつくる会」「日本会議」などの団体が登場したのも、九〇年代半ばのことである。

しかし、日韓両国はたえず対立し続けたわけではない。一九九七年に金大中が大統領に当選すると、知日派である上に、この年のアジア通貨危機を切り抜けるためには日本の投資が必要であると判断し、日韓関係の改善に動いた。九八年一〇月に訪日した金大中と小渕首相との間での「日韓パートナーシップ宣言」は、両国が価値観（市場経済と民主主義）を共有するばかりか、対北朝鮮関与政策で協力すること、両国関係の改善を地球環境問題にも及ぼすことを表明した。韓国では長らく続いた日本文化の制限ないし禁止は、段階的に解除されて歌謡曲や映画が受容され、日本では「韓流ブーム」が起きた。二〇〇三年のTVドラマ『冬のソナタ』がその代表例である。サッカー・ワールドカップの日韓共催（二〇〇二年）は両国の若者を接近させ、交流を深める機会となった。

《史料10》村山首相の「戦後五十年」談話（抄）

わが国は、遠くない過去の一時期、国策を誤り、戦争への道を歩んで国民を存亡の危機に陥れ、植民地支配と侵略によって、多くの国々、とりわけアジア諸国の人々に対して多大な損害と苦痛を与えました。私は、未来に過ち無からしめんとするが故に、疑うべくもないこの歴史の事実を謙虚に受け止め、ここにあらためて痛切な反省の意を表し、心からお詫びの気持ちを表明いたします。また、この歴史がもたらした内外すべての犠牲者に深い哀悼の念を捧げます。

敗戦の日から五十周年を迎えた今日、わが国は深い反省に立ち、独善的なナショナリズムを排し、責任ある国際社会の一員として国際協調を促進し、それを通じて、平和の理念と民主主義とを押し広めていかなければなりません。同時に、わが国は、唯一の被爆国としての体験を踏まえて、核兵器の究極の廃絶を目指し、核不拡散体制の強化など、国際的な軍縮を積極的に推進していくことが肝要であります。これこそ、過去に対するつぐないとなり、犠牲となられた方々の御霊を鎮めるゆえんとなると、私は信じております。

（以下略）

参考文献

①田村秀男『人民元・ドル・円』岩波新書、二〇〇四年
②橘木俊詔『格差社会―何が問題なのか―』岩波新書、二〇〇六年
③宮本太郎『生活保障―排除しない社会へ―』岩波新書、二〇〇九年

④広井良典『持続可能な福祉社会――「もうひとつの日本」の構想』ちくま新書、二〇〇六年
⑤山口二郎『政権交代論』岩波新書、二〇〇九年
⑥中北浩爾『現代日本の政党デモクラシー』岩波新書、二〇一二年
⑦吉次公介『日米安保体制史』岩波新書、二〇一八年

コラム14 日本の政治家寸評

筆者には政界の友人が少なくないが、故町村信孝さんを紹介する。東大闘争のとき彼はスト収拾派のリーダーで、経済学部代表団を率いて、一九六九年一月一〇日の秩父宮ラグビー場における加藤一郎総長との確認書交換に参加した（彼はラグビー部だったから会場を用意した）。当時は全学共闘会議の筆者とは口もきかない関係だったが、一五年して「和解した」。コラム２で紹介した東大駒場裏門付近の喫茶店のマスターが「そろそろ手打ちしなよ」と言うので、開店二〇年祝いを一緒にやったのである。

その後一九九〇年にワルシャワのワジェンキ公園で遭遇したが、町村さんが文部政務次官として訪問していた。次に筆者は、二〇〇五年にモスクワの外交公文書館を利用するのに外務大臣名で紹介状を書いてもらった。反対に、一九五六年の鳩山訪ソ代表団通訳が遺したメモについて新聞記者ＯＢ会報に書いた一文を、自由民主党の機関誌に転載することを快諾した。

村山富市元首相とは一回しか話していない。二〇〇二年に、坂本義和ゼミの先輩、崔相龍《チェサンヨン》駐日韓国大使が離任するので開かれたパーティでの立ち話である。村山さんに「秘書官をしていたＮ君の友人です」と自己紹介した。筆者が「戦後五〇年談話は素晴らしかったが、朝霞での自衛隊観閲式の敬礼はいただけない」とぶつけたら「富田さん、首相だからそうする他なかったんですよ」とバツが悪そうに答えられた。その実直な物言いに感心した。

第15講 二一世紀に入って

この最終講は「まとめ」的なものになる。二一世紀に入ってもはや二〇年余り経過したので、筆者が考える大きなテーマごとに整理するが、それは、①二〇〇一年のアメリカ同時多発テロ、②二〇一一年の東日本大震災と福島原発事故、③二〇二一年の新型コロナ・ウイルスの全世界的流行と、偶然にも一〇年ごとである（最後のパンデミックは二〇年に始まり、なお終息してはいない）。ただし③は進行中であり、筆者の専門から遠いので、まだ論じられない。

1 戦争の過去と未来

†戦争の定義と性格

戦争とは、国家間（同盟諸国間）の大規模な武力衝突である。戦争とは「他の手段をもってする政治の延長である」というクラウゼヴィッツの古典的定義に従えば、例えば他国からの領土獲得（失地回復）の外交交渉が行き詰まったときに、戦争という手段がとられる。第一次世界大戦までの戦争は、短期間で勝敗が決まり、戦場も限定され、参戦する兵士も少なかったが、この大戦は四年余り続き、数百万の軍隊の衝突と国民総動員の総力戦となり、新しい兵器が次々と登場し、数百万の戦死傷者を生んだ。第二次大戦については第一講で説明した通りである。

第二次大戦後の大規模な戦争としては、朝鮮戦争、ベトナム（インドシナ）戦争、中東戦争が挙げられる。朝鮮戦争は異なる体制間のイデオロギー対立に基づく戦争だが、双方とも大義名分として「朝鮮統一」を掲げていた。アメリカと国連側からすれば、北朝鮮の「侵略に対する懲罰」であった。ベトナム戦争は抗米民族解放・統一戦争であり、「共産主義封じ込め」戦争だった。中東戦争はユダヤ人とパレスチナ人の生活圏＝故地をめぐる紛争が、独立国家イスラエルとアラブ諸国の四次にわたる戦争となり、米ソが後押しする冷戦的な色彩も帯びた。総じて冷戦期は、戦争も米ソの広義のコントロール下にあって分かりやすかった（ベトナム戦争は米国とソ中の「代理戦争」と言われた）が、冷戦後は複雑になった。

ソ連・東欧革命による多民族国家の解体は、いくつかの民族・宗教戦争を生み出した。アルメニアとアゼルバイジャンのナゴルノ・カラバフをめぐる共和国間戦争は、独立国家同士の戦争として引き継がれた。ユーゴスラヴィア解体に伴う旧ユーゴ（セルビア）のコソヴォ住民（アルバニア系、ムスリムが多い）に対する迫害には、アメリカとＮＡＴＯが空爆の形で軍事介入した。この「人道的介入」（人権侵害、「民族浄化」等の著しい迫害には国際社会が武力介入してもよいし、すべきである）論は、従来の基準では「主権侵害」「内政干渉」だが、そうしてまでも必要だと肯定され、その後のアフリカ諸国等の内戦に対しても適用された

ケース	介入主体（主導国／機関）	介入目的	根　拠
イラク 1990〜91年	多国籍軍（米英）	侵略対処	安保理決議678 （国連憲章第7章に言及）
イラク北部 1991年	多国籍軍（米英）	人道的介入（難民・避難民救援）	安保理決議688 （国連憲章第7章への言及なし）
ソマリア 1992年	多国籍軍（米）	人道的介入（難民救援）	安保理決議794 （国連憲章第7章に言及）
ソマリア 1993年	国連PKO（UNOSOMII）	治安確保・安定化（指導者逮捕）	安保理決議814 （国連憲章第7章に言及）
ルワンダ 1994年	多国籍軍（仏）	人道的介入（集団虐殺対処）	安保理決議929 （国連憲章第7章に言及）
ボスニア 1992〜95年	有志連合（NATO）	人道的介入（民族浄化対処）	安保理決議836 （国連憲章第7章に言及）
ボスニア 1995年	多国籍軍 （IFOR→SFOR→EUFOR）	治安確保・安定化	デイトン合意
ユーゴ（コソヴォ） 1999年	有志連合（NATO）	人道的介入（民族浄化対処）	明確な授権決議なし
ユーゴ（コソヴォ） 1999年〜	多国籍軍（KFOR）	治安確保・安定化	安保理決議1244 （国連憲章第7章に言及）
東ティモール 1999〜2000年	多国籍軍 （豪・INTERFET）	人道的介入＋治安確保・安定化	安保理決議1264 （国連憲章第7章に言及）
アフガニスタン 2001年	有志連合（米英、NATO）	反テロ＋（個別的・集団的）自衛	安保理決議1368 （自衛権確認，国連憲章第7章への言及なし）
アフガニスタン 2002年〜	有志連合（ISAF）	治安確保・安定化	ボン合意＋安保理決議1386ほか （国連憲章第7章に言及）
イラク 2003年	有志連合（米英）	反テロ＋大量破壊兵器拡散対抗	明確な授権決議なし

表10 「人道的介入」等

（表10）。

もう一つの新たな戦争の特徴は、非国家的主体の登場である。アメリカへの同時多発テロを指導したビン・ラディンは、アフガニスタンのソ連軍撤退後しばらくして一九九六年にタリバンに迎えられ、出身のサウジアラビアをはじめイスラム地域では国際テロ組織「アルカイダ」指導者として広く知られていた。アメリカは、世界貿易センター・ビル等への旅客機による（乗客・乗員を巻き添えにした）自爆攻撃直後にビン・ラディンを教《きょう》唆《さ》主犯と判断し、今後は「対テロ戦争」を行なうと宣言した。

従来もイスラムのジハード主義者による自爆テロは知られていたが、アメリカは中枢（国防総省を含め）へのテロを受け、その威信を大いに傷つけられて、「対テロ戦争」を宣言した（二〇一一年ビン・ラディンは潜伏先で米軍特殊部隊により殺害された）。戦争と治安対策の一体化を進めることになった。アメリカなどの「有志連合」は「大量破壊兵器の存在」を口実にイラク戦争を行なったが、その後の混乱に乗じて勢力を伸ばし、イラク・シリアに跨《また》がる自称ＩＳ（イスラム国）を樹立したジハード主義者に空爆を加え、壊滅に追い込んだ。

†戦争が生む難民

難民とは、政治的・宗教的・民族的な迫害のため国外に逃れた人々を指し、第一次大戦時のアルメニア難民（トルコによる虐殺）、ロシア革命時の難民が最初の大規模な例である。これに、ナチ支配から逃れたユダヤ人難民が続いた。第二次大戦後ではパレスチナ難民、ハンガリー難民（一九五六年の民主化弾圧の結果）、インドシナ難民などが知られる。難民問題は国連にとっても大きな問題となり、「国連難民高等弁務官事務所（ＵＮＨＣＲ）」や「難民の地位に関する条約」が救済の拠《よ》り所となった。

難民が増えたのは、ソ連末期の民族紛争、ユーゴスラヴィア解体、アフガニスタン内戦、アフリカ諸国の大規模な飢餓・内戦（ルワンダ、スーダン、ソマリア等）などの結果である。

発生国	人数
シリア	4,850,792
アフガニスタン	2,662,954
ソマリア	1,123,022
南スーダン	778,629
スーダン	622,463
コンゴ民主共和国	541,291
中央アフリカ	471,104
エリトリア	379,766
ウクライナ	321,014
ベトナム	313,155

表11　難民の増大
（2015年末時点、上位10件）

さらに近年増えたのは中東の紛争地域で、イラクとシリアの難民であり、彼らのトルコやパキスタンへの流入、西欧、とくにドイツへの流入が目立っている。難民数は一九九二年に一八〇〇万人に達し、パレスチナ難民は二〇一五年に累計五〇〇〇万人を超えていた。シリアは同じ時点で、難民も国内避難民も最大多数を占めた（表11）。

難民問題は、原因である戦争や飢餓の解決には時間がかかるだけに、国外に逃れた人々への対応、つまり、保護した上で難民条約に則って認定して受け入れるか、どのように定着させるかが課題である。受け入れ国は同じイスラム教の近隣国家ならまだしも（帰還する可能性がある）、遠方の西欧諸国だと簡単ではない。すでに相当数の移民を受け入れており（フランスは国民の七％）、文化的・宗教的な摩擦が起きていたからである。移民に寛容なドイツでさえ、移民排斥を唱える政党「ドイツのための選択肢」が近年強くなっており、難民は受け入れないと強硬に主張しているからである。日本はＵＮＨＣＲへの資金拠出が多く、緒方貞子高等弁務官の貢献も大きかったが、難民受入れにはインドシア難民のときから消極的だった。

†核兵器とAI兵器

核兵器の開発競争と軍備管理・軍縮にはすでに触れた。部分核停条約や核不拡散条約にもかかわらず、核保有国は米露（旧ソ）英仏中の五大国（国連常任理事国）以外にも、イスラエル、インド、パキスタン、北朝鮮と増えてきた（図39）。かつてアイゼンハワー大統領は告別演説（一九六一年）で「軍産複合体」による国策への強い影響を警告したが、核開発を含む軍備増強は巨大資本の利益にもなるから進められてきた点を見過ごしてはならない。

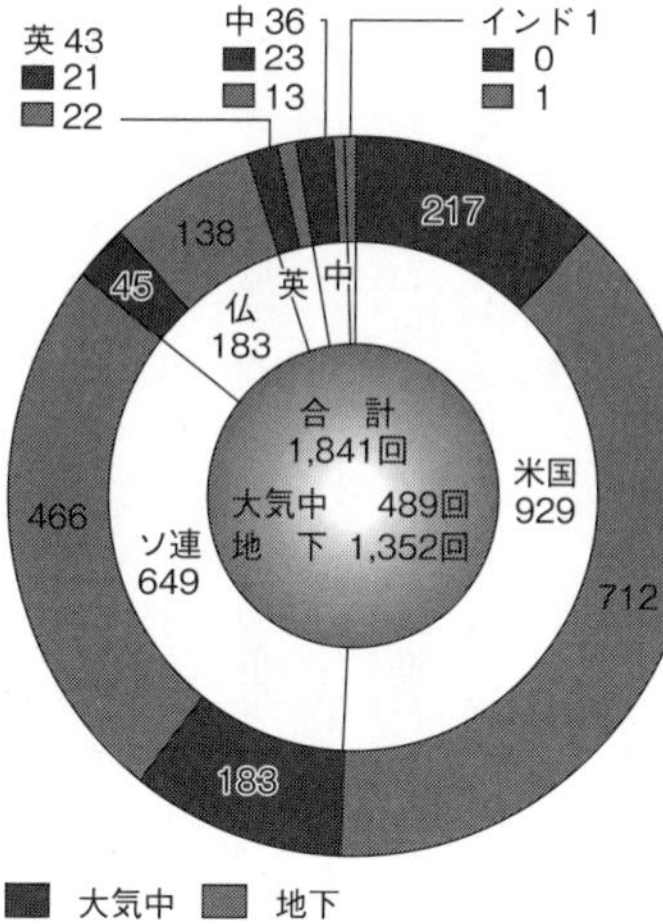

図39　1945-90年の核実験

実は、米ソ両国が核兵器保有を正当化するために唱えた「核抑止論」（核兵器を保有することが、使用することによる共滅を恐れるから戦争抑止になる）も、キューバ危機など何度か核戦争の瀬戸際まで行った経験から成立しがたいことが明らかになった。敵対国に対する情報秘匿と相互不信から、敵対国の保有数（核弾頭、ミサイル）を少しでも上回ろうとする軍拡は、敵対国の反射的な同様の軍拡を呼び、悪無限の核軍拡競争をもたらす。また、ミサイル防御システムは防衛的だという議論に立つ開発は、敵対国がより攻撃的・破壊的なミサイルを開発する結果になり、これまた悪無限的な核軍拡競争となる。これが冷戦期の核軍拡競争の現実だと米ソ首脳が気づいたから、INF条約やSTART1といった核軍縮が初めてなされたわけである。

にもかかわらず、核拡散は進行し、北朝鮮が「米朝枠組み合意」を破って核弾頭と長距離ミサイルまで保有し、対米「瀬戸際外交」を行なっているのは、東アジアの平和を脅かすものである。さらに「アルカイダ」のようなテロリスト集団が小型核弾頭及びミサイルを保有するか、通常兵器で原発を攻撃する危険もある。

有名な「世界終末時計」は、終末の午前零時までに残された時間を示すもので、作成された一九四七年は「七分前」、一九八四年（ペレストロイカ前年）には「三分前」だった。その後は環境破壊も考慮され、二〇一五年は「三分前」とされた。

さらに近年のITの急速な進歩は、AI（人工知能）兵器の開発をもたらし、二〇三〇年には大国で実戦配備が可能になるという。経済先進国とは言えないアルメニアとアゼルバイジャンの戦争でも、ドローンによる爆撃が行なわれたという（現代版「死の商人」＝IT企業が暗躍したはず）。生身の兵士が血を流さないロボット戦争ができると言いたい向きもあるだろうが、湾岸戦争における米軍のピンポイント爆撃がいくら正確さを誇っても「誤爆」でイラク市民に多数の犠牲者を生んだことを忘れてはならない。テロリスト集団が、米国戦略ミサイル司令部、または個別の核ミサイル基地の情報システムにコンピュータで侵入してプログラムを混乱させれば、そこから偶発核戦争につながる恐れがあり得る。

†戦争ができる国へ？

日本では、二〇一四年七月安倍晋三内閣が、「集団的自衛権を持つが、憲法上の制約により行使できない」とする自民党政権が長年維持してきた見解を変更した。従来の「武力行使の三要件」の「わが国に対する急迫不正の侵害」に「わが国と密接な関係にある他国に対する武力攻撃により、わが国の存立が脅かされること」を加えたが、それが米国を意味することは明らかである。この改正は二〇一五年の日米安保ガイドラインの一九九七年以来の見直しにも盛り込まれた（この見直しに、日本は中国の海洋進出を牽制する意図を込めた）。そして、同年九月「国際平和支援法」「重要影響事態法」（周辺事態法の改定）などの安保関連法を、野党と世論の反対を押し切って成立させた。

こうした政策転換は「集団的自衛権の不行使から行使容認へ」に留まるものではなく、「専守防衛」原則や「非核三原則」にも及びかねない。安倍首相は「集団的自衛権行使は、ものすごい抑止力になる」と言ったと報じられたが、行使したら戦争になるのであって「限定戦争」に止まることはまずない。中国や北朝鮮も、いったん戦争になれば「台湾海峡有事」であれ「朝鮮半島危機」であれ、沖縄と日本本土を核攻撃することになり、大量報復を招き、得るものは焦土のみだということくらいは分かっているから、自制するのである。それに、両国は日米安保の米軍主導の一体性くらいはとうに承知している。

最近、自民党の一部タカ派は、中国の急速な軍拡（海洋、宇宙空間を含む）に対して「敵基地攻撃能力」を持つべきだ、防衛費は、中曽根政権期にGNP一％の枠を超えたのに続いてGDP二％越えにすべきだと主張している。防衛省内部では「島嶼（沖縄など南西諸島）防衛」構想が、陸海空自衛隊の水陸両用部隊の運用はむろん、ミサイル防衛システムの構築（人工衛星による監視と連動）や電子情報網の高度化の形で検討されていることは、国民として知っておくべきであろう。

重要なことは、根拠薄弱な「抑止論」に代わる「平和のための抑止」（信頼醸成措置は第一歩だが、破壊が無意味なほど緊密な経済協力と人的交流、世界大の反核・平和運動）を構築することであり、そのためにも日本はアメリカの「核の傘」から離脱し、核兵器禁止条約に加入すべきであろう（史料11。ただし、加入国を増やすために「原子力の平和利用」は否定していない）。カザフスタン、太平洋島嶼諸国＝核実験被害国が加入して、戦争被爆国日本が未加入とは！

2　地球環境と持続可能な開発

†公害対策から環境保護へ

日本における経済成長に伴う「公害問題」はすでに見た。他の先進国の経済成長に伴う人体と自然の毀損《きそん》もまた、レイチェル・カーソン『沈黙の春』（一九六二年）以来しだいに社会問題化したが、一九七二年にストックホルムで開かれた国連人間・環境会議ではまだ、日本と同じく「公害問題」として、一国内で処理される問題だとされた。ところが、イギリス、ドイツ、東欧の石炭燃料に起因する「酸性雨」が北欧諸国に被害をもたらすようになって、七九年に「長距離越境大気汚染条約」が多国間で結ばれた。八五年には、オゾン層破壊をもたらすフロン・ガスの削減に関するウィーン条約が結ばれた。しだいに、国境を越える環境保護が課題となったのである。

原子力発電は、日本では欧米先進国にならって開始されたもので、茨城県東海村の最初の原子炉は英国製コールダー・ホール型を導入した。一九五五年の原子力基本法以来「原子力平和利用」の国策のもとで推進された。被爆国だからこそ熱心に取り組むのだという理屈だった。手塚治虫の漫画『鉄腕アトム』の主人公が原子力を動力とするロボットで、妹の名がウランだったことは、国民の核アレルギー解消に役立ったとは言えまいか。石油危機以降は代替エネルギー、大気を汚染しない発電として一挙に増設された（「電源三法」による電力会社・自治体への優遇）。しかし、一九七九年に米国スリーマイル島、八六年にソ連チェルノブイリで原発事故が起こると、国際世論は変わり始めた。原発は安全なのか、放射性廃棄物の処理をどうするのか、被曝者の治療はどうするのか等の問題である。

冷戦末期にゴルバチョフが掲げた「全人類的課題」の一つは、核戦争による共滅を防ぐことであり、いま一つは国境を越える環境破壊から人類を守ることだった。一九九〇年ドイツ議会は、CO_2を一五年後に二五％削減するという目標を立てた。ドイツではすでに一九八〇年に環境保護政党＝「緑の党」が結成され、州と連邦の議会に進出し始めていた。しかも当初は「環境保護」のシングル・イッシューだったが、これと両立できるような経済政策を模索し、ジェンダー平等のために議席数の男女同数割当制をとった。

二〇一一年の東日本大震災は、規模で一九九五年の阪神・淡路大震災を上回っただけでなく、未曽有の大津波と福島第一原発の爆発事故をも伴った（図40）。事故直前の二〇一〇年における日本の電源構成のうち原子力は三〇％も占めていた。フクシマ直後にドイツのメルケル首相は原発の段階的廃止の政策に踏み切った。しかし、日本では一〇年経っても東北地方の復興が進んだとは言えず、福島の避難民が故郷に戻って農林漁業の再生を達成したともとうてい言えない。それどころか廃炉計画は進まず、放射性廃棄物、汚染土・汚染水の処理もできず、汚染水を海に放出する環境破壊を政府が容認している。

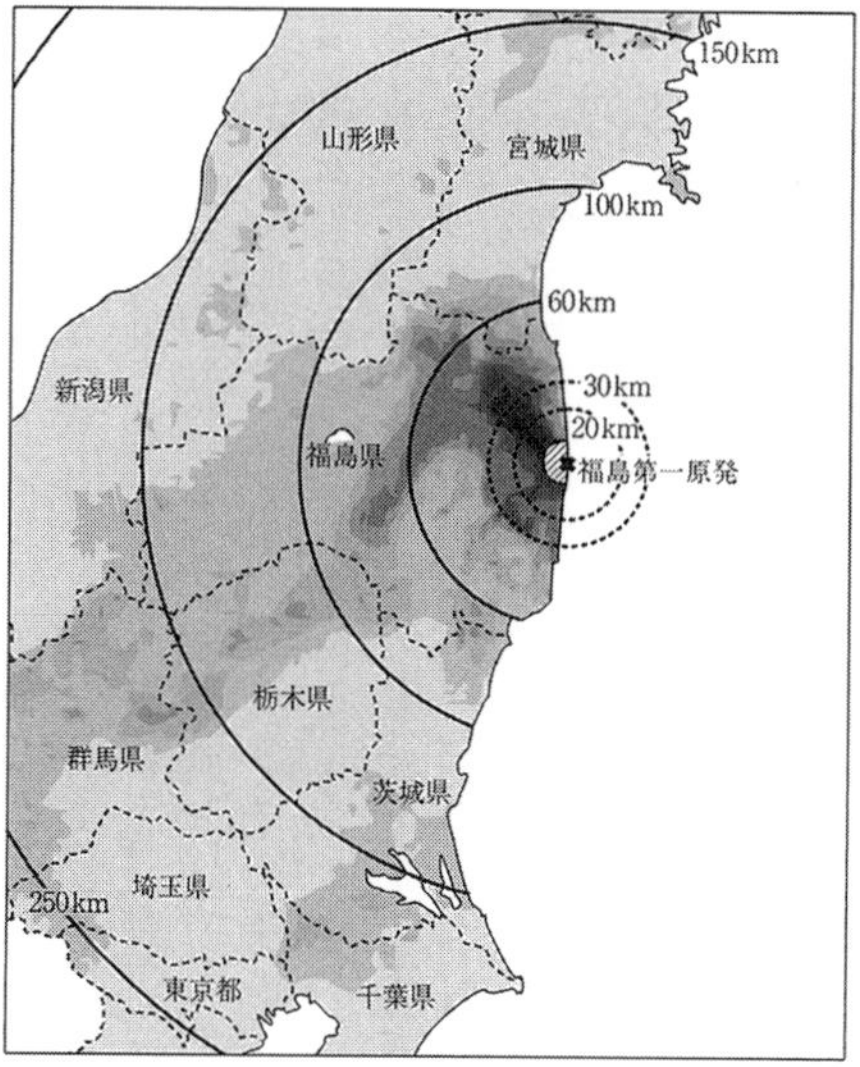

(単位：ベクレル/m^2)

地図の区分	チェルノブイリ原発事故のセシウム汚染による区分	
300万超	148万以上	強制避難ゾーン
100〜300万		
60〜100万	55.5〜148万	強制移住ゾーン
30〜60万		
10〜30万	18.5〜55.5万	高汚染ゾーン
6〜10万	3.7〜18.5万	管理ゾーン
3〜6万		
1〜3万		
1万以下		

▨ 測定結果が得られていない区域

図40　福島第一原発事故の放射能汚染

†環境保護でも南北対立

環境問題が発展途上国も数多く参加した国際会議で論じられた最初は、一九九二年の国連環境開発会議＝「地球サミット」（リオデジャネイロ会議）である。ここには一七二カ国と多数のＮＧＯが参加した。先進国と途上国は、大航海時代以来、前者が貿易と資源、植民地の支配で優位に立ってきた以上、後者が独立した後の一九六〇年代の国連貿易開発会議でも、後者に対する特恵関税やＧＮＰ二％程度の援助などが求められた経緯がある。

この会議でキューバのカストロ首相は途上国の立場を表明した。「この残虐な環境破壊の主たる責任は消費社会にあることは、大いに注目してよい。彼らは、かつては植民地であった巨大都市と帝国主義の申し子であり、これが今日、人類の大多数に天罰として、貧困と退歩をもたらした。世界人口のわずか二〇％の人間が、世界全体が生産する金属資源の三分の二と、エネルギーの四分の三を消費している。彼らはオゾン層を傷《いた》めて穴をあけたし、気象を乱してカタストロフィーをもたらすガスを大気に充満させたため、われわれはいまその脅威にさらされようとしている。森林の消滅、砂漠の拡大、肥沃な土壌が毎年何億トンも海に流出している。おびただしい生物種が絶滅直前にある。……」

このため環境開発会議でも、環境問題は飢饉や貧困、砂漠化等の問題とリンクせざるを

1. 海岸の流失速度の増大と高波による海岸部の被害の増大
2. 海水の流入による地下水の変化
3. エネルギー消費の増大（クーラー使用による）
4. 海水温の上昇によるサンゴの死滅
5. 住環境の悪化による島嶼間の移住の増加
6. リゾート小諸島におけるインフラ投資の損害
7. サンゴの生育速度の変化とこれに伴う海流の変化
8. 人口集中による住環境の悪化

表12　温暖化のモルディブへの影響

得なくなった。唯一つ先進国対途上国の枠組みに入らない課題もあった。地球温暖化の進展による海水面の上昇で南太平洋、インド洋、カリブ海の島嶼《とうしょ》諸国（マーシャル諸島、モルディブなど）が水没する危険であり、この点では中国、インドといった中進国と先進国・島嶼国連合との対立となる（八八年に「島嶼諸国連合」結成、表12）。

一九九七年にCOP（気候変動枠組み条約締約国会議）京都会議が開かれ、京都議定書COP3が定められた。しかし、合意したのは「先進国・市場経済移行国」の温室効果ガスの排出削減数値目標だけだった。二〇〇八―一二年の五年間に、一九九〇年に比べ五％削減する目標であった。しかも、先進国はそう高くはなく、欧・米・日で八、七、六％の差があった。対象ガスは二酸化炭素、メタン、亜酸化窒素など六種類である。途上国の数値目標は示されなかった。二〇年後に「リオ＋20」サミットが開かれ、その翌年に「持続可能な開発（Sustainable Development）」の定義と目標が科学雑誌『ネイチャー』に示された（主として蟹江の著作からの紹介である)。

†持続可能な開発とは

一九八七年のブルントラント(当時のノルウェー首相)報告で初めて用いられた「持続可能な開発」は、右論文では「現在および将来の世代の人類の繁栄が依存している地球の生命維持システムを保護しつつ、現在の世代の欲求も満足させるような開発」と定義される。これでは抽象的なので、一七の目標(SDGs)を明示することにした。①貧困をなくそう、②飢餓をゼロに、③すべての人に健康と福祉を、④質の高い教育をみんなに、⑤ジェンダー平等を実現しよう、⑥安全な水とトイレを世界中に、⑦エネルギーをみんなに、そしてクリーンに、⑧働きがいも経済成長も、⑨産業と技術革新の基盤をつくろう、⑩人や国の不平等をなくそう、⑪住み続けられるまちづくりを、⑫つくる責任、つかう責任、⑬気候変動に具体的な対策を、⑭海の豊かさを守ろう、⑮陸の豊かさも守ろう、⑯平和と公正をすべての人に、⑰パートナーシップで目標を達成しよう、である。

いかにも抽象的だが、先進国と中進国と途上国をすべてカバーすると、こうならざるを得ない。ただし、一六九の「ターゲット」はもう少し具体的で、多くが達成期限を二〇三〇年と定めている。ここではそれを紹介する紙幅がないので、簡単に補足説明する。途上国、とくに最貧国（飢餓水準の国々）には①、②、③、④、⑥が絶対に必要であろう。⑤は途上国、とくに戦争や内戦のある国では、レイプや奴隷化、人身売買といった最悪のケースが存在する。イスラム地域のジェンダー不平等もあるのだが、言及は避けている。⑧の「経済成長」は不要ではないかという意見もあろうが、先進国と圧倒的な経済格差がある途上国には不可欠である。⑨も従来の先進国的な意味ではなく、地域の特性を活かした大きくない産業、省エネルギー的・エネルギー再生的な技術革新と解するべきであろう。⑦は再生可能エネルギーの割合を大幅に増やすとあるものの、原子力には触れず、「クリーンなエネルギー」だけでは原発維持・推進論も容認しかねない。⑫では「食品ロス」の削減、廃棄物のリデュース、リサイクル、リユースを奨励している。⑬はCOPに具体化を委ねるということであろう。⑯も曖昧だが、「平和」は戦争や内戦で生命を落とし、飢えに苦しみ、難民になるようなことがないという消極的な解釈で統一して理解する他ない。ちなみに、二〇一八年の世界の軍事費総計は一兆八二二〇億ドルで、途上国に対するODA（政府開発援助）の総額は一五三〇億ドルに過ぎなかった。

そもそも、これらは各国の政府が具体的な政策として実施することが前提で、すでに西北欧諸国では環境税（炭素税）は九〇年代から実施されている。新自由主義の優勢な中ではそれが企業の競争力を減退させるという抵抗もあるが、他にも「経済グリーン化」の道

	A 発電電力量（億 kWh）	構成割合	B 設備容量（万 kW）	構成割合	想定設備利用率
水力	76	10.3	374	10.5	23.2
風力	415	56.4	1974	55.6	24.0
太陽光	102	13.9	970	27.3	12.0
小水力	75	10.2	127	3.6	67.3
地熱	68	9.2	104	2.9	75.0
計	736	100.0	3549	100.0	

表13　再生可能エネルギー発電（東北電力の場合）

はある。再生可能エネルギー発電（水力、太陽光、風力、潮力、地熱）に補助金をさらに交付して、採算性を確保しながら活性化すること、自動車の電動化（水素燃料化）もイギリスのようにガソリン車の廃止期限を決めて進めること、プラスチック製品を木材・紙製品に置き換え、同時に植林を進めること、また、コロナ禍を「福と転じて」企業と住居の大都市集中を改め、ハイテクも導入した町おこし、村おこしに力を入れること、などである。地方自治体、市民運動やNGO、NPOの果たす役割も大きい。なお、東北電力については脱原発、再生可能エネルギーへの転換は可能だという試算もある（表13）。

二〇二一年のCOP26は、米英のリードで産業革命前からの気温上昇を一・五度にする合意は得られたものの、石炭燃焼のCO_2排出を段階的に「廃止する」原案は、中国やインドの抵抗により「削減する」に変えられてしまった。スウェーデンのトゥーンベリ嬢を始め、日本からも若者がグラスゴーの会場に集まり、CO_2削減を訴えていたのが印象的だった。

《史料11》 核兵器禁止条約（二〇二一年一月。九月末現在、署名八六、批准五六の国・地域）

【前文】

本条約の締約国は、国連憲章の目的と原則の実現に貢献することを決意する。

核兵器の使用によって引き起こされる壊滅的な人道上の結末を深く懸念し、そのような兵器全廃の重大な必要性を認識し、廃絶こそがいかなる状況においても核兵器が二度と使われないことを保証する唯一の方法である。

偶発や誤算あるいは意図に基づく核兵器の爆発を含め、核兵器が存在し続けることで生じる危険性に留意する。これらの危険性は全人類の安全保障に関わり、全ての国が核兵器の使用防止に向けた責任を共有していることを強調する。

核兵器の壊滅的な結果には十分に対処できない上、国境を越え、人類の生存や環境、社会経済の開発、地球規模の経済、食糧安全保障および現在と将来世代の健康に対する深刻な関連性を示し、ならびに電離放射線の結果を含めた、特に母体や少女に対する悪影響を認識する。

核軍縮ならびに核兵器なき世界の実現および維持の緊急性に対する倫理的責務を認識し、これは国家および集団的な安全保障の利益にかなう最高次元での地球規模の公共の利益である。

核兵器の使用による犠牲者（ヒバクシャ）ならびに核兵器の実験による被害者にもたらされた受け入れがたい苦痛と被害を心に留める。

核兵器に関わる活動が先住民族に及ぼした不釣り合いに大きな影響を認識する。

すべての国は国際人道法や国際人権法を含め、適用される国際法を常に順守する必要性があることを再確認する。

国際人道法の原則や規則を基礎とする。とりわけ武装紛争の当事者が戦時において取り得る方法や手段の権利は無制限ではないという原則、区別の規則、無差別攻撃の禁止、均衡の規則、攻撃の予防措置、過度な負傷や不要な苦痛を引き起こす兵器使用の禁止、自然保護の規則。

いかなる核兵器の使用も武力紛争に適用される国際法の規則、とりわけ人道法の原則と規則に反していることを再確認する。

いかなる核兵器の使用も人間性の原則や公共の良心の指図に反することを考慮する。

各国は国連憲章に基づき、国際関係においていかなる国の領土の保全や政治的独立に反する、あるいはその他の国連の目的にそぐわない形での武力による威嚇や使用を抑制すべき点を想起し、さらに国際平和と安全の確立と維持は世界の人的、経済的資源を極力軍備に回さないことで促進される点を想起する。

一九四六年一月二四日に採択された国連総会の最初の決議ならびに核兵器の廃棄を求めるその後の決議を想起する。

核軍縮の遅い歩みに加え、軍事や安全保障上の概念や教義、政策における核兵器への継続的依存、ならびに核兵器の生産や維持、現代化の計画に対する経済的、人的資源の浪費を懸念する。

核兵器について後戻りせず、検証可能で透明性のある廃棄を含め、核兵器の法的拘束力を持った禁止は核兵器なき世界の実現と維持に向けて重要な貢献となる点を認識し、その実現に向けて行動することを決意する。

厳密かつ効果的な国際管理の下、総合的かつ完全な軍縮に向けた効果的な進展の実現を視野に行動することを決意する。

厳密かつ効果的な国際管理の下での核軍縮のための交渉を誠実に追求し、完結させる義務があることを再確認する。

核軍縮と不拡散体制の礎石である核不拡散条約（ＮＰＴ）の完全かつ効果的な履行は国際平和と安全を促進する上で極めて重要な役割を有する点を再確認する。

核軍縮と不拡散体制の核心的要素として、包括的核実験禁止条約（ＣＴＢＴ）とその検証体制の不可欠な重要性を認識する。〔一九九六年国連総会で採択、米中など未批准のため未発効〕

国際的に認知されている非核地帯は関係する国々の間における自由な取り決めを基に創設され、地球規模および地域の平和と安全を強化している点、ならびに核不拡散体制を強化し、さらに核軍縮の目標実現に向け貢献している点を再確認する。

本条約のいかなる内容も、締約諸国が一切の差別なく平和目的での核エネルギーの研究と生産、使用を進めるという譲れない権利に悪影響を及ぼすとは解釈されないことを強調する。

平等かつ完全で効果的な女性と男性双方の参加は持続性ある平和と安全の促進・達成の重要な

要素であることを認識し、核軍縮における女性の効果的な参加の支持と強化に取り組む。

あらゆる側面における平和と軍縮教育、ならびに現代および将来世代における核兵器の危険性と結果を認知する重要性を認識し、さらに本条約の原則と規範の普及に向けて取り組む。

核兵器廃絶への呼び掛けでも明らかなように人間性の原則の推進における公共の良心の役割を強調し、国連や国際赤十字・赤新月社運動、その他の国際・地域の機構、非政府組織、宗教指導者、国会議員、学界ならびにヒバクシャによる目標達成への努力を認識する。

以下のように合意した。


【本文】

第1条（禁止項目）

一、締約国はいかなる状況においても次のことを実施しない。

(a)核兵器あるいはその他の核爆発装置の開発、実験、製造、生産、あるいは獲得、保有、貯蔵。

(b)直接、間接を問わず核兵器およびその他の核爆発装置の移譲、あるいはそうした兵器の管理権限の移譲。

(c)直接、間接を問わず、核兵器あるいはその他の核爆発装置、もしくはそれらの管理権限の移譲受け入れ。

(d)核兵器もしくはその他の核爆発装置の使用、あるいは使用をちらつかせての威嚇。

(e)本条約で締約国に禁じている活動に関与するため、誰かを支援、奨励、勧誘すること。
(f)本条約で締約国に禁じている活動に関与するため、誰かに支援を要請する、あるいは受け入れること。
(g)領内あるいは管轄・支配が及ぶ場所において、核兵器やその他の核爆発装置の配備、導入、展開の容認。(以下略)

参考文献

①坂本義和『相対化の時代』岩波新書、一九九七年
②竹田いさみ『海の地政学——覇権をめぐる400年史』中公新書、二〇一九年
③本間浩『難民問題とは何か』岩波新書、一九九〇年
④墓田桂『難民問題——イスラム圏の動揺、EUの苦悩、日本の課題』中公新書、二〇一六年
⑤米本昌平『地球環境問題とは何か』岩波新書、一九九四年
⑥佐和隆光『地球温暖化を防ぐ—20世紀型経済システムの転換—』岩波新書、一九九七年
⑦松下和夫『環境政治入門』平凡社新書、二〇〇〇年
⑧長谷川公一『脱原子力社会へ—電力をグリーン化する—』岩波新書、二〇一一年
⑨大島堅一『原発のコスト—エネルギー転換への視点—』岩波新書、二〇一一年
⑩蟹江憲史『SDGs(持続可能な開発目標)』中公新書、二〇二〇年
⑪山本義隆『福島の原発事故をめぐって——いくつか学び考えたこと』みすず書房、二〇一一年
⑫田尾陽一『飯舘村からの挑戦——自然との共生をめざして』ちくま新書、二〇二〇年

コラム15

中村哲さんと田尾陽一さん

二年余り前に凶弾に倒れた中村哲は、アフガニスタン内戦の中で医師として現地の人々の病気と飢えに向かい合いながら、根本的な解決は農業を立て直す他ない、治水・灌漑事業が不可欠だと判断、大規模な用水路建設に医師業を捨て、農民とともに取り組んで完成させた人物として知られる。中村の卓越した点は、タリバンか否かという政治的な色眼鏡や、復興支援に名を借りて自衛隊を派遣しようとする政治家の思惑を拒み、しかも用水路建設には日本伝統の堰《せき》板《いた》や斜め堰を活かすなどの「現場の知恵」にもあった。彼の著作『天、共に在り――アフガニスタン三十年の闘い』にあるように、キリスト教、イスラム教を包含するような哲学の持ち主だった。ペシャワール会を代表してノーベル平和賞受賞に値する。

田尾陽一は山本義隆と同じく東大闘争を院生として闘い、学生として闘った筆者の尊敬する先輩である。田尾は大学に職を持たず長らくIT関係の仕事をしていたが、福島原発事故が起こると飯舘村に入った。彼は普通の支援者ではない。第一に、専門の核物理学を活かすのみならず、生物学・土壌学・気象学・生態学の研究者の協力を得て、農民の経験知も活かして森や土壌、農地の除染と農業再生に取り組んでいる点である。第二に、復興・再生事業は農民が主役で、専門家はサポート役であることに徹している点である。

二人とも大学闘争を経験し、登山愛好家だった点では、筆者と共通する。

おわりに

書き終わった第一印象は「我ながらよくやった」である。むろん、書き足りないことが数多くあり、アフリカ、南アジア、ラテン・アメリカは各講年表で触れる程度だった。しかし、教科書の参考書としては「百科事典」的なものは不適切で、しかも新書には向かない。

最も気を使ったのは、従来の日本史教科書と世界史教科書の戦後史部分の内容をどうミックスするか、横断的かつ俯瞰的に書けるか、だった。自分の大学での新入生向け講義を土台にし、両者の割合が二対一くらいだったのを、ほぼ半々近くにした。世界の一体化が最も進んだ時代であり、「ワールド・ヒストリー」ではなく「グローバル・ヒストリー」が書ける時期になったからである。後者をタイトルに含む書籍も出ているが、ウォーラーステインの「従属論」の出発点＝一六世紀から「グローバル化」が始まるとするのは、今日的概念を過去に投影する暴論で、冷戦終結とＩＴ革命を経て出現したと見るべきだろう。

従来の世界史部分を増やしただけ、戦後日本の生活・文化史的な内容は制限され、時代の画期についてのみ一定の記述をし、生活の変遷は個人的体験を織り交ぜてコラムで紹介した。従来の授業の「余談」はコラム欄に組み込まれている。「映像」を使えないのが残念だが、いずれYouTubeにできればと思っている（本文を書き終わった日に偶然『映像の世紀』新版のキューバ危機とチェルノブィリ原発事故を観たが、映像は「アクティヴ・ラーニング」には不可欠だと、あらためて思った）。

歴史叙述の方法論に少し言及すると、従来も「冷戦史」が世界大の戦後史の柱だった。それは冷戦終結後に本格的な研究となったが、ギャディス『歴史としての冷戦』（慶應義塾大学出版会、二〇〇四年）の米ソ冷戦中心のものから、ウエスタッド『グローバル冷戦史』（名古屋大学出版会、二〇一〇年）の第三世界重視、そして益田肇《はじむ》『人びとのなかの冷戦世界』（岩波書店、二〇二一年）という構築主義的な（戦争への恐怖が先に大衆レベルで生まれ、それが各国首脳の政策決定を導く）冷戦論へと変遷してきた。各々の論評はここでは割愛するが、冷戦終結三十余年の今日これだけでは不十分と思い、第一五講のまとめで「戦争と平和」と並んで「開発と環境」をテーマとしたわけである。

筆者は歴史家として「終戦っ子」であることを幸運だと思っている。「終戦っ子」という言葉さえ今や死語だろうが、筆者は母や祖母から戦争の話を聞いていた（祖母の兄の一人は一九四五年七月にレイテで自決し、もう一人は八月にシベリアへ送られ、その九月に自分が生まれた）。本書は、筆者の教員人生の「最終講義」である。公式的なそれは二〇一四年にすませたが、その後七年間非常勤講師として教壇に立ち、この講義を活字にできたらと思っていたのである。

本書掲載の経済統計の読み方を教示された武藤恭彦さん（成蹊大学名誉教授）、ちくま新書の松田健さんやスタッフの方々には厚くお礼申し上げます。

本書が広く読まれることを願い、読書会や懇談会のゲストの希望があれば喜んで応じます。

最後に、いつもながら妻は原稿の最初の読者になり日本語をチェックしただけではなく、相当の年齢差のため一九八〇―九〇年代の若者の話をリアルに教えてもくれた。健康面のサポートも含め感謝します。長年の病気で記憶と歴史を失ったまま昨夏逝った弟を偲んで。

二〇二二年一月　中島みゆき「時代」を口ずさみながら

富田　武

図表出典一覧（本文の参考文献にあるものは出版社、刊行年を省略した）

図A　高等学校『政治経済』第一学習社
図B　労働政策研修機構 HP
図C　朝日新聞，1994年12月26日を修正
図1-1，図9，図23，表7，表10　佐々木雄太『国際政治史』名古屋大学出版会，2011年，123, 169, 215, 209, 231頁
図1-2，図8　小川浩之他『国際政治史』有斐閣，2017年，117, 130頁
図2　『ヒロシマ戦後史』岩波書店，2017年，第1章扉
図3　富田武『日ソ戦争　1945年8月』みすず書房，2020年，IX頁
図4，図6，図12　雨宮昭一『占領と改革』34-35, 106, 55頁
図5　朝日新聞，1948年11月13日
図7，表2　老川慶喜『もう一度読む山川日本戦後史』山川出版社，2016年，37, 118頁
図10，図11　松岡完『20世紀の国際政治』同文舘出版，1992年，99頁
表3，図17，図39　松岡完他『冷戦史』同文舘出版，2003年，142, 312頁
図13　和田春樹『北方領土問題をどう解決するか』平凡社新書，2012年，30頁
図14　D.マントン，D.ウェルチ『キューバ危機』中央公論新社，2015年，98頁
図15　中村政則『戦後史』岩波新書，2005年，73頁
図16，表6　武田晴人『高度成長』82, 227頁
図18　久保亨『社会主義への挑戦』109頁
図19，図34　文京洙『韓国現代史』95, 146頁
表1　石丸次郎『北朝鮮難民』145頁
図20　吉次公介『日米安保体制史』72, 133頁
図21　毎日ムック「シリーズ20世紀の記憶」『1968年　我々の故郷は1968年だ』毎日新聞社，1998年，147頁
図22　伊藤修『日本の経済』91頁／**図24**　宮本太郎『生活保障』41頁
表4　出水宏一『戦後ドイツ経済史』東洋経済新報社，1978年，163頁
表5　高原明生他『開発主義の時代へ』44頁
図25　富山泰『カンボジア戦記』中公新書，1992年，36頁
図26　桜井啓子『現代イラン』126-127頁
図27　森戸幸次『パレスチナ問題を解く』ちくま新書，1996年，目次の次頁
図28　宮崎勇『証言　戦後日本経済』岩波書店，2005年，226頁
表8　A.アガンベギャン『ペレストロイカ』ダイヤモンド社，1988年，18-19頁
図29　R.ゲイル，T.ハウザー『チェルノブイリ　アメリカ人医師の体験』岩波新書，下，57頁
図30　和田春樹『ペレストロイカ 成果と危機』138頁
図31　和田春樹『ロシアの革命 -1991-』26頁／**図32**　akg-images/アフロ
図33　呉軍華『中国　静かなる革命』日本経済新聞社，2008年，175頁
表9　天児慧『中華人民共和国史』岩波新書，1999年，165頁
図35-37　金森久雄・大守隆編『日本経済読本』第19版，東洋経済新報社，2013年，149, 195, 201頁
図38　共同通信社
表11　墓田桂『難民問題』30頁／**図40**　大島堅一『原発のコスト』13頁
表12　米本昌平『地球環境問題とは何か』116頁
表13　長谷川公一『脱原子力社会へ』223頁

ちくま新書
1636

ものがたり戦後《せんご》史《し》
――「歴史《れきし》総合《そうごう》」入門講義《にゅうもんこうぎ》

二〇二二年二月一〇日　第一刷発行

著者　富田　武（とみた・たけし）
発行者　喜入冬子
発行所　株式会社 筑摩書房
東京都台東区蔵前二-五-三　郵便番号一一一-八七五五
電話番号〇三-五六八七-二六〇一（代表）
装幀者　間村俊一
印刷・製本　株式会社 精興社

ISBN978-4-480-07462-1 C0220